國民中小學圖書館之經營

蘇國榮／著

臺灣學生書局印行

本書會榮獲下列兩獎：

一、行政院國科會七十八學年度
第一期人文科學類乙種研究獎助

二、台灣省政府教育廳七十八學年度
研究獎助

謹此誌謝

修訂再版序

本書自民國七十八年一月出版以來，承蒙各師範學院及大專院校相關系科採爲相關課程之教科書或主要參考書，同時各國民中小學圖書館正值萌芽之際，而競相採用，以爲經營之藍本，故雖短短兩年多的時間，初版即將售罄，同時，先後受「行政院國科會」及「臺灣省教育廳」頒獎鼓勵，且承師長及先進惠賜鼓勵與指教，在此，謹致十二萬分的謝忱。

兩年來，我國國民中小學圖書館經營實務之進展，如朝旭之東日，圖書館學理論的發展亦如日中天，尤其是「個人電腦運用於國民中小學圖書館」，更若雨後春筍，因此，趁此修訂之時，予以增列，同時亦將初版時因手民所誤之處一一予以更正。

修訂版雖較初版充實，然筆者學驗均貧，疏漏之處必仍難免，祈盼先進續予愛護並不吝賜正是幸。

蘇國榮 謹識

民國八十年七月於花蓮師院

王序

在現代圖書館事業的發展中，圖書館可依據設置機構與服務對象區分爲國家圖書館、公共圖書館、大學圖書館、中小學圖書館和專門圖書館五類。各類圖書館除具有保存文化與闡揚學術的基本任務外，另有其不同的功能。

中小學圖書館又稱之爲教學資料中心、學習中心或是教育媒體中心，其地位因現代教學法之革新與實施而益爲重要。過去的中、小學圖書館不過是一所閱覽的場所，其功能也不過是管理圖書和照料閱覽而已。可是現今由於新式教學法的倡導，個別化教學的注重，與適當學習環境的講求，現代的學校圖書館已成爲一所學習的中心。這一中心由受過專業訓練的人員所管理，蒐集組織教學與輔導必需的圖書資料，指導學生利用書的方法，爲全校師生提供親切而完善的服務。它的活動與學校的教學進度相互配合，它的存在使學生有一開闊的學習天地，有形的或無形的發揮了教育功能。

學校圖書館的經營與管理因其功能與其他類型的圖書館有別而具有特殊的要求。在組織與行政上應符合法令與教育部所頒布的標準；在技術服務上應研訂精簡合宜的技術作業程序；在讀者服務上則針對學生的年齡與程度提供多元化的服務；尤其在輔導教育上，更要設計單元教材，培養學生自學的能力。從以上工作得知，一位理想的學校圖書館員實已具備了行政人員、資料管理人員與輔導教師的多重身份，並不是任何人都能夠擔任的。

本書著者蘇國榮先生從事國民教育工作多年，因感於學校圖書館之重要，利用課餘時間考入師範大學社會教育系圖書館教育組進修研究。數年來潛心向學，對於圖書館學之理論與實務頗有心得。畢業後並將其所學應用於圖書館實務，藉資印證，績效卓著。今更將平日研究所見，撰編成册，計劃出版。深信此一著作不僅可供學校行政主管瞭解圖書館業務之參考，更有助於圖書館工作同仁之研習。茲值付梓，特爲介紹，並藉機致賀。

王振鵠　國立中央圖書館七十七年十一月一日

盧序

在我國圖書館事業發展過程之中，最少受到重視的，恐怕是中小學圖書館了。前幾年高中的圖書館也開始進入一個新的里程，有正式編制聘任專業的圖書館主任來董理其事，雖未見得能夠立竿見影，有多少具體的績效，但至少政府主管教育的單位已經注意及此，只要肯再進一步，加以督導，便應該可以有所成就。現在剩下的是國民中小學的圖書館了。奇怪的是大家都說中小學的圖書館重要，就是見不到實質上的支援。當然，憑良心說，我們圖書館的從業人員，無論是在圖書館學校教書的，或者是現役的圖書館員，大家在這一方面投注的心力也不夠多，值得檢討。就是有少數同道曾經對中小學圖書館有所研究著述，又往往因爲自己未曾在中小學工作過，所持意見會與實際狀況有一些出入。或者是由於工作經驗雖然頗爲豐富，而圖書館的專業理念不夠圓通，都未能充份發揮協助中小學圖書館發展的功能。現在，終於像出現了一個「奇蹟」，那便是蘇國榮先生撰著的「國民中小學圖書館之經營」要出版了。

蘇先生原本是師專的畢業生，在國民學校執教好多年，後來考入師範大學社會教育學系，研習圖書館學，這一下使他對圖書館着了迷，幾乎把教書以外的心力，都投注在圖書館裡，師大畢業後又考入文化大學史學研究所圖書博物組繼續深造，獲碩士學位。他把多年從事教育工作的經驗，和專研圖書館學的心得，以及對圖書館實務的豐富體認，熔鑄在一起，寫成一本兼顧理論與實務的大作。看起來好像是中小學圖書館的工作手册，因為書中一一縷述可行的工作程序，大家可以照着進行。其實內涵都是極為正確而成熟的理論，把圖書館經營的理念，深入淺出地傳達給大家，實在是一本十分難得的著作。對我而言，尤其有深得我心的感受，因為我也曾在中學圖書館工作過八年。讓我們來預祝這本書的出版對中小學圖書館的經營有更多的貢獻。

盧荷生

序於輔大圖書館學系七十七年十月

黃序

圖書館乃是蒐集圖書或其類似資料，並加以組織管理，以供閱覽，參考及研究之需的機構。不論時勢推移，科技發展，但其所具有的教育功能則迄未稍變。

自民國五十七年實施九年國民教育以來，各種課程的目標即在促進德、智、體、群、美五育的均衡發展；各中小學校圖書館（室）的設立，即在配合各校的教育目標，蒐集、組織與運用圖書資料以支援教學計畫，配合教學活動，以達成學生身生的發展，健全國民的培養，基本學識的研習，及專業技術的訓練爲其任務。

其實中小學圖書館具有多項功能，除爲達成上述學校教育目標外，尙應指導利用各種工具書，訓練其獨立學習的能力；啓發求知慾，以從兒童時代起，就培養其閱讀習慣與興趣；俟其日後步入社會，更能擴大其影響，蔚爲風氣，書香社會的美景才有可期，精緻素質的生活理想庶有著落。

自理論言之，圖書館之重要固如上述，且教育部在所頒國民小學設備標準內的「圖書設備標準」明定，學校不論規模、班級，均應設置圖書館（室），然我國迄今尙未制定足爲各級圖書館法令依據的「圖書館法」，致使圖書館在各中小學校的成效未盡理想。據師範大學社教系在民國七十年所調查顯示：臺灣地區國民小學已設圖書館（室）者爲一一二四所，占五九·一三

%，國民中學已設圖書館者爲二八三所，占三五．六%；已設圖書室者五一二所，占六四．四%。又據報導稱師大教授最近所完成調查指出：目前國中圖書館約有八五%仍形同虛設，一大間教室，一邊用橱櫃隔開作書庫，一邊擺著桌子讓學生自修閱讀，學生難得借閱圖書，只偶爾進館翻閱雜誌。

由此可見，徒以圖書館（室）硬體館舍的有無所作的統計數據似有玩數字遊戲之嫌，圖書館（室）竟淪爲書庫或自修室，於圖書館服務功能的發揮毫不相干，讀之令之喟歎，而其所以致之的癥結值得有心人士三思。

蘇君國榮，有心人也，有鑒於此，爲謀從根救起，「使圖書館事業之發展於中小學紮根，圖書館利用教育在國民中小學落實」，乃以其任教多年的切身經驗與潛心研究所得，撰爲《國民中小學圖書館之經營》一書。今以忝爲業師，有先讀之緣，綜覽全書，理論與實務兼顧，內容深入淺出，書末附錄所收多篇「教學活動設計」尤具創意，頗爲可採。值茲付梓之際，謹識數語，略表祝賀之忱。

黃世雄

七十七年十一月於臺北淡江大學

自序

二次戰後，科技不斷提昇，知識不斷擴增，資料也以驚人的速率成長，這浩瀚如海的資料，經由一批默默耕耘的圖書館學專家們「蒐集」、「分析」、「整理」，更提供有效的利用與服務，因而人們既充實了今天，更予明天帶來無比的希望。

上古時期，只要「力氣大」，就可以佔有一切；農業時期，擁有「土地」，也就擁有其他；工業社會，有了「金錢」，似乎可以控制全局；到了二十一世紀，能掌握「資訊」的人，將爲未來之「主宰」，他可以用其「智慧」左右全局，當然可以控制一切了。

若要擁有「資訊」，必先善用資料，因此，「利用圖書館」是人人必備的知能，惟有懂得如何檢索與利用資料和訊息的人，方能踏實掌握自己的方向，步上光輝燦爛的坦途。

學習應趁早，尤其是「方法」的訓練，愈早學會，愈早可以利用，所獲也較豐富，因此，圖書館利用教育應由國民中小學開始，提供中小學生「學習方法」，奠定其「自我學習」的能力，培養其「獨立研究」的基礎，使能從狹窄的「教科書」之記誦，延伸到「無止境」的鑽研，爲期有良好的學習環境與學習方法，本書特別提供「如何使國民中小學圖書館」從過去「靜態」的擺設，步入富有生命的「有機體」之步驟。

鑒於目前服務於各國民中小學圖書館的伙伴中，具備圖書館學專業資格者，寥寥無幾，唯恐在經營上有所偏差，使廣大的學生誤入歧途，筆者就十餘年來服務國民小學圖書館的經驗，以及在圖書館系所進修所得，加上圖書館學界前輩們平日的點津，凝聚成書，爲各國民中小學圖書館工作的伙伴們，略盡綿薄之力。

本書依序分章敍述：首章就撰述緣由與國民中小學圖書館之意義及功能加以詮釋，第二章將行政組織與相關法令加以說明，並論圖書館之建築，第三章及第四章分別敍述圖書館後勤工作的「技術服務」與尖兵部隊的「讀者服務」，這是一般非圖書館專業人員最爲迫切需要的，第五章是圖書館利用教育的實施，如何把「利用圖書館」的方法溶入教學，傳授予學生，這是不容忽視的，最後，以如何解決其困境與展望未來作爲結論。

由於業師國立中央圖書館館長王振鵠教授數年來的諄諄教誨，對於立論新知指點尤豐，淡江大學覺生圖書館館長黃世雄教授，輔仁大學圖書館系主任盧荷生教授等，對於本書資料之蒐集，分析與整理給予點津，助益良多，三位恩師於百忙之中爲本書作序勉勵，更使本書增輝，導師林孟眞、吳瑠璃兩位教授對於實務與理論均賜金石之言，更於進修期間，畢業之後，不斷給予鼓勵和指導，謹誌數語，以表謝忱。

同窗好友宋豐雄先生在繁忙的校務中，抽暇爲本書校訂，因其密思而修正諸多缺失，使之更爲完美，尚有諸多同窗協助蒐集資料，更予精神之支援與鼓勵，在此一併誌謝。

數年來，一對子女倩令、昱暘，善體人意，勤奮向學，甚至協助整理文稿，免筆者分心而專注於著述，二十年來，賢妻游春娥女士非但節衣縮食，勤儉持家，照顧一家大小，更擔起深夜課子之責，使筆者無後顧之憂，順利進修，專心著述，此情此意，永銘肺腑，特以此書爲

「結婚貳拾週年慶」。

本書雖已盡全力，但因才疏學淺，思慮不周，錯誤缺失在所難免，尚祈先進賢達，惠賜指正，使能更趨於完善。

蘇國榮

於花蓮中興湖畔民國七十七年秋

國民中小學圖書館之經營　目次

第一章 緒論

第一節 前言

學校圖書館的經營已由古代的藏書室[1]，進展到近代的閱覽室[2]與自習室，更進入現代的「教學資源中心」[3]。其經營的方式、目標與方法均有鉅大的改變。

我國近年來由於經濟的繁榮，人民生活水準普遍提高，各級學校在量的方面均有驚人的發展。民國五十七年，九年國民義務教育的實施[4]，由於免試升國中，故就學率雖高達百分之九十以上[5]，但在升學主義陰影籠罩下的國中教育，質的提高則遠遜於量的發展，教師受到升學的壓力，教材侷限於「教科書」[6]，教法普遍流於「刻板的講述」，教學內容貧乏，每日反覆測驗，其範圍亦囿於教科書，學生只有「無力」地接受，毫無選擇的餘地，閱讀的範圍狹窄，導致興趣低落、思想停滯，甚至造成不良後果，如逃課、逃學、休學、自殺等，青少年「適應不良」之滋生，泰半種因於此。

自清末現代圖書館的理念開始輸入我國，圖書館的功能一直停滯於「高深學術」研究之場所，非一般民衆所能接近，民初，雖有「通俗圖書館」[7]之設，亦未普及，且旋又抗日砲火燃起，使圖書館之發展受到極大的阻碍，抗戰勝利後共黨叛亂，大陸淪陷，退守台灣，圖書館事業亦受影響。

在台四十餘年間，圖書館事業之發展，雖在國際上爭得一席之地，但未落實。從近年各縣市文化中心之先後落成啓用，當可瞭解一般。經營之不善，沒有「夠水準的讀者」，甚至大學圖書館中尚有大學生、研究生不知目錄如何查？索引是什麼？參考書的運用更茫然不知[8]，必需從頭學起，試想，這些人，不論是文化中心的讀者，大專院校的學生，如果在其「國民教育」階段，曾享有充分而熟練的「圖書館利用知能」之訓練與教學，今天怎會落此地步？

再看國民中小學，教師們在「國定教科書」的範圍內，傳授其知識，自認爲這些教材業已滾瓜爛熟，無需再旁徵博引，且「若干年來」均如此講授而學生均能懂，又有什麼不對呢？況且在師範、師專與師大（除社教系以外）也沒有受過「圖書館學」的洗禮，自已也不曉得去利用，又怎麼知道「圖書館」可以幫助學習，增進教學效果呢？

自從師範大學夜間部於民國六十九年秋以「國民中小學教師」爲對象[9]，招收在職教師於社會教育系圖書館教育組進修，這些「在職進修」的教師們，經過名師、專家的指點與薰陶，深深體會圖書館學知能對教學與學習的重要，畢業後，紛紛從事國民中小學圖書館教育事業之推展。我們深信圖書館利用的教學必須由根做起，惟有「紮根落實」，圖書館事業才能發展，進而促進「學術研究」，提高生活素質，進而提昇國家的國際地位，欲想「紮根」就得由國民中小學開始，欲想「落實」，必需與教學相配合。圖書館是一所無形的教室，它與正規課堂有不同的方式達到教學效果，因爲：

一、沒有壓力束縛：課堂的正規教學，往往受到教科書的限制，並有「進度」與「考試」的壓力，對學生來說有壓迫感，同時受到上課地點（教室）與時間（上下課）的限制，均使學生產生或多或少的壓力。學生進館閱讀、查檢資料，不受任何限制，欲看那一種書，查那一種資料，均可隨心所欲，且發自內心感到需要而來，所以是自動自發的，不受時空、考試之種種束縛與限制。

二、效果必高：學習如出自內心有所準備者，其效果必佳，而這種心理準備如出自本身之需要，其學習必自動自發，所獲學習效果更高。利用圖書館所得的學習，是自願的、自發的，其所得之結果，必達百分之百的學習，故較之課堂上的强迫學習效果尤佳。

三、對象與進度未必齊一，適合個別化教學：圖書館是一所敞開大門的教室，任何同學皆可入館，除了「集體教學」時有一定的對象與進度外，平常個別進館時，可隨自已所接受教育程度之不同，自行選擇適合自己的資料媒體來學習，而進度亦可隨自已接受的能力而自行調整，不受任何限制，不但深度、廣度可以不受限制，類科亦可自行決定，完全符合「個別學習」之境界，可以彌補「大班級教學」之缺失，對於資優、低智能之學生尤爲有利。

雖然兩者在教學效果上有些差異，但兩者可兼容而不悖的，因爲：

一、圖書館是課前準備的基地：由於圖書館備有各類型之參考用書，同時有圖書館學專業人員，學生、教師在上課之前，對於教材內容各有關之疑點與相關資料均可得自圖書館，不論辭句之解釋，人名、地名之考證與檢索，事件、史實之分析，或是科技新知，均可由圖書館之參考工具書中獲得，只要學生、教師有「圖書館利用」之知能，則解決疑難，如同探囊取物，輕鬆愉快。

二、圖書館是解答疑難之處：在上課時，學生的疑問常是新奇的、突發的，往往在課堂上難予解答，所以，教師只要稍施小技，請學生一塊兒去圖書館查檢，非但解決了當時無法答覆的困境，亦給學生一個學習查檢參考書的機會，更因得到「收穫的滿足」，而激發他的「再出發」、「再研究」的意念。所以，一個動作，解決了疑難，激發學習興趣，進而發掘、啓發、培養了一個人才，不是一舉兩三得嗎？

三、圖書館是課堂上課的延伸：目前國民中小學上課的時間，一節課各爲五十與四十分鐘，它有一定的教材，一定的進度，一定的上課時間。但是，一大班的學生，程度不一，興趣不同，需要相異，教學時僅能取中庸之道，受種種限制，學生的瞭解未必透澈，某些技能未必熟練，如果他有「利用圖書館」的知能，學生可以將上課時教師「點到爲止」之處，加以深入的探討，依自己的需要，作更深更廣的研究。

四、圖書館是動態的教室：今天的圖書館已非昨日的藏書樓，在國民中小學圖書館裡，業已合視聽室、教具室、圖書室爲一體，而名之爲「教學資源中心」或「教學媒體中心」及「學習中心」等，它有各種視聽媒體可供利用參考，同學們最喜愛有「聲、光」而且會「動」且「彩色」的媒體，這些圖書館中應有盡有，非但提高學習興趣，更增教學效果，也豐富了教學之內容。因此，教師必須善於利用教學媒體，提高教學層次，讓學生自「靜態的學習」中「活動起來」。

作者曾爲國民小學教師之一員，且受師大社教系圖書館教育組之洗禮，深知圖書館利用知能之於教學對國民中小學之重要性，且國民教育爲一普及面最廣⑩之基礎教育，若由此基礎即予培養，則日後之利用與發展將無窮，且普及全國每一角落，將得以提昇國民品質，增强國力。因之，國民中小學圖書館能有妥善之經營與發展，則可達此目的。

過去，無數的先驅對於學校圖書館的鼓吹不遺餘力⑪，也給了我們一盞指引的明燈，由於時代的變遷，科技的昌明，教學技術與內容的精進，對於前輩們的論述，應加入新知，對於目前數以萬計的國民中小學教師得以遵循，作者以爲，拙作如能獲得肯定，將可提供全國國民中小學圖書館經營的依據，爲全體國民中小學教師之指針，使圖書館事業之發展於國民中小學紮根，圖書館利用教育在國民中小學落實。使全國每一國民對於圖書館之利用有充分的認識與瞭解，進而晉昇學術研究能力，提昇國民之教育、學術與生活之品質，增强國力，而成爲一高品質之已開發國家之國民。

第二節 國民中小學圖書館的意義與功能

一 國民中小學圖書館的意義

(一) 圖書館的意義

人之所以異於禽獸而爲萬物之靈，就是善於利用過去的經驗，加上現在的努力奮發，而創造明日的美景，這些過去的經驗累積，有的靠觀察、思索、體驗與口授相傳而得，有的則靠典籍書寫傳刻之閱讀而獲得。所以，人類自遠古的蠻荒到今日的昌明，歷經千百萬年，累積無數的經驗知識，大都藉賴文字之記載而藏於典籍之中，而得以保存至今日，這些圖書典籍就是文明傳播的重要媒介，而圖書館就是這些圖書典籍的庋藏所在，也是知識、經驗傳播的中心。

然而社會日趨進步，生活水準日形提高，社會文化亦在提昇，所以，這個古時候僅負「蒐集、保管、典藏」的地方，也隨着時代的不同而改變了。

我國古代稱這種「藏書的地方」爲石室、觀、閣、庫、樓、堂、室、亭⑫等，直至清光緒三十二年（一九○六）湖南巡撫龐鴻書奏建圖書館⑬之奏摺始稱圖書館。

現在的圖書館又多以「西方經營方式」管理。因此，圖書館的意義也隨着時代的變動而有其不同的意義。茲錄中西方各百科全書與辭書對圖書館所作的詮釋於后：

1.大英百科全書：「圖書館乃爲一方便利用而加以整理的有關書寫、印刷或其他圖形資料（包括影片、幻燈片、唱片及錄音帶）之集藏」⑭。

2.世界百科全書：「圖書館爲人類自石器時代進展到太空時代之一現存的記錄，經由圖書館，人類可將其見聞與經驗歷代相傳，圖書館不僅是步入未來的踏腳石，亦是回顧過去的橋樑」⑮。

3.可利爾百科全書：「圖書館就是爲使用目的而蒐集的各種文字與圖形資料之集藏（如圖書、影片、雜誌、地圖、稿本與唱片等）」⑯。

4.韋氏大辭典第三版：「一間房屋、一棟建築中的部份房屋或是整棟，其中將圖書、稿本、樂譜及其他文字的或藝術性的資料（如繪畫、音樂唱片等），依適當的次序加以排列，以供利用而非出售者」⑰。

5.中華兒童百科全書：「圖書館是保存文化、傳播知識的地方，古代埃及就有圖書館的設置，我國古代從周代起就已經有了這種藏書的地方，不過，過去不叫圖書館，而稱它們為『石室、閣、觀、庫、樓、堂、亭』等，在室閣之前加上不同的名稱，像天祿閣⑱、白虎觀等。公家藏書的地方也有稱作『祕府、書府、册府』的，從漢到清，我國有很多藏書的地方。但是，正式使用『圖書館』這個名稱，是從清光緒三十一年⑲設立湖南公立圖書館的時候開始。現代式的圖書館是幫助我們解決問題的好地方，裡面有各種的書籍、雜誌、報紙、電影片、唱片、閉路電視等，供大家利用」⑳。

6.幼獅少年百科全書：「圖書館是蒐集各種圖書資料，加以整理及保存，以便於利用的機構，具有保存人類文化遺產，教育社會大衆，以及供給研究資料的功能，是文化與教育事業不可或缺的一環」㉑。

7.環華百科全書：「圖書館是世界文化和教育系統中很重要的一部份，它經由書籍、影片、唱片和其他媒介，儲藏歷代累積的知識，……圖書館同時也是保存社會文化遺產的重要機構」㉒。

8.美國圖書館協會（American Library Association）出版的圖書館學術語辭典：「蒐集圖書或類似資料，加以組織管理，以供閱覽、參考及研究之需者。一間、一組房屋或一棟建築，其中儲集圖書及類似資料，加以組織管理，以供閱覽、參考及研究之需者」㉓。

9.國立中央圖書館館長王振鵠教授則總括以上各論謂：「圖書館就是將人類思想言行的各

項紀錄，加以蒐集、組織、保存，以便於利用的機構」㉔。

從以上文獻資料可以知道，過去因時代之不同，而對圖書館有不同的解釋，而今又距以上之解釋者若干年，時代進步了，各種資料媒體不斷地創新、發明。所以，圖書館的蒐集、保存不再囿限於「圖書資料」了，於是有些人士倡議改稱「消息中心」或「資料中心」㉕與「資訊中心」，而把過去之「圖書館」、「視聽館」、「實驗室」、「娛樂室」……全部合併爲一體，總稱爲「資源中心」，雖然名稱與過去不同，但其主要之功能、範圍是一樣的，在於「保存文化遺產、供研究、參考、利用、娛樂之需」。所以，我們可以概括地說：「圖書館是蒐集人類智慧的創作、經驗之累積，加以科學的組織、管理，提供經濟有效的方法，以爲教育、研究、參考與娛樂之利用，以提高社會文化者」。

(二) 國民中小學圖書館的意義

根據中國圖書館學會於民國七十五年十二月七日在台北舉行的第三十四屆年會中提出的「圖書館法草案」第四條規定：圖書館依其設立之宗旨，分爲左列五類：

1. 國家圖書館
2. 公共圖書館
3. 大專院校圖書館
4. 中小學圖書館
5. 專門圖書館

同法第十二條更闡明：「中小學應設立圖書館，並以本校師生爲服務對象，支援教學、教師進修並輔導學生利用圖書館」㉖。

從這則「草案」中明顯的揭示：「中小學應設立圖書館」。同時，教育部在民國七十年一月頒布的修訂國民小學設備標準內的「圖書設備標準」中亦明確地規定：「國民小學不論其規模大小、班級多寡，均應設置圖書室或圖書館」㉗。

現在，圖書館（室）在各國民中小學均已成立㉘，但設置的名稱却五花八門，例如，台北縣後埔國民小學的「低年級圖書館」、「中年級圖書館」、「視聽圖書館」，在這一學校中居然有三種名稱不同的圖書館，其他有稱「兒童圖書館」、「視聽兒童圖書館」以及「兒童閱覽室」……等等者，却很少見到「某某國民小學圖書館」或「某某國民中學圖書館」者，就其名稱來說，應有不同之意義，亦有不妥之處：

1.兒童圖書館：一般說來，兒童圖書館或兒童室係隸屬於「公共圖書館」中之兒童部或其他圖書館之兒童室而言，其服務對象專指「兒童」，間亦有少數配合兒童之「家長」而允許成人讀者之參與，易言之，兒童圖書館應以服務「十二歲以下之兒童與幼兒」爲主要對象，如學校之圖書館命名爲兒童圖書館，那麼，是否應另設「教職員工圖書館」來服務教職員工呢？

2.視聽圖書館：這是比較時髦的名詞，强調這一圖書館的設備、資料以「視聽媒體」爲主，服務方式亦以提供「視聽資料」爲限，如把「視聽資料」作廣義的解釋，則圖書等印刷資料當可包括於視聽資料之範疇，但是，一般總認爲「視聽圖書館」應有別於「傳統圖書館」。而其所藏資料均爲「圖書印刷」資料以外之各種媒體資料而言，服務對象則無殊限制，但部份視聽圖書館採會員制，僅對會員提供服務。

3.低年級圖書館：顧名思義這是專爲「低年級」小朋友而設的圖書館，其蒐集資料亦以低年級爲限，設備亦專爲低年級之小朋友而設計，服務對象也限於低年級，如果學校班級數多、校園廣，則設「總館」、「低年級」、「中年級」、「高年級」各館爲分館則無可厚非，但是，人員、經費、設備應有妥善之調配，並確定分工章則，當可解決擁擠之情形，提高服務品質，唯普通參考工具書當備複本分送各分館，否則集於總館，則失分工之美意。

4.中年級圖書館：同於低年級圖書館，唯服務對象，館藏資料，設備等，均以「中年級」爲設計依歸。

5.視聽兒童圖書館：詳同視聽圖書館，唯蒐集資料、服務對象、視聽器材之設計均以「兒童」爲度。

6.國民小學圖書館、國民中學圖書館：這是最正統的國民中小學圖書館，見之於圖書館法草案㉙，它服務國民小學或國民中學全體師生員工，所以主要功能在於發展學生個性、培養學生自學能力，充實教學內容，便利教師進修，支援教學，是一完整而不可分割的圖書館。

二　國民中小學圖書館的功能

(一)一般圖書館的功能

圖書館雖然有各種類型之不同，有其特殊之功能，然而，在各種圖書館功能間，我們發現有下列共同的功能：

1.保存人類智慧的創作：人類智慧的創作，藉着各種不同的方法保留下來，有藉文字記載而成書籍者，有利用科技而爲各種聲光媒體者，圖書館將之蒐集、整理、組織，保存起來，以供現在及未來人士利用。

2.教育大衆：不論何人，進入圖書館，接觸館內任何媒體資料，他都可以由此獲得或多或少的知識或技能，因而提升其文化水準，而圖書館爲達此目的，更舉辦各種圖書館活動，以刺激、吸引讀者來館，只要民衆進館，由於他是出於自願自發的，所以接受的成效是百分之百的，所以，圖書館所得的教育功能是肯定的。

3.供給研究、進修資料：圖書館蒐集，整理豐富的各種媒體資料，只要瞭解圖書館的館藏，則社會大衆、各行各業人員之研究、進修，圖書館均可提供最佳之資料服務，若是本館適無該一專門資料，亦可透過館際互借辦法獲得解決。

4.生活調適：圖書館中備有各型資料，不論專門性或娛樂性、休閑性均有，因此，可以提供讀者一種生活調適資料之參考，如旅遊資料、遊戲、活動方法……等等，均可得自圖書館。

(二)國民中小學圖書館的功能

國民中小學圖書館隨着教學法的更新，其地位日形重要。過去，國民中小學圖書館在衆人的心目中僅是供閱覽的地方，其功能只不過是提供師生閱讀資料而已，現在，由於教學法的革新、個別化教學的重視，以及適當的教學與學習環境之講求，使國民中小學圖書館業已扮演着「教學中心」與「學習中心」的角色，更成爲「學校的心臟」。

所以，這個圖書館應由一位受過教育專業的教師，且又受過圖書館學專業的專家來主持，配合着媒體專家與技術人員和學生共同來經營、蒐集、製作、整理各種圖書資料媒體，配合教學計劃，提供師生參考、研究與利用。惟有如此，國民中小學圖書館才能發揮其應有之功能。

國民中小學圖書館的功能是配合着國民中小學教學計劃的，所以，具體地說來可分下列幾項：

1. 蒐集、製作、整理有關教學計劃資料，支援教師教學、協助學生學習：學校的一切行政措施，均以「教學」爲出發點，所以，圖書館當然不能置身事外，而且更應積極的參與配合，以發揮教育之最大功能。所以，其蒐集、製作、整理、豐富館藏，以「有關教學計劃」爲第一優先，作爲支援教學、協助學習之依據。
2. 提供參考資料、解答疑難諮詢：不論學生或教師，在其學習或教學進行中，難免發生困惑之時，圖書館中有各類科之專長教師與受過專精訓練之圖書教師與媒體專家，可以就其「館內現有資料」提供參考，甚至運用「館際合作」協助師生解決困難，如遇特殊難題，亦可代爲轉請「專家」、「學者」給予指導，建立其信心，激發其研究之潛力，不論是學生、教師，必因圖書館的給與而有輝煌的成就。

3.教導圖書館利用知能，培養自學能力：圖書館中備有各種「參考工具」，國民中小學的學生年齡幼小，最具塑造力，以在各種圖書館活動與教學之中，溶入各種圖書館的利用知能，使其具有各種圖書館之能力，進而培養、提昇其自我學習、自我教育、個別研究之能力。

4.培養良好的閱讀習慣與興趣：由於圖書館中提供各種適合兒童與青少年經驗與能力之讀物，引導其閱讀，進而培養、教導正確而良好的閱讀習慣，增廣其多方面的興趣，以奠定終身教育的基礎。

5.閱讀治療爲輔導活動之重要項目：對於課業適應不良之同學，可施予「閱讀治療」，以補其學業之不足，更進而改變其學習態度，促進學習，發展潛力，以達照顧自己，造福社會之目標。

6.從圖書館活動中施予生活與倫理教育：不論是參與圖書館活動或進入圖書館中閱讀、查檢資料，皆可以訓練青少年與兒童之愛惜公物，遵守秩序，尊重他人，恪守民主法則，培養其責任感，進而建立民主、樂觀、負責、進取的人生觀。

7.提供教師專業與進修之資料：時代日新月異，教師不能墨守成規，不求上進，因此，圖書館必須經常蒐集最新資料以供教學之需，同時提供各種專業新知，爲教師進修所需。

8.協助教師蒐集、製作教具，以提高教學品質，增進教學效果：時代日益進步，人們需求越高，而分工愈精，所以，教育工作者就得未雨綢繆，早爲未來設安排，以期學生有更精確的瞭解與熟練。因此，教學時，運用各種媒體輔助教學，以便學生在最短時間，瞭解最多，而能作更多的學習，然而，教師本身課業繁重，無暇從事蒐集與製作，所以，圖書館以其專業人才，協助教師蒐集、製作與課程相關之各種教學媒體，以解決教學之困難。

9.供應休閒資料、調劑師生身心：教師教學工作繁忙，學生課業繁重，往往造成緊張與壓迫，爲期身心平衡發展，圖書館備妥輕鬆小品，以作休閒閱讀，以調適緊張之生活。

現在學校教育不僅提供「知識的灌輸」，更重「學習方法的指導」，同時培養「自我啓發」、「自我訓練」、「自我學習」與「自我評價」的訓練，及具有「運用資料、解決問題」的能力。所以，國民中小學圖書館在國民教育的歷程上，有其重要的地位。

附註

❶ 我國稱圖書館於古代有館、閣、觀……等，直到清末「欽定大學堂章程」中仍稱圖書館爲「藏書樓」，詳見該章程第八章第一節「京師大學堂建設地面現遵旨於空曠處所擇地建造所應備者曰禮堂、曰學生聚會所、曰藏書樓、曰博物院……。

❷ 「奏定學堂章程」中，高等小學堂章程第五章第二節曰：「暫行籌備自習室……」而初等小學章程則謂「儲藏室」，其條文曰：「初等小學堂應備有儲藏室，以備儲藏書籍圖器標本模型等類共爲一室即可……」。

❸ 詳蘇國榮撰：「淺釋多媒體教學中心」，台灣教育輔導月刊第三三卷第九期（民國七二年九月）頁十八－廿一。

❹ 詳台灣省教育廳編，中華兒童百科全書第六冊（台北，編者，民國70.年）頁二〇八六－二〇八七。

❺ 詳同❹。第2.冊，頁五〇一。

❻ 目前國民中小學甚至高中都統一採國立編譯館編印之教科書。

❼ 教育部於民國4.年10.月23.日公佈「通俗圖書館規程」，共十一條。

❽ 詳私立輔仁大學圖書館學會編，輔仁大學學生利用圖書館狀況調查報告（台北新莊，編者，民國71.年）。

❾ 國立台灣師範大學自民國六十九年起，把夜間部改爲中小學教師進修教育，招生對象爲中小學教師及教育行政機關人員，其中有社教系圖書館教育組，亦爲社教系夜間部之第一屆。但，招收三期而停招，民國七十五年又復招，但以圖書館教育、社工、新聞三組同時招生。

❿ 凡中華民國國民應受國民義務教育，故每一國民均接受，故爲普及面最廣。

⓫ 清末民初為圖書館事業奔波者，大有人哉，如：鄭觀應撰，藏書，盛世危言增訂新編卷四，清光緒十八年（一八九二）。
康有為撰，上清帝請大開便殿，廣陳圖書館，見南海先生上書記卷三，清光緒二十一年閏五月初八日，劉光漢撰：論中國宜建藏書樓，國粹學報第二年丙午第七號，清光緒三十二年。
羅振玉撰：京師創設圖書館私議，中國古代藏書與近代圖古館史料（台北，仲信出版社）頁一二三—一二四，民國起有韋棣華、沈祖榮、杜定友……等諸前輩之耕耘，始有今日之收成。

⓬ 詳盧荷生撰：中國圖書館史（台北市，文史哲，民七十五年）。

⓭ 詳學部官報第九期。

⓮ 大英百科全書第15.版，第22.冊，頁九六八。

⓯ 詳世界百科全書，第十二冊，頁二一〇，一九八〇年版。

⓰ 詳可利爾百科全書，第十二冊，頁五五八，一九八一年版。

⓱ 詳韋氏大辭典，第一三〇四頁，第三版。

⓲ 詳同⓬。

⓳ 國內大多數參考資料均謂自清光緒三十一年，實際上該奏摺係清光緒三十二年十一月初二的，學部官報應該不會錯。

⓴ 詳中華兒童百科全書第五冊，頁一五三〇。

㉑ 詳幼獅青少年百科全書，第九冊，頁九八。

㉒ 詳環華百科全書第五冊，頁五三二。

㉓ 詳 ALA Glossary of Library Terms (Chicago, ALA, 1943) p. 81.

㉔ 詳中國圖書館學會出版委員會編，圖書館學（台北市，台灣學生書店，民六九年）頁四三。

㉕ 同㉔，頁五四八。

㉖ 據民國七十五年十二月七日中國圖書館學會年會資料，提案第三案：「修訂圖書法草案」經大會討論，刊資料第三一－三五頁（油印本）。

㉗ 詳教育部國民教育司編，國民小學設備標準（台北市，正中，民七〇年）頁九十一。

㉘ 詳蘇國榮撰：國民小學圖書館經營之研究（台北市，撰者，民國七十六年）。

第二章　國民中小學圖書館的組織與行政

第一節　法令與標準

近代圖書館的經營，可以說始於光緒末年，甲午戰後，有志之士，倡議興學，籌設藏書樓❶。光緒二十二年五月初二日李端芬更撰「請推廣學校摺」❷，羅振玉更於光緒二十八年，提出新教育制度，竭力主張在全國各地普設公共圖書館與博物館❸及湖南巡撫龐鴻書奏請建設圖書館於光緒三十二年❹十一月初一日，此後各省紛紛奏請設立圖書館，以教化人民。

至於學校圖書館之見於法律規章者，應自光緒二十八年張白熙所撰的「欽定學堂章程」中明文規定：大學堂設藏書樓、博物院❺。高等學堂設圖書室❻，中學堂設圖書室❼，小學堂設藏書室❽，次年張之洞撰的「奏定學堂章程」亦規定：大學堂設圖書館❾，高等學堂設圖書室❿，中學堂設圖書室⓫，高等小學堂則有「自習室」之設⓬，初等小學堂則設「儲藏室」供儲放書籍圖器標本模型之用⓭。

民國以來，首有「通俗圖書館規程」⓮之公佈，其第一條即明定：「……私人或公共團體，公私學校及工場，得設立通俗圖書館」，「圖書館規程」⓯第二條亦明定：「公立私立學校，公共團體或私人，依本規程所規定，得設立圖書館」，民國二十八年有「民衆教育館輔導各地教育辦法大綱」及「社會教育機關協助各級學校兼辦社會教育辦法」[16]之頒行，民國三十年教育部又公佈「各級學校及各機關團體設置圖書館（室）供應民衆閱覽辦法」[17]。而民國三十四年修正的中學規程規定中學應設置圖書館或圖書室，並設管理員二至三人[18]，這是首次於法令中明定圖書館在學校中的地位，同年教育部亦公佈國民學校及中心國民學校規則[19]第十三條規定：「國民學校及中心國民學校之經費……除中心國校應另列輔導經費外，其他各項用費之支配，應以如左之百分比原則：

1. 教職員薪俸六〇％。
2. 圖書、儀器、運動器具等設備費及衞生費二〇％。
3. 實驗、研究、文具、水電、薪資等消耗費十％。
4. 參觀、旅行、保險及教師福利等特別費五％。
5. 預備費五％。

上項預備費非經主管教育行政機關核定，不得動用。

這是第一次將「圖書經費之比例」列入法令之中，以確立學校圖書館經費之主要來源。

民國三十八年，大陸淪陷，政府播遷台灣，一切施政以鞏固基地，以期光復大陸，首要在發展工商，穩定經濟，而有若干次的五年經濟計劃，更以「教育」爲根本，培育高水準的國民，以爲經濟發展奠定穩健之根基，而大量投資於國民教育之發展，近四十年來，國民小學教育之就學率已達九九·三％，可謂已有輝煌之成果，方有近年來「經濟奇蹟」的出現，然而學校圖書館，在蓬勃的國民教育發展聲中，似爲人所遺忘，而僅注意於大專圖書館之發展；至民國六十八年總統公佈之高級中學法始有「高級中學圖書館得置主任一人，由校長遴選具有專長知能之人員充任之」之規定[20]，國民小學圖書館則見於民國七十一年公佈之國民教育法施行細則[21]第十三條：國民小學及國民中學各處、室之職掌：一、教務處：掌理各學科課程編排、教學實施、學籍管理、成績考查、教學設備、教具圖書資料供應與教學研究……。更在民國七十一年發佈的「發展與改進國民教育六年計劃執行要點」[22]中明列圖書館之條文於第一條第一款第十二項曰：「充實圖書館（室）計劃」。第七條第一款曰：「專科教室、圖書館（室），應優先利用剩餘教室改裝……」同條第三款曰：「圖書館（室）之內部設施及圖書資料之充實，該依部頒設備標準[23]之規定辦理，並應切實注意配合教學需要選購適合學生程度之圖書，其圖書之充實並得利用社會資源、發動校友及家長、地方熱心人士捐贈」，這是對於國民小學圖書館經營的一劑强心針，同時於七十三年更重申前令，請各省市教育廳局轉各國小：「各國民小學設有圖書館（室）者，應由校長指派教師兼任圖書教師」[24]，使國小圖書館人員有所確定，台灣省教育廳更於民國七十四年訂定「台灣省國民中小學圖書館（室）教育及閱讀指導要點」函各縣市政府教育局，轉各國民中小學實施，這是一份最具體而實在的行政命令，爲各國民中小學所依循。

然而，我們的「圖書館法」雖早在民國二十五年已開始草擬，直至今天尚未完成法定程序[25]，在草案中明定「圖書館依其設立之宗旨」分爲左列五類：

㈠國家圖書館

(二) 公共圖書館

(三) 大專院校圖書館

(四) 中小學圖書館

(五) 專門圖書館

更於第十二條明定「中小學應設立圖書館，並以本校師生爲服務對象，支援教學，並輔導學生利用圖書館」㉖。

圖書館標準之建立，對圖書館事業有很大之影響，美國早在一九一八年由國家教育協會制定了「中等學校圖書館組織與設備標準」㉗，於一九二五年由初等教育部長和美國圖書館協會的學校圖書館部共同建議制定「初級學校圖書館標準」㉘，並於同年由美國圖書館協會出版，而一九六九年美國學校圖書館協會（American Association of School Librarians of the ALA）和全美教育協會視聽教育部 Department of Audiovisual Instruction（of the NEA）共同製訂了「學校媒體計劃標準 Standards for School Media Programs）㉙，從此，學校圖書館之型態改變爲「媒體中心」㉚經營了。

我國之學校圖書館標準於民國五十四年七月由中國圖書館學會訂定「中學圖書館標準」㉛，其中對於資料之選擇與整理，館舍與設備，人員與經費都有概略性之說明，對於圖書館利用教育之實施亦略有論及。小學之圖書館標準則尚未訂定，但於民國七十年公佈之國民小學設備標準中列有「圖書設備標準」㉜，其主要內容如下：

圖書設備標準

一、原　則

㈠國民小學不論其規模大小，班級多寡，均應設置圖書室或圖書館。

㈡圖書資料之選擇、整理及利用，應以配合教學活動，有助學生之身心發展，增長其生活之必需知識與技能爲原則。

㈢各校應由校長指派人員組織圖書館指導委員會，辦理圖書之選擇，經費之籌措及館務之推展與督促事宜。

㈣各校應由校長指派「圖書教師」一人處理館務。班級較多之學校，酌增「圖書教師」若干人，協同處理館務。

㈤各校圖書館應有固定之經費，並以專款專用爲原則，定期購置圖書資料，並應以兒童讀物爲優先購置。

㈥力行圖書館之動態化經營，培養學童養成經常利用圖書館的興趣與習慣，使其遇有問題能充分利用圖書館資料尋求解答。並以圖書館的各項資料作爲教學參考資料，使圖書館成爲終生受益的學習中心。

二、設備

(一)圖書資料

1. 圖書數量：每一學童原則上以十冊以上爲標準。規模較小，班級較小（如六班以下）每人以二十冊爲單位。基本圖書應有六〇〇〇冊。
2. 雜誌：至少訂購五種以上。交換或贈送雜誌不包括在內。
3. 報紙：按班級數多寡訂閱。至少二種以上。
4. 四十九班以上之學校，應參照本標準及實際需要，依比例增加其數量。

階段	班級	人數	館室內容或隔間	座位	備注
(一)	6班以下	300人以下	以一間半教室當作圖書室	50人	(1)圖書室應有閱覽室、工作室之布置。(2)工作室係爲整理編目圖書所需，兼作辦公室用。
(二)	7～12班	301人～600人	以二間教室當作圖書室	50人	同右

(三)	13～24班	601人～1200人	以教室二間當作圖書室或獨立設館，內有：(1)閱覽室 (2)工作室 (3)書庫 (4)視聽教室 (5)集會室	50人	20班以上之學校應獨立設館
(四)	25～36班	1201人～1800人	獨立設館，內有：(1)閱覽室 (2)工作室 (3)書庫 (4)視聽教室 (5)集會室及研究室	(1)閱覽室座位八十人 (2)視聽教室座位五十人	(1)獨立設館 (2)視聽教室可兼作活動室使用
(五)	37～48班	1801人～2400人	同前	(1)閱覽室座位一〇〇人 (2)視聽教室座位五十人	同前

三、器具設備

編號	名稱	單位	數量 6班以下	數量 7～12班	數量 13～24班	數量 25～36班	數量 37～48班	備註
1.	書架	座	20	23	29	35	41	每架容書以三百冊計
2.	閱覽桌	張	9	9	9	14	17	每桌坐六人計，如每桌坐四人者，則每桌數酌加。
3.	閱覽椅	把	50	50	50	80	100	
4.	梯形桌	張				50	50	設有視聽教室可兼作活動室者用
5.	座椅	把				50	50	配合梯形桌使用之椅子
6.	目錄（櫃）屜	屜	18	21	27	33	39	每屜可容卡片一千～一千二百張
7.	出納檯	座			1	1	1	未獨立設館者以辦公桌代用
8.	雜誌架	座	1	1	1	1	1	每架可陳列雜誌二十種
9.	報架	座	1	1	1	2	2	每架可陳列報紙十分，今天與昨天報紙分別同時陳列。
10.	報夾	把	4	6	8	10	10	每個報夾陳列一份報紙。
11.	運書車	輛			1	1	1	

12.	揭示板	塊	1	1	1	1	1	
13.	活動黑板	塊	1	1	1	1	1	
14.	資料櫃	座	1	1	1	1	2	
15.	字典檯	座			1	1	2	
16.	裝訂工具	套	1	1	1	1	1	訂書機、打洞機、切紙刀等。
17.	修補工具	套	1	1	1	1	1	剪刀、强力膠、膠帶、卡紙…等
18.	工作桌椅	套			1	1	1	
19.	辦公桌椅	套	1	1	2	2	3	
20.	輿圖架	座	1	1	1	1	1	
21.	布告牌	個	1	1	1	1	1	
22.	展示橱或展覽牌	個			1	1	1	
23.	排片盤	個			1	1	1	
24.	小册子盒	個			5	10	15	
25.	出納盒	個	6	6	12	12	12	
26.	鋼質書檔	個	240	276	348	420	492	
27.	取書短梯	座	2	2	3	3	4	

四、人員編制與組織

1. 圖書教師：⑴六班以下指派一位。⑵七～十二班一位。⑶十三～二十四班二位。⑷二十五～三十六班二位。⑸三十七～四十八班三位。

2. 組織圖書館指導委員會：除校長、各處室主任、圖書教師為當然委員之外，各年級或各科老師各推派一位為委員，共同組織圖書館指導委員會。

3. 義工：徵求學童當小小圖書館員，教導他們擔任部分工作。為當然委員之外，各年級或各科老師各推派一位為委員，共同組織圖書館指導委員會。

（註：圖書教師應經受圖書館專業訓練）

至於詳細之設備，請參閱該設備標準之說明。

民國七十六年，教育部頒布「國民中學設備標準」中亦列有「圖書資料設備標準」㉝，其主要內容如下：

圖書資料設備標準

一、原　則

㈠國民中學之設立，應配合國民中學教育之目的，其圖書資料之蒐集、組織、及運用，必須有助於學生身心之發展，健全國民羣體生活之培養，基本學識之研習，及普通生活技能之訓練。

㈡國民中學不論其規模大小、班級多寡，均應設置圖書館（室）。

㈢國民中學圖書館，應依照學校編制指定專人負責，其經費之運用亦必須依照本標準規定認眞實施，俾能逐漸發展其業務。

㈣國民中學圖書館應設圖書館委員會，協助釐定規章，推行館務，選擇圖書，籌畫經費等事宜。委員會應由校長指派教務主任、各科教學研究會召集人、圖書館負責人，及教師代表組成之。

㈤圖書資料須注意保管整理，但仍應以便利學生閱讀爲前提，借閱手續宜力求簡易，管理人員尤應相機輔導，俾可增加學生閱讀之興趣。

㈥爲鼓勵學生有效利用圖書資料，圖書館應辦理圖書館讀者之教育，並將此工作列爲業務之一。

二、設備

(一)圖書雜誌

資料類型＼數量＼班級數		六班以下	七～十二班
圖書	基本冊(種)數	九、〇〇〇（八、〇〇〇）	九、〇〇〇（八、〇〇〇）
	增加冊(種)數		八×增加人數＝二、四〇〇（六×增加人數）
	增加冊(種)數		
	增加冊(種)數		
	增加冊(種)數		
	計	九、〇〇〇（八、〇〇〇）	九、〇〇〇～一一、四〇〇（八、〇〇〇～九、八〇〇）
期刊（種）		一五～五〇	
報紙（種）		四～八	
小冊、剪輯 學校出版品 及其他		①凡與課程有關均應蒐集。 ②數量視需要而定。	
視聽資料		參閱視聽教育設備標準。	

十三～二十四班	九、〇〇〇（八、〇〇〇）	三、四〇〇（二、八〇〇）	八×增加人數＝四、八〇〇（六×增加人數）			二一、四〇〇～二六、二〇〇（九、八〇〇～一三、四〇〇）
二十五～三十六班	九、〇〇〇（八、〇〇〇）	三、四〇〇（二、八〇〇）	四、八〇〇（三、六〇〇）	八×增加人數＝四、八〇〇（六×增加人數）		二六、二〇〇～三一、〇〇〇（一三、四〇〇～一七、〇〇〇）
三十七～四十八班	九、〇〇〇（八、〇〇〇）	三、四〇〇（二、八〇〇）	四、八〇〇（三、六〇〇）	四、八〇〇（三、六〇〇）	八×增加人數＝四、八〇〇（六×增加人數）	三一、〇〇〇～三五、八〇〇（一七、〇〇〇～二〇、六〇〇）
四十九班以上	參照上述標準及實際需要，依比例增加數量。					

【附註】1.圖書數量：六班以下之學校圖書總數不得少於九千冊（或八千種）。多於六班之學校，其圖書的計算，即以九千冊爲基數，每增一班，應依每人八冊，每班五十人之標準累計其應增圖總數。

2.期刊、報紙數量：包括學生與教職員用，按全數教職員之多寡，訂閱雜誌十五——五十種，報紙四——八種。交換或贈送者不包括在內。

3.教職員專用圖書數量：每位教職員原則上以五種以上爲標準，教職員人數在一百人以上，每增加一人，另增添圖書三種。基本圖書至少爲五百種。

㈡館舍

班級	閱覽室座位	其他重要房舍	備註
十二班以下	六〇席	辦公室一 書庫一	相連教室兩間以上即可充用
十三班至二十四班	一二〇席	辦公室一 書庫一 參考室一	以獨立設館為原則
二十五班至三十六班	一八〇席	辦公室一 書庫一 參考室一	獨立設館

三十七班	一八〇席以上	集會室一 辦公室一 書庫一 參考室一 集會室一 教員研究室一	獨立設館

三、說明

(一)圖書資料

(一)種類：

1.基本參考書：包括字典、辭典、百科全書、年鑑、手冊、指南、書目、索引、地圖等工具書。宜包括教師用及學生用。

2.各科專著。

3.期刊、報紙、小冊子、圖片，以及其他有助於教學研究之資料。

(二)選擇：

1.圖書資料之選擇，應配合課程之需要，以支援教學。

2.圖書資料之選擇應適合學生之閱讀程度及興趣，以助長其身心之發展。

3.圖書資料之選擇應徵詢教職員及學生之意見，並由圖書館委員會推選專人負責審查之，原則以學生爲本位，不可過分偏重教職員之特好。

4.圖書資料之選擇應參考適當書目，選購時宜分別先後，權衡輕重，依據各類分配比例。

5.館藏圖書資料應時加檢查，汰舊更新。凡內容違背教育目標或不合時宜者；殘破不全，無法整修者；無人借閱之複本書刊；而又缺乏永久保存價值者，皆應汰除。

㈢數量：

1.館藏圖書總册數，以每人十册以上爲原則，其依人數應有圖書之計算方法參見上表。

2.各類圖書購藏之分配比例可參照下表：

類目	類屬舉要	百分比
總類	字典、辭典、百科全書等屬之。	五
哲學	論理、心理、倫理等屬之。	二
宗教	佛、道、基督、回教等屬之。	一
社會科學	教育、政治、經濟、法律等屬之。	十二
語言文學	各種語言文字屬之。	六十

自然科學	數學、博物、物理、化學等屬之。	六十
應用科學	醫學、農業、工程、製造等屬之。	六十
藝術	音樂、體育、圖畫、雕刻、攝影等屬之。	六十
文學	散文、詩歌、戲劇、小說等屬之。	六十
史地	中外史地、傳記、遊記等屬之。	二十

㈣經費：

1.學生所繳納之圖書費應設專戶保管，交由圖書館委員會統一支用。

2.圖書費之分配：百分之七十用於圖書期刊報紙及其他資料之購置；百分之三十用於裝訂費及其他雜支。

㈤整理及保管：

1.圖書驗收後即移送登錄，登錄簿上須逐項錄入日期、登錄號碼、著者、書名、版次、出版地、出版者、出版期、裝訂、來源、價格、冊數、備註等項。有關圖書之異動亦應隨時註記，以便稽查。登錄原則以一冊一號為準，順數而下便於統計。

2.期刊在裝訂前應先登記於期刊登記卡；裝訂成冊後則視同圖書登記於登錄簿上。視聽資料如由圖書館兼管，亦應另立簿登錄，載明：收藏日期、登錄號碼、名稱、發行或製造所、發行或製造時間、數量、尺寸、價格、來源、及備註等項。

3.圖書登錄後，必須分類編目以便管理。圖書分類，各館可視實際情況，選擇合用之圖書分類表辦理之。

4.所有圖書均應編製目錄，以卡片目錄為主（其規格為七・五公分×一二・五公分）。完備之目錄應分別編製書名目錄、著者目錄，及分類目錄。最低限度亦應編製書名目錄及分類目錄。（其編製方法，可參照「中國編目規則」辦理之。）

5.編製排架卡片，作為核對館藏之根據。

6.目錄之排列，書名及著者目錄分別依照適用之檢字法排列為宜。分類及排架目錄則分別依照索引書號碼排列。

7.館藏目錄應隨時核查，以保持準確完整及良好之使用狀態。

㈥使用：

1.圖書館應先妥訂圖書資料之閱覽使用規則，確定：開放時間、借書數量、借書時限、遺失賠償辦法，俾使員生有所遵循。

2.圖書館至少應於學生在校時間內開放。各科參考書及雜誌應開架陳閱。

3.圖書館之工作應與各科教師合作，以配合教學需要。

4.圖書館應藉新生訓練時間，教導學生利用圖書及圖書館之常識。內容應包括：

(1)圖書館設立之目的。

(2)圖書館應遵守之規則。

(3)借閱圖書應有自覺自律之公德心。

(4)書籍之結構。

(5)圖書之分類與排列法。
(6)圖書目錄卡片之使用法。
(7)各種重要參考書，如辭典、百科全書、年鑑、各種圖表之內容及使用法。
(8)讀書之方法、如何作筆記、編製參考書目。
(9)當地公共圖書館及其他圖書資源之介紹。

5.各班得設置班級圖書文庫，由圖書館選擇適合各班學生閱讀程度之圖書，存置各班教室供學生借覽。應定期更換，並推選熱心服務之學生負責管理之。

6.圖書館爲激發學生閱讀興趣，應時常舉辦圖書展覽及新書介紹、講演及讀書指導。

7.國民中學圖書館應與當地公共圖書館或他校圖書館合作，交換利用館藏資料，以謀有效之服務。

(二)館　舍

(一)中學圖書館之館舍宜設於學校中心區域，房舍高敞，光線充足，環境安靜。建築之設計應參酌圖書館專家及建築師之意見，以求配合業務之需要。

(二)館舍之配置應備有參考室、閱覽室、期刊室、書庫、辦公室及討論室等。

(三)閱覽室應連接書庫，所備閱覽座位以在校學生人數十分之一爲準，能達六分之一更爲理想。每閱覽席占地以二平方公尺爲計算標準，書庫以開放師生自由進入閱覽爲宜。

(四)書庫容量應視藏書總數，歷年增加比率及將來發展計畫而定，其容量以一．四二立方公尺容書一百册爲準。雙排書架，每排間隔自甲架中心至乙架中心爲一．二公尺至一．三五公尺。

(五)辦公室內圖書館工作人員之占用面積，每一人爲六平方公尺。

(六)圖書館之建築，應注意通風、防火、防潮、採光、隔音等設備。

(七)閱覽室夜間白色日光燈之光度，以四十至七十呎燭光（Foo Candle）爲標準。

至於其他詳細之設備，參考書舉例等，請參閱該設備標準之說明。

第二節 國民中小學圖書館的行政組織

圖書館亦同一個機關、一所學校、一個商店，必須有健全的組織與管理，才能發揮其應有的功能，一般說來，圖書館的組織可分爲三個主要的組織系統，一是行政管理，一是技術服務，一是讀者服務，這三者如何配合運作，以推動館務之運行，這是全體圖書館員努力的目標，技術服務與讀者服務，另有專章討論，本節僅將行政管理作一深入的描述。

一 組 織

一般圖書館的組織有集中式與分散式二種形式：所謂集中式即爲全校僅設立一所圖書館，

爲全校師生員工服務，不另設分館，無論人事、經費、技術服務、讀者服務均可做到精簡之地步。而分散式則反之，於總館外另設分館若干，以便分散服務讀者，在班級數龐大、地區遼濶之校區，爲服務師生，免其奔波勞苦，以設分散式之分館爲宜。

目前各國民中小學圖書館，因限於館舍與人員之不足，大部份成立「集中式」之圖書館，另外在各班級內成立「班級文庫」，由圖書館提供部份圖書資料，並請學生捐出或借予部份圖書供同班同學閱讀參考，而且由學生推派代表負責管理事宜。而本館的組織來說，大都維持一人一館而且爲兼任者，一般學校由設備組長或圖書教師兼任，另由學生若干人助理館務，而教育部於民國七十年頒布的「國民小學設備標準」之「圖書設備標準」有如下之規定：

㈠國民小學不論其規模大小，班級多寡，均應設置圖書室或圖書館。

㈡圖書資料之選擇，整理及利用，應以配合教學活動，有助學生之身心發展，增長其生活之必需知識與技能爲原則。

㈢各校應由校長指派人員組織圖書館指導委員會，辦理圖書之選擇，經費之籌措及館務之推展與督促事宜。

㈣各校應由校長指派「圖書教師」一人處理館務。班級較多之學校，酌增「圖書教師」若干人，協同處理館務。

㈤各校圖書館應有固定之經費，並以專款專用爲原則，定期購置圖書資料，並應以兒童讀物爲優先購置。

㈥力行圖書館之動態化經營，培養學童養成經常利用圖書館的興趣，使其遇有問題能充分利用圖書館資料尋求解答，並以圖書館的各項資料作爲教學參考資料，使圖書館成爲終生受益的學習中心。

同時在人員與組織上亦有如下之規定[34]：

(一)圖書教師：(1)六班以下指派一位，(2)七～十二班一位，(3)十三～二十四班二位，(4)二十五班～三十六班二位，(5)三十七～四十八班三位。

(二)組織圖書館指導委員會：除校長、各處部主任、圖書教師爲當然委員外，各年級或各科老師各推派一位爲委員，共同組織圖書館指導委員會。

(三)義工：徵求學生當小小圖書館員，教導他們擔任部份工作。

（註：圖書教師應受圖書館專業訓練。）

而在「國民中學設備標準」的「圖書資料設備標準」中亦有：

(一)國民中學不論其規模大小、班級多寡，均應設置圖書館（室）。

(二)國民中學圖書館，應依照學校編制指定專人負責……之規定。

至於組織系統，國民小學因各校班級數之多寡不一，少至六班以下，多至一百二十班以上者，因此有下列幾種情形：

(一)由設備組長兼任，另配置幹事或技工友一人及助理學生若干人，而由教務主任負監督之責，這一類型爲目前台北市及高雄市二十五班以上的學校普遍採用者。

(二)由教學組長或註册組長兼任，另配置幹事或技工友一人及學生助理若干人，亦由教務主任監督，這一類型爲台北市十三至二十四班以及台灣省各國民小學普遍採用的方式，因爲台灣省受經費之限制，教務處下僅設教學、註册兩組，而未設設備組，無法專責處理。

㈢ 由圖書教師主持館務，另配技工友一人及學生助理若干人，由校長或教導主任督導。這一類型以六班以下小型學校屬之，由於學校編制小，沒有任何組長，故以圖書教師兼任。

㈣ 專任圖書館主任，下設幹事及圖書教師若干人，技工友各一人，另有學生助理若干人及圖書館委員會等，直接受校長之指揮監督，這是一種理想的編制，圖書館主任由受過圖書館學專業訓練及教育專業訓練之教師擔任，下設若干組，分掌各有關業務，有圖書館委員會之協助，直接向校長負責，這樣可以獨立作業，依據學校教學計劃，擬定圖書館計劃推展圖書館事宜（詳附理想組織系統圖）。

在這四種類型的組織中，都有「學生助理若干人」，這是一種雙重效益的措施，一來解決目前國民小學沒有圖書館員編制的困難，二來可以由各種圖書館的工作中培養學生的榮譽心、責任感、服務與合作精神，更因經常與圖書資料接觸，而擴展其知識領域，養成利用圖書館的知能與習慣。所以，各校普遍設置學生助理爲「小小圖書館員」，以推展館務：

國民中小學圖書館理想組織系統圖

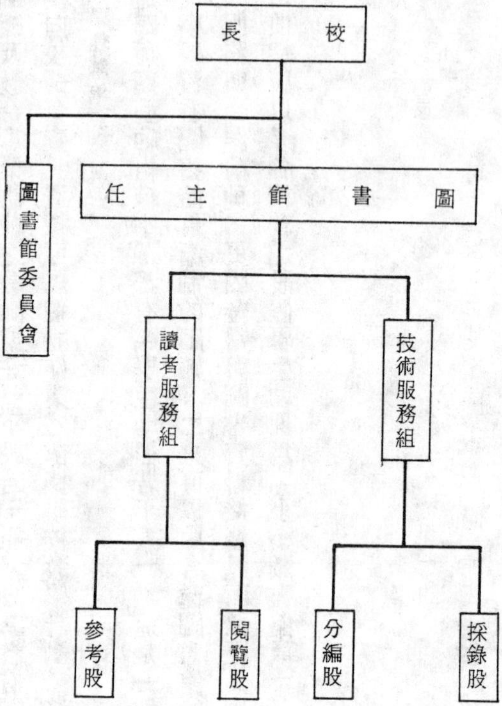

職掌

(一)圖書館委員會：為圖書館諮詢與決策機構。

(二)圖書館主任：承校長及圖書館委員會之決策擬訂與執行館務計劃。

(三)技術服務組：館內各種資料（含圖書教學媒體）的選擇採訪登錄與分類編目之處理。

(四)讀者服務組：出納（借還書）期刊與參考諮詢，各種推廣與圖書館利用教學之實施。

二　人　員

國民中小學圖書館的人員編制在國民教育法及其細則㉟中均未設置，因此，嚴格說起來，根本無人員問題可言，但是圖書館業務總得有人來推動，因此，在沒有人員編制的情況下，只好全部採用「兼任」制了，這些兼任的人員有下列情形：

㈠ 設備組長兼負責人：設備組長的任用資格，當然是受過教師專業之合格教師，且服務成績優秀者，他們原來未必受過圖書館專業訓練，但是，在台北市的各學校，除已受圖書館專業訓練者外，均於其接任設備組長之學年內令其接受圖書館研習訓練，所以，台北市的各國中小學圖書館負責人接受圖書館專業訓練的比率高達七十四%㊱。

㈡ 圖書教師：雖然「圖書設備標準」於七十年頒布，規定各校校長應指派「圖書教師」一人處理館務，而於民國七十三年四月再令轉各省市教育廳局，轉知各校校長指派「圖書教師」在案，但是，由於各教師本身課務繁重，而兼任圖書教師又無減免教學時數之規定，所以，沒有嚴格執行，僅具形式而已，有關「圖書教師」之條件，於第五章中有專文介紹。

㈢ 教學組長或註册組長兼負責人：這些組長為已受教育專業訓練之優秀教師，由於本身有其主要職務並兼課務，因此工作繁忙，故雖為圖書館之負責人，但實際工作均委由幹事或技工友擔任。

㈣ 幹事：依據國民教育法及教育人員任用條例規定，各校均設職員㈠國民小學稱幹事國中稱書記)，各校分配其職務，部份學校則將圖書館之工作委之辦理，這些人爲普通行政人員考試合格者，或具高中以上程度之人員，惟殊少圖書館科系畢業或曾受圖書館專業訓練者，同時，教師研習中心之圖書館人員訓練班又受種種限制而把幹事、技工友摒之門外，使這批實際工作人員無法接受研習，實爲美中不足者。

㈤ 小小圖書館員：這是自中、高年級中選出優秀且對圖書館工作有高度興趣與熱忱之學生，予以適度之訓練，而擔任服務性之工作，以彌補圖書教師人力之不足。人數則視學校班級數之大小而定。

㈥ 圖書館委員會委員：委員的產生，除校長、各處室主任、圖書教師、圖書館負責人爲當然委員外，各年級或各科教師代表、學生代表、家長代表各一人組成。

三 經費

國民小學圖書館的經費主要來源可分下列幾種：

㈠ 正式預算：由政府編列正式預算，一般均列於資本門之教學設備費項下編列圖書及圖書設備之經費，以購置圖書及有關圖書館設備，在台北市各國小由教務處提列預算計劃，經總務處彙總，由行政會議決定，交會計單位編列，送教育局核定，轉市政會議通過，再送市議會審查通過，即爲正式預算，因此，編製過程繁瑣，且耗時費日。

㈡ 動支「學生活動費」：國民小學的經費，除了政府的法定預算之外，唯一可靠的經費就是「學生活動費」，過去，沒有特殊法令與行政命令之限制，這項經費成爲各校「靈活運用」的法寶，也是各處室爭取運用的焦點，而圖書館如爲學校行政單位所重視，則撥予動支的比例就多了，否則，可能受到「零配額」的待遇。近年來，教育行政單位已注意到這一點，於是有行政命令規定「學生活動費」之動支「項目」及分配比例㊲，而「兒童讀物」即爲重要項目之一，如果正式預算漏列㊳圖書經費時，只好從此項經費來求補救了。

㈢ 家長會費：各校每年均依學生家長數收取「家長會費」，以供支應「家長委員會」各項支出之用，而圖書館並非家長委員會的組織，要動支其經費，於理是相當不易的，但是，圖書館的功能，達於每一家長委員，更及於每一學生，所以，只要圖書館本身的經營上軌道，發揮了功能，家長委員即會自動地提出「支應圖書館經費」的議案，因此，這項經費即可源源而來。

㈣ 捐款：俗云：社會資源的運用，社會上有許多基金會、慈善團體、工商鉅子、熱心人士、社會民衆、畢業校友，當他們目睹圖書館的欣欣向榮之勢，必樂意提供精神支援與實質援助。所以，這是經費爭取的對象之一，但是，對於「捐款」的處理宜特別愼重，爲避免困擾，可由學校提供若干書單，交由捐款人購贈，這樣可以減少一部份困擾，但是，也許捐款人無暇親往書局或出版社購書，而由圖書館代勞時，最好「適時」發佈「徵信資料」，同時，由學校製訂「接受捐贈辦法」，發給「感謝狀」（如附錄一）、「紀念狀」、「感謝盾牌」……等，以示感謝之意，並由家長會具名發給收據（如附錄二），以作減稅之憑證。

㈤ 其他收入：因爲國民小學屬義務教育，所以沒有任何可供收入的經費，但是，學校可以利用「廢物」之清理出售（報廢之財產出售價款應繳庫，不得支用），如廢紙，甚至蒐集合作社回收之空罐，經整理售予舊貨收集者所得之款，均可充爲圖書館經費，惟這是一項不定的經費，不能列入預算內㊴。

四 館 舍

館舍之大小，依學校班級數之多寡而定，但是宜特別注意學校之發展，班級數是否在上升中，學校最大計劃容量多少，均應先訂定長期發展計劃，切忌以目前班級數爲標準，否則若無地可擴充，影響發展甚鉅（詳見第四節圖書館的建築）。

五 設 備

圖書館內各種設備宜注意「兒童用」之高度，兼顧「教師用」之尺寸，然而，在管理上一般是師生混合利用，所以「閱覽桌椅」之高度，以兩者兼俱爲宜，至於書架，則以「兒童用」爲主，其他各項設備（詳見於圖書設備標準），均以便於「兒童用」爲首要考慮。

第三節　教學資源中心的建立

一　教學資源中心的定義

教學資源中心又稱爲教學媒體中心（Instructional Materials Center），這個名詞早在一九四七年出現於美國加利福尼亞州，它在每一郡成立一個「中央教學資源（媒體）中心」（Centeral Teaching Material Centers），這個中心或設在學校圖書館內或設在圖書館外自成單位，提供教學器材媒體。

教學資源中心除「開架閱覽室、辦公室、會議室（兼討論室）、教室、工作室（兼實驗室）、個別學習室」之外，有時還設有特別的「視聽資料器材室」，置放電唱機、錄音機、電視、錄放影機、放映機、收音機……等設備，由此可見，教學資源中心的觀念已於一九五〇年代散播於美國。

一九六九年美國學校圖書館協會聯合會及美國全國教育協會視聽教育指導部（AASL and the Department of Audiovisual Instruction of NEA）共同擬定了「學校資源計劃標準」（Standards for School Media Programs），它對「教學資源中心」做了如下的定義：「資源中心是學校的學習中心，在此中心裡應對全校師生提供印刷資料，視聽媒體，媒體專家與媒體設備的服務」。同時改稱「圖書館員、視聽專家、媒體專家」爲「教學資源專家」，由此，充分反應了學校圖書館的發展，必須跨出過去固有的圍牆，朝向容納圖書印刷資料，視聽媒體、教具、玩具等教學資源於一體的「教學資源中心」邁進。

二 教學資源中心建立的方式

過去，學校圖書館、視聽資料室、教具室都各自獨立，分散各處，沒有專人管理，因此，想用的人，進去拿來用，用畢隨處放置，第二次要用時，找不到了，於是，想用的資料、器材，找不到，形成了沒有資料的沙漠，所以教師僅憑一支粉筆、一本教科書、一張嘴，從頭講到尾，而學生只做一名忠實的聽衆與抄寫筆記的文抄公了，談不上利用資料，又何來「自學研究」呢？如果能把圖書館、視聽室、教具室三位一體組合起來，由專人策劃、管理、服務，將各類型的資料加以組織、整理，提供教學參考，利於學生學習研究，豈不一擧兩三得？

㈠ 資源教室：目前部分國民中小學校先行成立「資源教室」，即以「某一科」爲單位，利用一個教室，將有關各該科的圖書、視聽資料、器材與教具齊集於一室，給予有組織的排列，而利於各該科的教學，這樣，在這兒上課時，要用參考書，馬上可以拿來翻檢，要看影片，立刻拿來放映，要用度量衡，立刻可以實測，理論、實際立刻可以印證，學生上課時，對教材的瞭解深入，上課與趣高昂學習效果必佳。這種「資源教室」也就是「單科教學資源中心」了。

㈡ 教學資源中心：如果把全校各學科的圖書資料、視聽媒體、教具玩具全部合併一室，納入統一的整理與管理，而由專人負責與服務，那合圖書館、視聽室、教具室於一館，這就是名副其實的「學校教學資源中心」，因爲這裡的各種類型資料，足夠提供全校師生各種教學、娛樂之用。由於有專人籌劃、設計、組織、整理與服務，所以，資料齊全，服務週到，必能令師生滿足，而充實教學內容，提昇教學層次，豐富教學效果。

㈢區域教學資源中心：台灣省因地區遼濶，而且限於各校各種圖書資料、視聽器材，均呈不足，且乏人力配合，欲成立各校教學資源中心，似有甚大之困難，因此，可配合縣文化中心，或示範中心國中小爲單位，成立「區域性教學資源中心」，這樣可以集中地方財力，設置數處「區域性教學資源中心」，把各國中小教學所需之各種參考圖書、視聽媒體、教具玩具蒐集齊全，作一完善之規劃設計、整理，提供最週全之服務，如能配合巡迴車之服務，以「服務到家」與「送上線服務」的方式提供最完善的服務，那麼教學資源中心的功能必能發揮無遺。

三　教學資源中心提供那些服務

教學資源媒體中心的成立，並不是把圖書館的圍牆拆除，併入視聽室和教具室就算完成了，也不是把圖書、視聽媒體、教具玩具放在一塊兒就可以了，它不但要吸引師生前來利用，更重要的是在於協助教學與輔導學習，所以，Ellsworth & Wagener 在其合著的「學校圖書館」一書中列舉了學生在該中心的活動是：

㈠尋求源自教學過程或正常好奇的問題答案。

(二)獨自或以自組成員的身份搜尋新知報導。

(三)進行閱讀指定作業——即在資源中心內利用一些特定的時間從事研究。

(四)爲某些目的而尋求材料，如撰寫報告、閱讀心得、書評、辯論、研究報告……等。

(五)學習利用圖書館的門徑：如目錄卡片的查檢、書目、參考書、期刊索引、摘要之利用等。

(六)觀賞電影、幻燈片、錄影帶或其他視聽媒體，利用教學機學習、聽錄音帶、唱片……等。

(七)爲演講或特殊作業查引文句，選錄言詞，或原始資料之出處。

(八)爲消遣而閱讀。

(九)從新書與現期期刊中獲取新知。

(十)與其他同學交換閱讀。

教師在該中心的活動是：

(一)與中心負責人商討用於教室工作的合適材料——適合在教室中作一般演示者，適合學生們進行小組學習的，以及適合學生個別化學習的基本材料。

(二)預映電影片、幻燈片、錄影帶、商洽視聽教材借用或製作的選購。

(三)洽商特殊材料之購置、處理及學生使用上發生的疑難諮詢。

(四)複印資料、製作幻燈片、透明圖片、轉錄或錄製錄音或錄影資料。

由以上師生之主要活動，我們可以瞭解「教學資源中心」應該提供的服務是：

㈠原有圖書館的閱覽，包括參考諮詢。
㈡視聽資料利用其器材操作，及視聽教具媒體之製作與使用指導及協助。
㈢教材與資料之配合運用。
㈣教具與教材課程之配合及教具之操作與製作技術之指導與協助。
㈤圖書、視聽資料與器材和教具之徵集分類與編目。
㈥解答各項難題。

第四節 國民中小學圖書館的建築

一 位置

在舊有的校舍中，如果想要新建一座圖書館，位置的選擇是相當重要的，圖書館是每一個人都要去的地方，所以選擇設計於中心點較為恰當。但是，以目前各地的情形來看，單獨建一棟圖書館的機會似乎很小，大部份附建於「活動中心」、「禮堂」、「專科教室」，甚至於「地下室」，也有將舊有教室拆去隔間改裝而成的。

目前的學校建築，大都採「樓房」建築方式，甚至三樓、四樓，整個學校有馬蹄形「冂」或封閉形「口」，這種形式的建築物要想取得「中心」，而與各教室距離相等似乎不可能，因此，要設在地面層，地下室、或是二、三、四樓，都值得研究的。

若如前台北市長許水德先生的構想，國民小學圖書館必須對民衆開放，供社區利用，那麼，這個圖書館應設計於「地面層」或「地下室」，這樣方便於一般民衆的出入而不影響學生的教學；一般說來，民衆的成員多樣化，有老年人、有社青，甚至幼兒，他們利用的時間不一致，爲了不干擾上課的秩序，只有與學生採分隔形態，否則，因圖書館的設置而影響學生的學習活動，那是得不償失的，非但要設計於地面層或地下室，最好另闢一出入口，以便他們的進出。但，除非空間無法取得，否則盡可能不用地下室，因爲潮濕、滲水、漏水、採光、通風，均不適宜，況且，五、六年級教室均於三、四樓，下課時間學生無法抵達，更談不上入館，何以談到「利用」呢？若有視聽室，亦設於其鄰近，以便就近利用。

若以學生爲主要利用對象，則最好設計於較靠近高年級或高年級與中年級教室之間，因爲，高年級的學生需要利用圖書資料來研習功課者較多（如果圖書館利用教育正常發展時），他一方面已經學得較多的「圖書館利用技能」，一方面教材、課程所涉及範圍較廣且深，除教科書以外的各種資料需要較爲殷切，且國民中學作息之日課表上，殊少有「空堂」或「自習」之時間，所以，學生只有利用「課間休息」的短短「十分鐘」或「二十分鐘」[40]，否則只好利用「午休」的時間，因此，倘若距離他們教室太遠，則「沒有時間」足以前往，安能利用呢？

設在靠近高年級的教室對於中、低年級的同學又似不公平，難道中、低年級的同學就不需要嗎？不。低年級的同學，尤其是一年級，剛到學校，一切陌生，待其對環境有充分的認識，已經半個學期過去了，學習的過程中，對「圖書館的利用」尚在「萌芽」階段，眞正進入圖書館去「利用資料」的次數尚少，大都停在「集體教學」階段，因而比較不那麼殷切，至於中年級，學生對於「圖書館的利用知能」已有淺近的認識與瞭解，而課程、教材的深淺度較接近兒童生活，「圖書館」對他們的需要在於「閱讀課外讀物」，甚至以「故事」爲主，這也是個人認爲以靠近高年級教室爲宜的原因了。

最好，圖書館設計於「自然教室」與「社會教室」和中、高年級教室之間，因爲到自然、社會兩種專科教室去上課時，利用圖書館資料的機會最多，如能就近利用，可收一舉兩得之利。

二 館舍建築

館舍的建築是相當重要的課題，我們可以分爲「新建」與「改裝」兩種方式來討論。

㈠新建

不論是公立學校或是私立學校，圖書館的建築，最重要的人物有校長、總務主任和圖書館負責人，其中圖書館的負責人必須事先閱讀許多資料，而瞭解圖書館對學校的重要，更進而參觀附近或較有成效的圖書館，作爲設計之參考，甚至蒐集有關的圖片與資料，而擬定初步計劃，向學校行政單位提出說明與構想，以期校長接受，若能定案，就可進行下一步驟了。

1計劃提出與經費籌措：初步計劃雖經同意，必須再三請教專家，不論是建築師或是圖書館學者經諮商與評鑑，進行修正務期盡善盡美，最後提經行政會議討論，通過後，送校務會議議決，而正式計劃才算完成。

公立學校的經費必須依照「法定程序」方能取得，所以先編「概算」送上級機關審核，經「勘察」審議通過才得「正式編製預算」送議會審查，爲順利通過，圖書館負責人、總務主任與校長，必須前往溝通、解釋、說明，最後尚需親經議會「備詢」，通過了，就有正式的經費了。至於私立學校，則經學校行政會議通過後，交董事會討論，一樣的，必需詳細說明、解釋，獲得董事會的瞭解，再看董事會的經費情形決定了。

2.正式設計的提出：正式設計圖的繪製，必需集建築師、圖書館學專家和教育學等專家的智慧，才能設計出美觀、安全又適用的圖書館。

結構方面，這是一項專業的知識，由建築師全權負責，所需材料、規格與施工安全，以及牽涉的結構學、力學等非我們所能知曉，這就是所謂「隔行如隔山」與「分工合作」了。

空間的利用，則由圖書館學家和教育學家來提供意見，例如窗要開多高、開多大、燈光要求、隔間之分配，甚至傢俱的高低，形狀與顏色，樣樣都影響學習，必須配合兒童的心理與生理發展，因此，配合着圖書館學的專業知識加上教育學的理論與實際，綜合大家的意見，最後還得顧慮到外型的美觀（如設於專科教室或地下室而非單獨設計，對外型之設計就可省略了），因此，必須廣徵意見，再三修正，討論而後定案[41]。

對於樓地板與天花板的結構，個人建議以採「無樑柱中空樓板」[42]設計較理想，因爲，這種設計有下列優點：(1)整個樓面看不到柱子，對於傢俱的擺設設計可以隨心所欲，而毫無阻礙，天花板上又見不到樑，所以隔間不受影響。(2)樓板中空，隔音效果良好，若爲頂樓，防熱效果亦佳，且其中空可爲管線之鋪設，不必另外埋管。⑶因樓板中空，其呆重減少，可以做大跨距之設計㊸，而爲圖書館所需。

由於各國民小學圖書館均有「人手不足」之感，以一人一館之設計爲佳，因此，出入口以一處較便於管理㊹，但爲了安全，必須另設一安全門，供緊急使用㊺。

我們更需要瞭解，正式設計就是「發包」的建築藍圖，營造廠就依此圖來簽訂合約的，所以，不論一個插座、一盞燈的開關、水龍頭的位置、一個排水孔、排氣孔，這種小到不引人注意的「零件」，倘若設計欠適當，將來就會在使用上發生極大的困擾與不便，至於安全結構更不用說了。

在國中小圖書館設計中，大部份有視聽室之設計，於是「遮光」設備亦需設計，一般採用「布幕」式遮光，個人認爲以「鋁板雙層鑽孔」㊻之百葉窗型遮光設備最爲理想，因爲它可以兼俱「遮光」與「通氣」之作用，一則可享遮光效果，又可保持空氣之流通與清新，在集體教學是必須注意的。

若視聽與閱覽同置一室，則有關視聽部份之「隔音」或「消音」設計應優先注意與考慮，否則音量之干擾，閱覽室之閱讀將大受影響。

至於地板因台灣屬亞熱帶氣候，濕度大，對於鋪設地毯似較不宜（潮濕長蟲發臭，維護不易）又要避免走動之聲，故以軟質塑膠地板爲宜，經濟適用。

㈡ 原有教室「改裝」

「舊有教室改裝」時，首先要注意的是教室本身的「安全性」，樓地板的結構以及樑與柱的結構，拆除原有隔間因「震動」所造成的「損壞」，同時必須注意該教室的「年齡」㊼，因此，在無法「新建」而必須設置「圖書館」的狀況下，「改裝」是最普遍採用的方法之一，因爲，一來「建地」難求，二來「經費」難籌，而把「教室」改裝，則沒有「建地」的困擾，「經費」亦節省許多，目前台北市以這種方式設置「圖書室」的學校，約占八十%，而獨立設計建館的爲數甚少㊽。

但是，一般教室設計時僅供普遍教學活動之用，若改裝放置「圖書」而爲書庫時，其承載力相對不足，因此，設計配置時應注意把書架配置在「樑」的位置，以及四週靠「牆壁」之處，這樣，把書的「重量」讓「樑」與「柱」來承擔，「危險性」相對就減低了。

若該教室之結構已經無法承載這一重量時，則盡量遷至地面層，則也解決了「承載力」的困擾，可增加安全保障。

最後就要談到各室的配置與傢俱的陳設了，這完全要看「場地的大小」與現況來設計較爲理想。

三　設計與規劃

圖書館是全體師生都要去的地方，所以如前述「位置應適中應是首要考慮者」，至於館中的設計應注意下列原則：

㈠空間先考慮「讀者使用區」與「館員工作區」宜明顯的劃分，使讀者易於利用資料，而館員便於工作。

㈡爲便於管理，節省人力，設一出入口即可。

㈢應讓館員與讀者一進館即可一覽全館而無遺。

㈣過去模矩（Modular）爲圖書館奉爲圭臬之設計，若用「無樑柱之中空樓板」設計，則不必傷此腦筋。

㈤資料位置配置得宜，可減噪音之困擾。

㈥讀者動線與館員動線不宜交叉。

如果新建的圖書館採用「無樑柱中空樓板」的設計，那麼，除了在結構上要求樓地板的承載力在每平方公尺六百五十公斤（即 650 kg/m²）之外，我們可以完全依照需要規劃分配使用，由於地上無柱，天花板無樑（梁已隱藏於樓板之中），毫無阻礙地配置各種傢俱，然而，目前各國中小圖書館採「開架閱覽服務」爲必然之趨勢，所以，全館之分配如下：

㈠活動室兼圖書館利用教育教學室：採活動組合之桌椅，配以部份沙發式幾何圖形椅子，可利用於「講故事」、「小型圖書館活動」和「圖書館利用教育」之教學，這種設計較活潑而不呆板，應用起來靈活，人數多寡可隨時增減椅子或桌子之數量，非常方便，但別忘了，至少要準備足夠一個班級以上學生數使用之桌椅與場地，教學時方不致於發生困難。

㈡閱覽室兼書庫：樓地板既然以「書庫」承載力（650 kg/m²）之設計，當然書架置於任一點均不需顧慮，而以「開架服務」方式經營，因此，書庫全部開放置於「閱覽室」之中，所以閱覽室與書庫合為一，閱覽桌則分佈於各書架之間，同時，書架亦供「隔間」之用，由於人力之缺乏，採一人服務之設計，且顧及學生之高度，因此，書架均以「矮書架」為佳，一則方便學生取書與歸架，二則便於管理人員一覽全室而無遺。

㈢工作室：這是一個非常重要的地方，所有媒體資料必須經由此間而整理，才能上架、流通，因此，配置空間不宜太小，以免影響工作之進行，最好設於「書庫」之相連處，以利「整理完畢」立即進入書庫方便流通。

㈣放映室：放映性媒體資料，必須有放映之硬體設備相配合，所以「遮光」以及一些「器材」必有其棲身之所，由於需「遮光」而與一般書籍閱覽不同，所以必須有一特定場所供其利用。但是，由於空間所限，在空間不足使用情況之下，放映室可與活動室合併使用，在不放映時，供活動或圖書館利用教學之用，放映時，由摺疊布簾與閱覽室分隔，一則隔音，一則遮光。

㈤媒體陳列室：教學媒體俗稱「教具」，由於型制與一般圖書資料不同，不易與圖書一併排架，所以，大部份圖書館的圖書與視聽媒體以分別排架為多，以期減少空間之浪費，且視聽媒體大部需要其他硬體配合，因此，與圖書分別排架使用上亦較方便。故應另闢陳列之所。

四　安全與維護

過去，圖書之「失竊」為館員所最頭痛者，但是，今天，全台北市各國民中小學圖書館中，尙未有因「失竊圖書」而感困惑者，考其原因，有二，一則部份學校根本沒有讓借書回家閱讀，僅止於館內閱讀，談不上「失竊」二字，因爲書根本沒有出館，一則「生活與倫理」教育的成功，知道圖書資料都是「公物」，不可「私藏」，更重要的是「公德心」的培養，這些書是給大家看的，一個人拿走，大家不方便，自己也不方便，基於此，書自然丟得少了。

「防火」：「火」在圖書資料來說是大忌，但是，走訪許多國中小圖書館，均未見館中設置「滅火器」或「消防栓」，實爲最大之憾事，蓋圖書館內各種資料媒體均爲「易燃物」，且火勢一發即無法收拾，而紙張又忌水，因此，應備「乾粉滅火器」爲宜，同時應備「停電照明裝置」，以防因臨時停電而生驚慌，造成災害。

爲免除水害，圖書館不宜建於地下室，而室內洗手臺之排水孔應經常保持暢通，水龍頭亦應維護，以免水流不止而淹水，地面落水頭應防泥沙阻塞，最好每週清查乙次，門窗時常注意關鎖，以防雨水打入以致書籍打濕。

由於學生易帶泥沙進館，因此，地面塵土及書架灰塵爲害書籍之整潔甚烈，最好能備小型手提吸塵器吸取灰塵，否則每週應擦拭乙次，以維護圖書之清潔。

倘若經費許可，全館「中央系統」空調設計，且於進館大門前設置「除塵機」，爲讀者進館之前先行除塵，對館內衞生、書籍、讀者之健康維護，有莫大之俾益。

附註

❶ 詳第一章註⓫。

❷ 李端芬撰，請推廣學校摺，刊變法自強奏議彙論，卷三，頁一一三。

❸ 詳王省吾撰，中國近代圖書館發展史，圖書館學報第五期（民國五十二年八月），頁九七－一一七，其中「京師創設圖書館私議」一文。

❹ 詳學部官報第九期，一般文獻均謂光緒卅一年，可能誤傳抑或筆誤，該奏摺成於清光緒卅二年（一九〇六）十一月初一日，與光緒卅一年近一年之距。學部官報當不致有誤。

❺ 詳「欽定大學堂章程」第八章第一節。見日本多賀秋五郎著，近代中國教育史資料清末篇（台北、文海出版社，民六十六）頁一五六。

❻ 詳「欽定高等學堂章程」第四章第五節，見多賀秋五郎著，近代中國教育史資料清末篇。（台北，文海出版社，民國六十六年），頁一五六。

❼ 詳「欽定中學堂章程」第四章第四節，見多賀秋五郎著，近代中國教育史資料清末篇（台北、文海出版社，民六十五），頁一六五。

❽ 詳「欽定小學堂章程」第四章第四節，見多賀秋五郎著，近代中國教育史資料末篇（台北，文海出版社，民六十五），頁一七七。

❾ 詳「奏定學堂章程：大學堂章程」第四章第四節，見多賀秋五郎著，近代中國教育史資料清末篇（台北、文海出版社，民六十五），頁二六三。

❿ 詳「奏定學堂章程：高等學堂章程」第四章第二節第四款，見多賀秋五郎著，近代中國教育史資料清末篇（台北、文海出版社，民六十五），頁二七六。

⑪ 詳「奏定學堂章程：中學堂章程」第四章第二節第三款，見多賀秋五郎著，近代中國教育史資料清末篇（台北、文海出版社，民六十五），頁二八六。

⑫ 詳「奏定學堂章程：高等小學章程」第五章第二節，見多賀秋五郎著，近代中國教育史資料清末篇（台北、文海出版社，民六十五），頁二九五。

⑬ 詳「奏定學堂章程：初等小學堂章程」第五章第五節，見多賀秋五郎著：近代中國教育史資料清末篇（台北、文海出版社，民六十五），頁三〇八。

⑭ 通俗圖書館規程於民國四年十月二十三日由教育部公佈，有條文十一，詳教育公報民國四年第八期，及中華民國圖書館年鑑（台北、中央圖書館，民國七十年）頁四〇四。

⑮ 圖書館規程於民國四年十月廿三日由教育部公佈，亦有十一條文，見中華民國圖書館年鑑（台北、中央圖書館，民國七十年），頁四〇四—四〇五。

⑯ 社會教育機關協助各級學校兼辦社會教育辦法於民國二十八年六月一日公佈，其第六條謂：各省市縣市圖書館對於區內各學校兼辦社會教育應協助事項如左：

(1)介紹並借予各學校所兼辦社會教育之教材。

(2)辦理巡迴文庫，供給各學校所兼辦之民衆學校及家庭教育班讀物。

⑰ 民國三十年六月三日教育部公佈「各級學校及各機關團體設置圖書館（室）供應民衆閱覽辦法」，其第二條明定：各級學校及各機關團體附設圖書館（室），應一律開放，供民衆閱覽，第七條更規定，各級學校及各機關團體，應輪派職員協助圖書館（室）主管人員辦理及指導民衆書報閱覽事宜。

⑱ 教育部於二十四年六月廿一日以八四七九號令公佈，並於三十六年四月九日修正公佈之「修正中學規程」第四四條曰：中學應具備左列各重要場所，……㈤圖書館或圖書室，……第一〇三條曰：中學設……圖書，儀器、藥品、標本及圖表管理員二至三人。

⑲ 教育部於三十四年六月五日以五〇三四四號令公佈「國民學校及中心國民學校規則」見多賀秋五郎著，近代中國教育史資料民國篇（台北、文海出版社，民六十五），頁九三四。

⑳ 總統於六十八年五月二日以總統(68)台統(一)義字二一五八號令公佈高級中學法。詳教育部公報五四期，頁二。

㉑ 國民教育法施行細則教育部於民國七十一年七月七日以台(71)參字第二三〇一一號公佈，詳教育部公報第九十一期，頁四－八。

㉒ 教育部於七十一年七月十六日以台(71)國字第二四三二五號函發佈「發展與改進國民教育六年計劃執行要點」，詳教育部公報第九十二期，頁一四－一七。

㉓ 教育部於七十年一月卅一日以國字第三二八七號令頒佈「修訂國民小學設備標準」（台北市，正中書局，民七十）。

㉔ 教育部於七十三年四月九日以台(73)四字第一二五三二號函令台灣省教育廳，台北市教育局，高雄市教育局及金門、馬祖戰地政務委員會轉知各國民小學。

㉕ 民國七十五年十二月七日中國圖書館學會年會業已經大會通過「圖書館法」草案，正報教育部轉行政院核定再送立法院審議，俟審議通過，即可公佈。

㉖ 詳同㉕，見中國圖書館學會第三十四屆會員大會資料（油印本），頁三一－三五。

㉗ 中等學校圖書館組織與設備標準原名是：Standard Library Organization and Equipment for Secondary School of Different Sizes 見 Encyclopedia of Library and Information Science, Marcel Dckhier, N.Y. Vol. 26 p. 362 1979.

㉘ 初級學校圖書館標準原名是 Standards for Elementary Library，詳同㉗，圖書館學與資訊科學百科全書第二十六冊，頁三六四－三六五。

㉙ 詳同㉗，圖書館學與資訊科學百科全書第二十六冊，頁三七〇。

㉙ 詳同㉗，圖書館學與資訊科學百科全書第二十六冊，頁三七〇。

㉚ 詳蘇國榮撰：淺釋多媒體教學中心，台灣教育輔導月刊第三三卷九期（民國七十二年九月），頁一八—二一。

㉛ 詳中國圖書館學會編：圖書館學參考書目及法規標準（台北、編者，民國七十四年），頁九五—一〇二。

㉜ 教育部於七十年一月卅一日以國字第三二八七號令頒佈「修訂國民小學設備標準」（台北、正中、民七十），其中「圖書設備標準」對於藏書，館舍器具設備，人員組織均有簡略之說明。

㉝ 詳教育部國民教育司編，國民小學設備標準（台北市、正中，民七十七年），頁八五—一〇六。

㉞ 同㉜，頁九八。

㉟ 國民教育法於民國六十八年五月二十三日總統⑹台統㈠義字第二五二三號令公佈。又國民教育法施行細則由教育部於民國七十一年七月七日台⑾參字第二三〇一一號令訂定。分別刊於教育部五十四期及九十一期。

㊱ 詳蘇國榮撰：國民小學圖書館經營之研究（台北市、撰者，民七十六年），頁三十一。

㊲ 其比例如附表。

㊳ 如台北市各國小年度預算中，民國七十四年度有五十八校漏列，而民國七十六年度亦有三十四校漏列。

㊴ 台北縣永和市之秀朗國小，首以「廢物出售」所得購置圖書，因發動小朋友檢拾空罐，引起物議而後即停止。

㊵ 各校均於上下午之第二節下課排二十分鐘休息，其他各節則休息十分鐘。

㊶ 詳蘇國榮撰：教學資源中心的誕生：合圖書館、視聽館、教具室為一，國教月刊第三十一卷七八期（民國七十三年八月），頁三三—三八。

㊷ 中空樓板（Hollow Slab）即將旋楞綱管（Screwpipe）平行排列，於管間配置主筋，再於橫向配置補助鋼筋，使其連結一體，所以中空樓板可視爲各管間工字樑之結合體，具有下列優點，兩鋼管間主筋通過之混凝土部份形成「工字樑」工－beam。

㊸ 所謂大跨距之設計就是樑的長度距離較大，普通教室爲七．五公尺，而中空樓板的設計可達二十公尺。

㊹ 出入口僅設一處，以一人控制全館，可以看館照顧全館之動靜與出入。

㊺ 爲安全設計，萬一緊急狀況如空襲、火警等意外發生，需要之緊急出口，故有安全門設置之必要。

㊻ 鋁板製之遮光設計，如圖：由甲乙兩塊鋁板裝設於窗框之上，因甲板與乙板之孔「錯開」，所以光線不能直接射入，而甲乙兩板均有「孔」，故空氣可以「流通」，所以，有遮光之功，又具「保鮮空氣」之效。

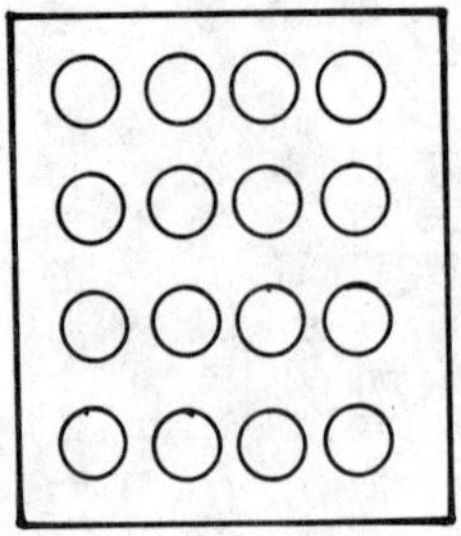

甲鋁板

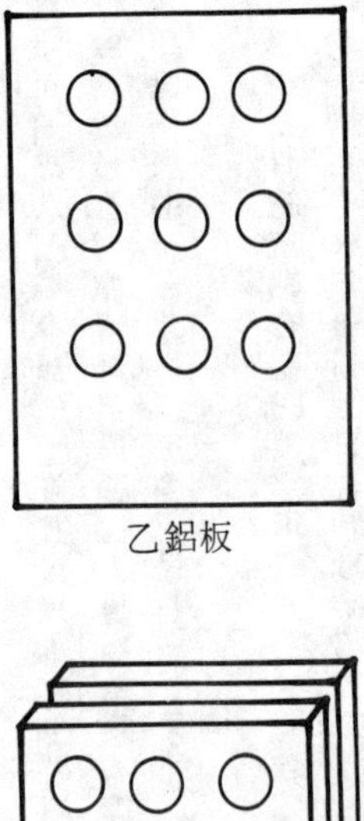

乙鋁板

甲鋁板

乙鋁板

㊼ 依據行政院頒「財物分類標準」，鋼筋水泥加強磚造教室使用年限六十年，木造教室二十年。

㊽ 詳同㊱，頁六十三。

第三章　技術服務

第一節　圖書的選擇與採訪

圖書館的館藏，必須有一完整的計劃，擬定一遠程的目標，所有的資料媒體在選採入館之前必作審愼之考慮，因爲近數十年來，敎育普及，生活水準提高，文化水準提昇，圖書資料大量供應，市面的圖書，有如洪水潮湧般，難以抵當，若不愼加選擇，漫無目的購置，任由兒童與青少年閱讀，由於讀物之不適合其身心發展，非但浪費其寶貴之時間，尙且戕害其身心發展，爲害匪淺，況各校圖書經費有限，籌措不易，如以極其有限的經費購置無益之圖書，純爲浪費公帑。誠如筆者業師王振鵠敎授所云：「圖書的選擇，就是要以最低的代價爲大多數讀者選擇最適用的圖書」❶，也就是杜威先生（Melvil Dewey）所說：「最好的讀物就是滿足最大多數的讀者，却花費最少的價錢」（The best reading for the largest number at the least east）❷。

國民中小學圖書館的目的在於提高學生的閱讀能力，增廣他的知識見聞，且以自幼培養其「自學能力」，對於學科敎育、品德陶冶和未來的學習關係至鉅❸，所以，國民中小學圖書館應該提供兒童與青少年質量俱佳之讀物以供閱讀，同時，亦擔負着支援敎學的重任。因此，必須供應敎師敎學所需的參考與補充資料，俾利敎學內容得以充實，導引敎學更爲生動，以增益敎學效果。鑒於國民中小學圖書館的目的與功能之特殊，圖書資料之選擇就應該特別愼重了。

一　國民中小學圖書館館藏的選擇原則

爲了適合學生與敎師的需要，提供下列幾項館藏選擇的原則，俾供參考：

(一)有計劃的蒐集圖書媒體資料：不論是圖書抑或是媒體資料的蒐集，必須有整體的計劃，這項計劃又分「基本核心館藏」與「累增圖書媒體資料」，基本核心館藏即爲基本的參考用書與敎學用參考書，累增資料則爲適應讀者需求而陸續增添的圖書媒體，由於經費籌措不易，購置選擇必需依計劃比例執行，同時，尚需一長期的館藏政策，方不致因個人一時的好惡而影響了館藏比例的發展與讀者的需求。

(二)質量並重：美國圖書館學家法果（Fargo）在其所著「學校圖書館（The Library in the School[4]）」一書中認爲應包括：

1. 有助於查尋事實而經常使用的參考書：如字典、辭典、百科全書等。
2. 充實課程及增廣見聞之用書：如史地、語文、社會、自然等各類優良著作。
3. 有益於思想言行的讀物；如哲學、宗教、名人傳記。
4. 有助於培養高尚情操及適當休閒活動的讀物：如文學名著、音樂、技術。

5. 有助於敎學之專業性書籍：如敎學法、敎學原理。

6. 圖書館學專業性書籍：充實圖書館專業用書籍。

依據上列六項範圍，各科兼顧，不僅求量的擴充，並選購各類權威著作，以求質的提高。質量並重，才能達到「經濟效益」。

㈢ 適合學生的程度並合於課程的需要：國民中小學圖書館主要目的在於提供學生與敎師之需要，因此，學生用書所使用的文字、字彙、語文、語體、插圖均應適合學生的程度，其措詞爲學生已學而能懂的字彙、語詞爲主，宜深入淺出，輕鬆活潑，而且描寫眞切而不浮泛，儘量利用「口語」，使學生易於瞭解，因爲他們的生活體驗不足，過於艱深抽象的內容或是與其生活經驗太遠的事務，不但不易瞭解而且感到乏味，對於配合課程的題材與內容，由於授課敎師的提示，有助於學生的閱讀興趣，因此，與課程相關的讀物，爲重要選擇蒐集的對象。

㈣ 適合學生的興趣與心理發展：賈馥名敎授在其敎育概論中曾說：「兒童猶如正在生長的幼苗，本身具有達到成熟、開花、結實的潛能，但是需要敎師和成人的培植，指引生長的方向，矯正生長中的偏差，以便有更好的成就」❺。而方炳林敎授在其敎學原理一書中又說：「學生能夠全神貫注於學習活動，則必興趣盎然，能夠一心向着目的，則必殫殫竭力，克服一切困難，全力以赴，以期達成目的」❻。然而，圖書館的讀物並非敎科書，不需於課堂上一課一課地敎，所以，必須瞭解學生的心智發展，選購適合其心理年齡所能接受的圖書資料，同時，更不能忽略學生的興趣，如果蒐集的資料，他們毫無興趣，則塵封書架上，非但浪費有限的空間，浪擲預算，且剝奪了學生的學習機會。

至於國民中小學生的興趣又是什麼呢？我們知道，閱讀的興趣與需要是隨着身心的成長而改變的。

幼年期：喜歡看幽默而沒有大多含義的圖畫故事書，而且以小孩本身爲中心，加上一些小朋友或動物與經常發生的事物爲主，故事要短，插圖要彩色爲佳。

國小一、二、三年級：這些同學就有較廣泛的社會興趣了，雖然仍然喜歡看「圖畫書」，但對於其週圍環境如家庭、學校或小社會中發生的眞實故事也感到興趣，喜歡唸韻文，和大家一塊兒誦讀。

國小四、五、六年級：這些同學，生活範圍更大了，對於有關國家民族及其他國家民族或歷史性的內容漸漸感興趣，同時於傳說、民間故事，以及有大人牽涉在內的故事，不論男女生，對於動物以及男女孩間的故事都感興趣。

其中五、六年級與國中生，男女的閱讀傾向業已開始分化，男生對於科學、科幻、戰爭、民族英雄、偵探、體育等知識及故事較爲喜歡，女生則對於家庭故事、文學、音樂、藝術之類的書籍較爲喜歡❼。

國中生已漸至青春期，對於異性之愛慕業已萌芽，但尚在好奇階段，因此，對於異性或愛情故事有漸趨喜好之勢。

㈤ 迎合學生的好奇、模仿而選擇富有創造性、啓發性之圖書媒體：好奇爲幼兒與青少年之天性，對於某一現象，即生聯想，且具有「追根究底」的傾向。因此，我們可以提供相關知識見聞，介紹事實的知識性書籍，來滿足其好奇心，以解決他們對於各種「現象」的迷惑，同時，在三、四年級之後，其模仿性特強，我們即時供應「偉人傳記」、「英雄聖哲」之事跡，忠義愛國、孝順友愛之故事與小說，藉以建立其「正確」的價值觀念，他們經常將事情以「善惡」、「好壞」二分之，所以選擇時，以取「狡賴者必遭敗績，善惡有其報懲之例」者，以引導兒童建立「向善的道德理念」。

㈥ 鄉土資料應廣爲蒐集：教育部於民國六十四年八月公佈的「國民小學課程標準」[8]中，有關社會科的規定[9]就可明白看出，自一年級到六年級的全部教材是以「學校與同學」、「家庭與鄰居」、「鄉土與習俗」、「資源與生活」、「社區與居民」、「社區的發展」、「台灣與大陸」、「台灣的建設」、「吾土與吾民」、「社會與文化」、「倫理、民主與科學」、「中國與世界」等十二主題爲中心，其教學資源大部份均與鄉土資料息息相關。因此，凡是社區內名勝古跡、山川河流、交通、物產、民情風俗、鄉賢善行……等等，不論是文字、圖片或是電影片、幻燈片、錄音錄影帶，均應廣爲蒐集，以期協助教學，而便利學生閱讀參考利用。

㈦ 合於時代需求，新知與新版資料優先購置：自十九世紀以來，科技之進步與發明，速度着實驚人，有關新知必須盡速蒐集，而過時且不合時宜者應予淘汰，但並不意味著所有舊書都要淘汰，在取捨之間應以其內容爲標準，而使用率較高，業已破爛不堪者應刪除撤架，另補新書，以利館藏之新陳代謝，確保資料之可用性與新穎性。

二　國民中小學圖書館館藏選擇的範圍

(一) 兒童用圖書資料的範圍

由於科技的進步，兒童的享受也隨著增加。因此，各形各色，各型各類的兒童圖書資料充斥於市，爲了方便討論，特別界分爲參考工具書、兒童讀物，期刊和視聽媒體四大類敍述於後：

1.參考工具書：所謂參考書，國立中央圖書館閱覽組主任張錦郎教授在其中文參考用書指引一書中下了這樣的界說：「參考書是蒐集若干事實或議論，依某種方法排比編纂，以便人易於尋檢爲目的的圖書」❿。當然，這類參考書並不希望讀者從頭到尾閱讀，也沒有必要，但是，所謂參考書並不僅此而已，辭海云：「著作或研究時，用備參證之書籍曰參考書」⓫。由此看來，一切的書都有時可供參考之用，那麼，一切的書都是參考書了，這又與普通書有何區別呢？因此，將參考圖書資料分爲下列三種來討論：

(1)專爲參考目的而編製的「參考書」：這就張錦郎教授所稱蒐集事實或議論；依某種方法排比編纂，以便人易於尋檢爲目的的圖書。如百科全書、字辭典、傳記資料，……等。

(2)具有參考價值的普通書：普通書中亦有「具備參考價值之作品」，可供參考時應用，即書中附有有用之參考資料，且這些資料是簡明性的和凝結性的，不是長篇大論，同時可在書中的目次或索引中找到。

(3)非書資料：如期刊、小册子、學報、縮影資料、剪輯、圖畫等，由於這些資料通常都是由原始資料編製而成，具有眞實性與權威性，且出版迅速，資料新穎，因而參考價值極高。

2.兒童讀物：台北市立師專李文清敎授在其「小學圖書館之經營與利用」一書中對兒童讀物是這樣界定的：「兒童讀物顧名思義，即泛指適合兒童閱讀的書刊而言。廣義言之，凡兒童該讀，可讀的圖書資料，無論是課程上規定使用的敎科書，學習必備的工具書、參考書、及適合兒童課外閱讀的文學作品，如故事、童話、寓言、小說、傳記、詩歌、漫畫等，都可包括在兒童讀物的範圍之內。但一般所謂兒童讀物，均狹義地指兒童課外閱讀的文學作品而言」⓬。本文所指「兒童讀物」亦爲狹義之兒童課外閱讀的文學作品，茲分別討論如下：

(1)故事：故事泛指適合兒童閱讀，有人物、有主題、有情節的敍述性文章，是兒童文學的主幹⓭。其範圍非常廣泛，根據國民小學課程標準，把故事分爲以下各類⓮。

①生活故事：以兒童生活爲中心，描寫家庭孝悌生活，學校尊師、學習、合群生活、及忠孝仁愛信義和平社會生活等故事。

②自然故事：描寫我民族利用自然，如養蠶、農漁、舟車、器物、指南針、紙筆、火藥、醫藥、陶器、建築、以及現代科學機械等發明故事。

③歷史故事：合於史實的記人或記事的故事（傳記、軼事等均屬之）。

④民間故事：民間傳說的故事（人類原始生活的故事屬之）。

(2)童話：是一種以兒童的特殊心理與生理狀況爲基礎，根據他們所能瞭解的事物和倫理，結合能夠滿足兒童的好奇心與慾望的幻想，而用文學的手段，所編寫的一種類似故事的東西⑮。可分為：

①口述童話：包括民間故事和傳說，也就是民俗童話，由傳統或傳說而來，或代表原人思想，或代表原人習俗，多數轉述古老的神話或傳說而來。

②藝術童話：指專為兒童編寫的空想故事⑯，也就是文藝童話，出於作家的作品，或取材於口述童話，或出於著者自己創作。

③教育童話：從教育立場來創作童話，使兒童在生活、品德、情感、知識上都接受無形的感化⑰。

(3)寓言：它含有教育意義，經常假借故事來表達某種隱藏暗示的道理，具有教訓與啓發性的故事，其內容常把狼的殘忍，羊的軟弱無奈，獅子的強悍，猴子的機智，狐狸的狡猾，驢子的愚蠢，都以「擬人化」的手法來敍述，使兒童在輕鬆、滑稽、趣味中，不知不覺地接受教誨與勸導。因此，頗具教育意義，在我國古籍之中，也不乏寓言的佳構，如莊子、列子中有相當豐富的材料，而民間流行的成語故事，如望梅止渴、狐假虎威、鷸蚌相爭……等都是很好的寓言材料，而外國的伊索寓言、希臘寓言、印度寓言都是相當著名的。

(4)小說：專門供給兒童看的小說和成人看的不同，它最重要的具有教育意義，同時富於趣味性，冒險性，奮鬥精神的小說⑱，小說與故事在表面上甚難分辨，惟在寫作技巧的表達方面有其根本不同之處，小說偏重「文藝性」之描寫，而故事則重「內容」的表達，所以閱讀小說，除了欣賞小說本身故事的內容之外，往往會被其美麗的辭藻，和經過細膩描寫渲染後烘托出的一股感人的力量所吸引，爲適合兒童的經驗，閱讀能力、興趣，兒童小說之寫作、與成人小說之寫作有很大的不同，而供成人閱讀之小說，往往經改寫之後，方能提供兒童閱讀，依據小說之內容，我們又可分爲下列幾種：

①歷史小說：以歷史之素材爲骨幹，加以渲染，誇張而成。

②傳記小說：其撰述以描寫「人」的生平事跡，而強調其個人之特殊貢獻或特殊之特性者。

③科幻小說：近代非常流行，兒童也非常喜歡的科技、幻想的小說，可以激發學生的創造、思考。

④探險小說：以冒險患難爲題材，以虛構或寫實之手法描述，高年級之學童非常喜歡。

⑤傳奇小說：通常以英雄人物或神話故事改寫而成。

⑥俠義小說：以英雄俠士之忠義精神、勇敢行爲爲主要內容者。

(5)遊記：描寫名勝古跡，以及社會風俗，生產建設等記敍文，予人讀之如身置其中，它可以使兒童增廣見聞，擴展其世界，而把想像與知識聯在一起，把自己的見聞自狹窄的生活環境中超越出去[19]。如林海音著「請到我家鄉來」[20]，阮毅成著「上有天堂下有蘇杭[21]」，王維梅撰「故宮一日遊[22]」等。

(6)日記、週記：雖然這類的作品在兒童讀物中數量甚少，但所以能成書出版者，均爲佳構，而可爲兒童模仿學習，如李愛梅著「李愛梅的日記[23]」，蘇尙耀著「好孩子生活週記」[24]，國語日報社編「一年的日記」[25]等。

(7)詩歌：這是文學、語言、音樂的綜合表現，也是自然的景象與人為的情感融合的表現，也就是說，詩歌的內容除了具有豐富的感情之外，在文字方面尚須有韻律的美，所以更為兒童所喜愛，而且詩的意境優美深長，文字典雅，比較純粹口語，歌訣式的民謠謎語等，自更能涵養兒童的心性，啓迪兒童的想像，培養兒童欣賞文藝作品的能力㉖。兒童的詩歌可分為：

①兒歌：合於兒童心理的叶韻的歌辭（急口令等歸入此類）㉗。也可以說是成人所作由兒童所唱或為兒童詠唱的一切歌謠㉘，即為兒歌，其內容範圍很廣，舉凡兒童生活，社會生活，以至動物花草和食品等，幾無不可以成歌謠者，其音韻和諧，活潑生動，為兒童所喜愛，依其性質可分為：催眠歌，搖籃曲，止哭歌，遊戲歌，急口令，知識歌，教訓歌，滑稽歌等八大類。

②民歌：民間流傳的歌謠（擬作的民歌歸入本類），民歌也可以說是民衆為了發洩他們喜怒哀樂的情感，以最自然的音調，最自然的言詞，最自然的風格，隨意唱出來的最自然的歌詞。以其內容來分，有情歌、生活歌和故事三種。情歌不適合兒童閱讀歌詠，故事歌也就是以韻文寫成的故事。然而這類數量甚少，目前可供兒童朗誦的大都是生活歌為主。

③詩詞：兒童詩與成人詩不同，着因於兒童生活體驗少，心理未臻成熟，語言文字尚在學習之中，所以限制很多，但它却負有啓迪和促進兒童理解的重責大任。

(8)謎語：合於兒童心理的謎語，是提高兒童閱讀興緻的讀物，因為它具有新鮮的感覺，奇妙的聯想，和活潑詼諧的語調，可以使兒童於象形、疏狀、會意、諧音諸方面，推究思索，直到猜中謎底爲止，他獲得了成功的喜悅。在默默中訓練了兒童的機敏，聯想，對兒童有極大的啓迪作用㉙。

(9)劇本：一般適合兒童閱讀的劇本大部分根據故事或小說等編成的兒童話劇和歌劇脚本，取材於歷史、故事、童話、小說、寓言等，用對話體裁編成能表演者爲話劇，而其對白主要以歌唱，並配以音樂而能表演則爲歌劇㉚。

3.期刊：一般人都稱之爲雜誌，它是一種連續性的出版品，其內容新穎，包羅萬象，同時由於近年來科技之進步、新知、技術不斷地發明、發現，且生活水準提高，印刷益形精美，在外表上易於吸引兒童的注意，內容又受兒童的歡迎，且深具敎育價值。因此，學校圖書館應盡可能搜集、購置。

依期刊出版之刊期可分爲二類：

(1)定期出版的刊物：如三日刊、週刊、旬刊、雙週刊、半月刊、月刊、雙月刊、季刊、半年刊、年刊等。

(2)不定期出版的刊物：如各學會、研究機關、文化機關及民衆團體出版的學報、集刊、會報、會誌、通訊等。

至於報紙，亦有列入期刊者㉛，蓋報紙亦爲定期出版之刊物也。目前除國語日報可謂專爲兒童出版的報紙外，其他日報均有「兒童版」之闢置，雖然有的一週一次或一週二次，亦足見其對兒童之重視。

兒童之期刊，依據「紀念先總統　蔣公百年誕辰全國雜誌展覽目錄」所載，現有兒童與青少年期刊共十五種㉜。

4.視聽媒體：視聽媒體的種類繁多，廣義的說，凡是能用來傳播思想，用來教學的資料，器材都屬於視聽教育媒體，依媒體呈現的形式及方法可分下列幾類：

(1)書籍及印刷的資料：報紙、雜誌、小冊子等（已列入期刊）。

(2)靜畫：圖畫、圖片、照片、圖表等。

(3)地圖、地圖集及地球儀。

(4)立體教材：實物、標本、模型、立體圖型、積木等。

(5)板類媒體：粉筆板、絨布板、磁鐵板、揭示板、打洞板、白板。

(6)表演類教材：木偶戲、皮影戲、傀儡、布偶等。

(7)靜態放映性媒體：幻燈片（幻燈機），透明圖片（透明圖片投影機、實物投影機）。

(8)聽覺媒體：錄音帶（錄音機語音教學機）、唱片（電唱機），廣播。

(9)動態放映性媒體：電影（電影機），錄影帶（錄放影機）。

(10)編序教材、教學機、電腦輔助教學教材㉝。

以上這些媒體，因爲可以用視覺、聽覺、觸覺來得到滿足，因而深受小朋友的喜愛，尤其是錄音資料，錄影資料，電影、幻燈片和電腦輔助教材，更是時代的寵兒。

5.其他資料：除了上列各項資料以外，尚有剪輯資料、自製書本、玩具、寵物均是兒童所喜愛者。

(二) 教師用書的範圍

國民小學圖書館的館藏除了兒童圖書之外，教師用書亦佔極重要的位置。從字面上就可以看出「教師用書」是專供教師使用的(亦可供學生參考)，分四大類敍述於後：

1 一般參考用書(工具書)：由於種類繁多，僅擇常見者介紹於後：

(1)字辭典：目前中文的字典與辭典於編纂成體例上甚難分辨，因爲字典之中亦有語辭(兩個字以上的複詞)之解釋，而辭典中亦有字形、字音、字義之說明，通常對於生字、新詞發生困難時，首先就想到它，但是對於某些特殊的名詞、人名、地名或事件，有些字典亦收入，使用應詳看各字辭典之凡例或編輯大意，至於各種外語字辭典，如英漢、漢英、日華、德華……等，則視校內教師之需要而備妥，不一定要各種齊備，惟各專科字辭典如音樂字典、體育辭典、動物辭典、植物辭典、化學辭典、地名辭典、人名辭典等爲不可或缺之工具書，因爲教師於教學時常需參考。

(2)百科全書：一部好的百科全書可以解答大部份的參考問題。所以，百科全書在圖書館中居舉足輕重的地位與字辭典並駕齊驅的兩類參考工具。百科全書又分爲普通百科全書與專科百科全書。臚列各類科知識的稱爲普通百科全書，而專論某一類型或科目的知識者稱爲專科百科全書，如大英、大美、中華兒童、環華等爲普通百科全書；名人傳記百科全書、中國文學百科全書、歷史百科全書、自然百科全書、音樂百科全書、藝術百科全書等而爲專科百科全書。我們中國古時候所編的「類書」雖然編排的行格、性質與當今之百科稍有不同，但同樣爲「事件」之重要參考資料，應予重視，尤其對於查檢「典故」之出處更是非它莫屬了㊱。

(3)傳記資料：傳記、人物等相關資料之提供爲圖書館工作之重心，學生或老師對這方面需求也較大。因此，傳記資料成爲圖書資料之大宗，不僅對過去的英雄志士，古代聖哲先賢有關資料需要蒐集，就是當代名人，亦需加以重視；這些資料包括傳記、索引、書目、字辭典、合傳、生卒年表、年譜、別號及人名錄以及百科全書。對於學生所需要瞭解的某人生平事跡、主要貢獻、特殊事跡、特長等資料，助益尤大。

(4)地理資料：想對某一地方加以瞭解，先要找到地理資料，而一般地理資料包括，地圖（單張或地圖集）、旅遊指南（這裏有許多詳細而珍貴的資料，諸如名勝古跡的介紹、路程距離的計算，住宿交通情形）、地名辭典、書目、索引，還有我國特有的「方志」，它保存了地方上詳細而正確的資料，對當地人物、特殊風俗、地形、歷史記載尤詳。

(5)索引、摘要與書目：對不瞭解「圖書館學」的管理人員來說，這是最常被遺漏的參考資料，其實有一書目可抵千百之書籍；有一論文索引或摘要，則知該論文出於何處，有何論文，誠爲做學術研究之鑰匙。因此，不但應廣爲蒐集，更應指導使用方法與時機，以提高學術研究風氣。

(6)曆書、年鑑：這是一種即時參考用書，解決一些小問題的參考資料，常爲一般人所忽略，年鑑對於當年之各項資料，統計爲主，並輔以一些相關資料如傳記、地理等，亦有年鑑爲百科全書之補編者；而曆書則尚記錄民俗性資料，幾乎無所不包，雖內容廣而不精，對於一般即時參考用處頗大。

(7)法規、統計：這兩種資料，備予教師教學參考，可供個人之權益保障多予瞭解，於法律之解釋多加探討，對於教學、訓導、輔導均有助益。

(8)便覽、手册：便覽是告訴您如何做的資料，而手册則爲現況之報導。

(9)縮影、視聽資料：這是近年來新發展的資料，尤其視聽資料成長最快，深爲學生所歡迎，它有聲光色彩之美；縮影資料則可節省空間，惟各校對於閱讀機之設置尙缺，故縮影資料較少。

(10)電腦輔助敎材：這是八十年代的新科技，目前各校雖尙乏電腦之設置，但這是世界之潮流，我們不能不提早準備，也引導教師，預作其心理之準備。

2.專業用書：所謂「專業用書」係指專供「教學上」參考之書籍與媒體，例如各學科之教材敎法、課程設計、教育哲學、教育行政、教育心理、教育概論、教室管理，學校建築、訓導問題、輔導理論……等，這些是每一教師都用得到的，尤其新進教師更爲需要，他們雖有教育最新的理論知識，但對一般「實際問題」的探討較缺乏，因而圖書館應及早爲之準備。

3.教師進修用書：當今知識的進展一日千里，甚至有如潮水般湧進，假如教師不及時進修，非但將無力承擔教育之重責大任，且將爲時代所淘汰，因爲無法滿足學生的需要，也無力提供學生的需求，因此，有關進修的書籍與媒體，以服務到家的方式，爲教師們準備，不論是人文科學，社會科學或是自然科學，均應予充實，倘若學校圖書館因經費所限，無法備妥所需之衆多的資料媒體，則可利用「館際互借」方式代敎師向鄰近「社區公共圖書館」或「學術圖書館」借閱或影印、查詢，以滿足敎師之求知與進修所需，基於這個理由，「期刊」對敎師是非常重要的，這是不可忽視之處。

4. 娛樂性休閒書籍媒體：敎師的工作雖然是嚴肅的。但是，也有其輕鬆的一面，以調劑其生活。因此，休閒資料亦應酌量供應，惟學校圖書經費有限，應盡量鼓勵敎師利用「公共圖書館」之館藏，以疏解學校圖書館藏不足的壓力。

三 國民中小學圖書館館藏的選擇標準

印度圖書館學家阮加納桑（Shiyali Ramamrita Ranganathan）曾在一九三一年發表有名的「圖書館學之五項法則」（The Five Laws of Library Science）中謂：「圖書是爲利用的（Books are for use），圖書是屬於所有人士的（Books are for all），每一本書都應該有其讀者（Every book its reader），節省讀者的時間（Save the time of reader）及一所圖書館是一成長的有機體 library is a growing organization」[34]，其中第二條「圖書是屬於所有人的」和第三條「每一本書都應該有其讀者」充分表示圖書對圖書館的重要性。在國民中小學圖書館來說，其服務的對象是一群心理尚未完全成熟之幼童與青少年，他們沒有鑑別圖書優劣的能力，而另一部份爲敎職員工，又是一特定的對象，因此，對於館藏資料之蒐集必需有一定的標準，方能充分達到其功能，否則非但未能實現「敎育功能」，反而增加國家社會的負擔。但是，這佪標準又是什麼呢？我們分爲下列情形來討論：

㈠參考工具書的標準：

1.資料範圍：供敎師用者宜精確且深入，供學生用者宜廣而簡。

2.資料之正確性：編者必爲該學科之專家，執筆人應具名簽署以表負責。選採前可抽樣與其他參考書作比較。

3.資料的新穎性：要注意資料的更新、修訂、增訂辦法，以保持資料的新穎度與適時性，否則過時、落伍的資料，沒用且誤事。

4.資料使用方法的便利：換言之，便於查檢和便於瞭解（easy to find data and easy to understand what you find），包括排列方法、索引、互見，與固定之格局（這樣才不致於遺漏資料）㉟。

5.印刷與裝訂：參考書爲一常用之資料，故印刷之油墨宜均勻，彩色套圖應精確美麗，字體不宜過小，裝訂力求堅固典雅，經久耐用，封面與封底間之書頁應用布料黏連，以防脫落。

這些都是參考工具書選擇的一般標準，爲期進一步的瞭解，將各種參考工具書之選擇標準分述於後：

1.百科全書：內容與其編纂宗旨相符，且適合敎師與學生之需，撰寫立場公正、客觀、文字簡潔、流暢，條文之末附有參考書目與研究問題，以供學生學習之需。有無索引、互見可供查檢相關資料㊲。而修訂的時間長短或有無補篇的出版均為考慮的範圍。

2.字、辭典：適用對象為誰？即字辭典內容解釋時使用文字及選用條目有其適用的對象，學生用不宜太過艱深，而教師用則兩者均可，資料是否包括字形，字音、字義、學例、俗語，各種附錄資料，同時注意編著者及出版者之權威性。最後注意到價格是否合適。

3.傳記資料與地理資料：評鑑其主要資料是否由專家來執筆及資料的精確；如供學生使用，則宜多彩色圖畫，傳記資料人物背景宜精確；地理資料之地圖疆界宜隨時更新，注意其時效性。地圖之比例尺及投影法是否註明，有無索引。

4.索引、摘要：對期刊的利用而言，索引、摘要為其指針，若無索引或摘要，期刊的參考利用價值勢將大打折扣了，對於各種索引，摘要的選擇，要注意其起訖日期及收錄範圍，查檢方法是否方便，條例行格是否一致，包括最新資料否？

5.指南、名錄、手册：這些均為即時性參考的重要參考資料，我們必須注意其新穎性與精確性，資料的及時更新要特別注意。

6.錄音、錄影資料：要注意其規格與本校圖書館所使用的錄音、錄放影機之規格是否一致，如不一致，則無法使用，內容必須詳加檢視，不可有任何不妥之處，音質、色彩是否相宜，而放映時間，使用語言，旁白均應清楚精確。

7.幻燈、電影、縮影等資料：對於畫面之清晰，資料之完整，時間、季節均宜配合，影片與幻燈片均可轉換為錄影帶，以期使用方便。

8.電腦、資訊類資料：電腦輔助教學資料，宜注意其使用之語言、程式，本館人員之操作能力相配合。

㈡兒童讀物的標準：兒童讀物的標準可視兒童的自然要求與教育的當然理想㊳來要求，前者爲兒童心理、發展心理與學習心理的範疇，後者則和人生觀、世界觀有關，雖見仁見智，然而其基本的準則有三：

1.在表達方面：必能顧及兒童的閱讀能力，而使他們易懂。

2.在表現方面：必能顧及兒童心理要求，使他愛看、愛讀。

3.在作用方面：必能顧及知識、道德、生活習慣之培養，而使他們讀後對身心發展上得到好處。

然而，當今兒童讀物種類繁多，編纂良莠不齊，兒童又值成長階段，知識、經驗不足、心地善良、可塑性極大，適當的讀物固能促其身心發展，不良讀物則戕害其身心，故需愼選讀物，其具體標準略述於後：

1.內容取材方面：

(1)適合兒童的生活經驗與閱讀能力。

(2)符合兒童閱讀興趣與欣賞能力。

(3)滿足兒童的需要，使身心輕鬆、精神愉快。

(4)適合時代潮流，符合現代社會的倫理、民主、科學精神。

(5)適合我國國情，發揚固有道德和民族精神，增進兒童愛國家、愛人群、愛社會之觀念。

(6)適合我國教育宗旨，達到教育目標與國語科教學目標。

(7)富有教育意義和文學價值，並有深切雋永的意味。
(8)能激發兒童勇敢果決，奮發向上的進取心。
(9)啓發兒童思想，引起良好的反應與效法的模範。
(10)增進兒童想像力與分析、思考能力。
(11)培養兒童自尊心與快樂進取的人生觀。
(12)能啓發、導引兒童讀書、爲人、處事的方法。
(13)劇本須具有教育價值，感人情節、動作不偏離正軌。
(14)詩歌須音節自然，思想超越。

2.文筆與插圖方面：

(1)語句要符合正確的標準國語，並合於語言的自然順序。
(2)措辭要深入淺出，生動而不呆板，敍述要明確而不含糊，描寫要眞切而不浮泛。
(3)章法層次井然，結構要嚴密完整。
(4)體裁要詳略得宜，輕重適當。
(5)低年級讀物，文章要多用擬人的描寫，以及直接語的敍述，且圖文各半，最好彩圖。
(6)用字根據教育部頒各年級常用字彙表，作適當的選擇，控制各年級的用字數量，標點符號不應有錯，中年級以下讀物應加注音符號，以便利兒童閱讀。
(7)單色圖應用濃淡網紋，彩色圖的套印要精確。
(8)插圖比例，低年級應佔二分之一以上、中高年級至少佔四分之一。

(9)圖中主題要特別明顯，比例要正確，畫面要生動有趣。

3.形式方面的標準，可分字體、印刷、編排、紙張、裝訂來討論：

(1)字體：中、低年級以正楷爲主，高年級得配用正楷和倣宋體，字體之大小，年齡愈小，字體愈大，幼稚園中班用大於一公分之特號字，幼稚園大班用一公分之一號字，低年級用〇・八公分之二號字，中年級用〇・六公分之三號字，高年級用〇・四公分之四號字，國中以上方得用五號字。

(2)印刷：油墨、彩色、字體、插圖應力求清晰、平實。

(3)編排：全篇文字的眉目應清楚，段落應分明，字體大小、行列間隔、插圖之安排，均應顧到整個篇幅的美觀，低年級讀物中，內容與插圖不宜分開者，應設法印於同一面。

(4)紙張：紙張應選米白無光（不反光）、不損目力質料堅韌，不易破損爲原則。

(5)裝訂：應力求堅固雅觀，經久耐用，故以穿線裝訂爲宜，幼稚園讀物裝訂尤應加強，宜以厚紙或硬紙板印製，每頁均用布料黏連，以免幼兒撕裂。

(三)教師用書方面：教師用書主要爲知識性的專業與進修用書及娛樂性之休閒用書：

1.內容方面：知識性立論客觀公正、不偏頗、新穎而不失時效，編著者爲該學科之專家，娛樂性書籍必以健康、進取者，切忌誨淫、頹廢、悲觀、厭世之書籍，描寫刻畫不宜兇惡、鹵莽、殘酷不仁者。

2.範圍宜廣，遍及各學科，而不偏某一科目，惟對本校「重點發展」項目宜加重選採比例，同時注意教師之專長學科。

3.專科之參考工具書應多備：有關教學所需類科，如音樂、體育、美勞、社會、自然、數學……等專科性之參考工具書應多備，以供教師教學之參考利用。而娛樂性之休閒書籍，以文藝、旅遊及一般休閒活動之參考資料爲主要，必要時得徵詢教師意見，以滿足其需要，提高其休閒生活之品質，以振奮精神，增進教學效果。

四　國民中小學圖書館館藏選擇的方法與流程

雖然我們業已知道那些圖書、資料可以蒐集，其範圍與標準亦已如前所述，但是，今天出版業發達，而知識、技術又突飛猛進，各種媒體資料充斥於市，圖書教師本身所知尚屬有限，時間亦不許可到市面蒐集，所以我們就得研究一套「方法」，可以把「適合」我們「所需」的資料，統統蒐集進館，服務師生，下面是筆者試行三年而認爲可行之方法，介紹於後。

㈠成立圖書委員會：不論學校規模大小，由圖書教師，各處主任，各學年代表，各學科代表，學生代表等組成，其目的在推展「圖書館功能與業務」，其中「選書」就是工作之一，因爲各學科、各年級、行政、學生等人員均有參與，這樣，選書不會因圖書教師或設備組長一人之好惡而生偏差。所以可以選擇較「全」的資料。

㈡師生推荐書單：由圖書館設計「圖書資料推荐單」（如左圖）放置圖書館服務台或教職員辦公室與休息室，隨時供教師，學生推荐他們需要的書。由「讀者」推荐的必是他們「需要」的，但圖書教師仍需視「經費」與審核該書之內容無不妥後，考慮列入購書單中。

如果　您發現值得推荐的好書，請告
訴我們，以便買回來，供大家共享。
請寫：

書名：＿＿＿＿＿＿　著者：＿＿＿＿

出版社（書局）：＿＿＿＿＿＿　出版年：＿＿

姓名：＿＿＿＿

教師用推薦單

如果　您發現值得推荐的好書，請告
訴我們，以便買回來，供大家共享。
請寫：

書名：＿＿＿＿＿＿　著者：＿＿＿＿

出版社（書局）：＿＿＿＿＿＿　出版年：＿＿

您的班級：＿＿年＿＿班　姓名：＿＿＿＿

學生用推薦單

㈢利用工具書：目前國內有關採選的中文之工具書甚爲缺乏，所以採選深感困惑，但是我們仍可利用下列「目錄」作爲參考：

1國立中央圖書館編：中華民國出版圖書目錄（月刊），這兒詳列該館所收最新出版之呈繳圖書。

2.行政院新聞局，台北市政府新聞局，消費者文教基金會等機構詳選的「優良兒童讀物」（優良青少年讀物）和「優良幼兒讀物」等目錄，雖然這些目錄爲不定期出版，但是經「專家評選」其權威性，可靠性均高，頗值參考採用。

3.學者專家所編目錄：這些目錄大部份爲「專科」資料目錄，由於出自該一學科專家之手，選擇態度嚴謹，頗具參考價值，尤其敎師用書更需利用。

4.圖書館所印書本目錄或各館之卡片目錄：這些資料雖然稍嫌陳舊些，但有些資料不受時空限制者；在本館無採選參考工具時，對於他館業經評鑑而採選到館之書籍，參考價值亦高。

5.報章、雜誌之書評：雖然國內「書評」風氣不盛，但偶而亦可散見於報章雜誌由某些專家、學者執筆之書評；雖部分亦有此僅爲介紹性質，但均可從其文中得知該資料之蛛絲馬跡，作爲選書之參考。

6.書展目錄：最近國內經常有大規模之書展活動，同時並印發「展出目錄」，這是很好的「新」出版品消息，圖書敎師不應錯過，最好能前往參觀，順便買回來參考。

7.書商、出版社之營業目錄：使用這些目錄，可以知道各出版社、書局的最新出版消息，提供選擇之參考。

8.報紙、雜誌之廣告：許多報紙、雜誌都有定時的「圖書、資料廣告服務」，這些廣告大部份以「新書」爲多，亦有「廉價書」出現，採選者應注意。

9.參考提要，解題等書目：這一部份以選採古籍爲主，如書目答問等，因爲目前「影印」舊籍之風很盛，故可供選擇古籍供敎師敎學參考。

10.參考書、論文所附「參考書目」亦爲重要綫索：對於敎師用書採選提供很大之幫助。

㈣親自到書店、書展現場選購，這是最實際的選擇方法，因爲參考工具書所看到的僅是書目或書單，而提要、解題有些爲書商自行編印，內容未必實在，且多言過其實者。所以，能親自看到「書」或資料本身，則其品管就不會成問題了，只是，以目前的情形，圖書敎師甚難辦到，因爲時間與精力有限，況且許多「兼代圖書敎師」(未受專業訓練者)本身專業知能不足又如何去評鑑其品質的良窳呢？

㈤請書商把書送到學校來，選擇之後，合適者留下，不合適者書商自行運回，這是一種折衷的辦法，但是，在會計作業上於法不合。因爲，在某一定金額以上必須經過比價、議價或招標之規定，限制了是項作業。

㈥請敎專家：請敎各學科之專家以及對兒童讀物有研究及兒童圖書館有經驗的選購者，他們的意見頗足重視，尤其是擬好書單之時，先請其過目，提供修正或參考意見，亦值得重視。

㈦參觀權威而信譽較好的出版機構：如台灣書店兒童讀物編輯小組，洪建全敎育文化基金會，信誼敎育基金會等。

接下來討論選購館藏的過程，依其流程分述於後：

㈠蒐集資料：這些資料包括新書之訊息、書單、讀者推介單，參考工具書之目錄，各館館藏目錄，報章雜誌之書評、書介、廣告……等。

(二)擬定購書計劃：首先瞭解本館館藏虛實情形，同時注意平日流通統計，再詳核購書預算，而擬定購書計劃，簽請核准。

(三)依計劃圈選蒐集之資料，製成「擬購書單」，並標明優先順序，且核對館藏目錄是否重複，若有重複，是否需備複本，不需者刪除之。最後將擬購書單簽核。

(四)招商訂購：經核准後之書單複印，掛號郵寄書商，約期比價議價或以公開招標方式為之，決定書商之後，簽約訂購，合約中應詳列各細節，如題名、著者、出版者、出版年、版次、交書時間、數量……等。

(五)點收：依約書商送書來時，務必詳實核對訂書單，對於題名、著者、出版者、出版年、版次、數量、規格，不得有誤，附件不得缺少，而必須附加但書，如發現「缺頁」、「倒裝」、「破損」、「漏印」者無條件退換。對於視聽資料則要特別慎重，甚至必須要從頭到尾看一遍，聽一遍才能確知是否有缺點，如影像不清，彩色失常，音質不對……等，所需時間較長。

(六)登錄：點收無誤之後，即可依照登錄簿的各項填記於登錄簿中，並編上登錄號，然後就可以分類編目了。

但是，國民中小學本身的預算業已不多，能分配於圖書購置者更是少得可憐，每一年度最多者十餘萬元，而少者三、二萬元，甚至預算書上掛零者[39]亦不在少數，圖書館不能沒有書或資料，因為讀者（師生）的需要是無止境的，在這「無米可炊」的情況下要作一位「巧婦」，只有「窮則變」「變則通」的妙計了，因此，筆者經常掛在嘴邊的一句話：「我最喜歡買不要錢的東西」——索贈與交換。

㈠索贈：在各種出版品當中，許多「政府出版品」都是「非賣品」，但是對教學上頗有參考價值，要買也買不到，只要您在各有關機關的出版書目㊵中詳加留意，只要是本館所需要的加以圈選，並列成書單，發索贈函㊶附書單寄出，不久即可獲得您所需之資料。但是，別忘了，收到資料後必須即致謝函㊷，一則表示禮貌，二來下回欲索贈時也會方便些，目前各教育機構許多出版品均由政府編列預算編印贈送，而各師院（過去的師專、師範）亦出版許多輔導叢書，只要您細心注意，對於「專業書籍」之徵集應不需花費太多的預算，只要眼睛亮，備妥索贈函即可源源而來。

其次，對於家長、校友、社會熱心人士、工商團體……等之捐贈亦可接受，甚至鼓勵其捐贈，爲避免不必要的困擾，如商妥捐贈對象，由學校圖書館在其捐贈的額度內開列書單，採行代理書商送書－捐贈人付款，這種方式最好，因爲學校不經手「經費」，不會有困擾，同時最好以同一人捐贈同一類圖書爲佳，這樣可以置於一處，如想以「專櫃」陳列亦較不受分類影響。同時，最好在書名頁加蓋「某某先生（寶號）捐贈紀念」㊸之章，讓讀者瞭解其美意，而捐贈者子女看到亦有鼓勵作用，必要時，在適當的時機，由學校公開頒贈感謝狀㊹與感謝函，以代表學生致謝，一則是禮貌，一則可爲他人所仿傚，而學校之圖書亦可源源而來，當然，如由家長，校友捐贈者，盡量以「兒童讀物」或「參考工具書」爲主要對象，這些都是學生容易看到，用得到的。

再者舊有書藏之捐贈，目前生活環境較佳，部份家長孩子長大，對於幼兒讀物或兒童讀物棄之可惜，存於家中又無人閱讀且佔空間，而捐贈學校圖書館本爲良策，但是，我們雖然可以全數照收，但必須事先言明，該書之陳列、保管得由學校全權處理，不得任何異議，因為有些書籍未必適合學生閱讀，或有些已破舊必須報廢撤架，無法永久陳列，否則，當捐贈人來校圖書館而未見其所贈圖書資料易生誤會。同時，其捐贈資料必須詳細審閱，尤其內容是否妥切，最值注意。

㈡交換：圖書資料的交換可分兩種方式，第一種就是本校出版品與他校交換，目前台北市各國民小學都定期出版校刊，亦出版教師進修心得之論著，可相互交換，增廣師生之心得與知識領域。其次為本館「多餘」的複本書，可與他館交換，但注意，以選擇性交換為宜，否則，取回的都是一些「不適用」的資料，白費力氣，且佔據空間。

㈢轉贈與轉借：某些資料由某人捐贈某圖書館，而該圖書館對是項資料之利用並不合適而轉贈者，或是他人捐贈本館而本館不適用轉贈他館者均為轉贈，對於轉贈之資料更宜審慎檢查接受，否則本館勢將成了垃圾轉運站。

至於轉借，則以透過「館際互借」方式為讀者服務，因為任何一圖書館均無法蒐集全部完整之資料，而讀者之需求却無邊際無止境。因此，當讀者需要某一資料，而本館並未蒐藏，趕忙購置又來不及，可以透過「館際互借」將資料「轉借」給讀者利用，這樣既可方便讀者又可暫時充實館藏。

㈣自製讀物：國民中小學圖書館中服務的對象以幼童與青少年為最多，讀物亦應以兒童與青少年為主，如果能利用適當時機，教導學生「自製讀物」供同學閱讀，也是一種教育，自製讀物的方式有下列幾種：

1.自編、自繪、自著之創作：學生可以把他自己的作品予以倣正式書籍裝訂，繪製封面、封底、書名頁、目次、版權頁，而留存圖書館，一則可供觀摩學習，二來亦可充實館藏。

2.剪輯資料：指導學生剪輯資料，在平日閱讀中，雜誌、報紙之資料，可以剪下者剪下，不能剪下者影印之後再剪，貼於一定大小之紙上，達一數量之後予以裝訂，再繪製封面、書名頁、編目次、頁次、版權頁、封底，亦是一份很好的閱讀材料，但最好以「類」為蒐集剪貼對象，利用起來更方便些。

3.各班級編印的刊物：如果各班級有「級刊」或「班刊」之出版，亦可製訂成冊，提供閱讀，可收鼓勵，模仿之效。

4.學生心得報告與閱讀筆記：學生自己對於某些書籍之閱讀心得報告或筆記，亦可裝訂成冊，留存圖書館供同學參考。

五　資料媒體購置應行注意事項

一個圖書館所需的資料媒體範圍廣泛，不僅選擇不易，且購買亦有許多困擾，媒體的內容非全部為我們所在行，而會計法令之繁瑣，又非圖書教師所能熟悉，所以購置之時就不得不詳加小心了。

(一)裝幀（format）：資料的裝訂形式，精裝或是平裝；同一資料不同的版本（如英國版與美國版）印刷所用的紙型（如道林紙、聖經紙）；原裝本或影印本；原裝本或縮印本

（包括縮印 micro print、縮影捲片 microfilm、縮影單片 microfiche）㊺，圖書館採購之前必先考慮各種需要與各種類型媒體之價格，更應注意儲存這些媒體的器皿與使用這些媒體所需的器材，如縮影資料（microforms）之利用必需有閱讀機（readers），否則這些微片無法閱讀；一般認爲精裝書遠較平裝書容易保存且使用時間較長，但在「兒童書」來說，恰恰相反，也許裝訂工作做得太差，許多精裝的兒童書買來時美侖美奐，但經過二至三個月，封面封底和書的本文業已分家，甚至裝訂的線均已脫落，而形成五馬分屍，因爲封面、書背、封底之硬紙板與本文之黏接不佳所致，而平裝書，沒有這個困擾，兩者價格相差甚鉅，使用時間來說，反而平裝書較精裝書爲長。

㈡視聽資料：視聽資料是學校圖書館的寵兒，亦爲購置之大宗，因爲聲、光、色易於吸引學生，然而這些資料大部份「轉錄」而來，所以「品管」不甚理想，務必仔細檢查方知其瑕疵。因此，在簽約時，必須詳細註明，所售資料在若干時間之內，如有瑕疵應換新，如色彩不明，聲音不清，畫面不穩，這些在錄影帶中較常發生，而唱片則有跳針之情形。因此，如果採「固定代理商」制度，則較易取得「信用」及售後服務，若以「標購」方式，則宜特別小心。

㈢教具：在國小圖書館中，教具的數量與體積均大於圖書資料，因此，在教具的購置細節上除了規格，品牌，要特別詳細註明外，購置驗收時宜特別小心，因爲廠商常常爲了「搶標」而不顧成本或是否能如期交貨，而於送貨時以「矇混」心理闖關，尤其是一箱一箱的教具，更宜小心，其箱中的物件必需逐件清點，方不致產生困擾，否則當教師欲使用時，才發現缺這少那，再找廠商時，他也不會理你的了。

至於採購之方式，一般說來有下列數種：

(一)親自到各書店或出版社、廠商洽購：如果時間允許，親自前往仔細翻閱、檢查、滿意再買，可以買到貨眞價實之媒體資料，由於係零星到各廠商去購置，所以，價格上可能會高些，而且，一個人到處去找，時間上不太經濟，因此，這一方式較少使用。

(二)招標：所有公家機關之財物，依據「行政院營繕工程及購置定製變賣財物稽察條例」㊻之規定辦理，如果一次購買在「一定金額」以上者，必需公開招標，這時，必需將書單或物件詳細列明規格、數量(如書籍之書名、著譯者、版次、出版者、出版年、冊數……)交總務處依招標程序㊼處理，但驗收時，必須會同總務處人員，以防品質不符之慮，但是，目前各國民小學圖書之購置金額距離「一定金額」甚遠，且圖書應即時採購，以保持最新資料，所以每次購書經費更少，而難達招標之條件。

(三)議價、比價：如果金額在一定金額以下者，得以估價單比價：廠商比價或議價方式進行，即將所需之媒體資料列明清單如招標一般，公告或邀三家以上出版社或廠商公開比價，如僅一家時，則以議價方式進行，切記，不論議價，比價都需會計人員監督或簽證方爲合法。

至於購置之時機，則視各校情形而定，有不定時而隨時購置者，這樣雖然方便讀者利用，但缺乏計劃，易浪費預算而造成館藏之不平衡，更會被「人情」所包圍而無法施展計劃。有一次購置者，即將全年預算一次購畢，雖可依預定計劃行事，但緊急需要時，沒有經費支應就困難了。另有分二期購置，即上學期，下學期各購乙次，最好在暑假、寒假中購妥、整理、分類編目、上架，這樣一開學，師生就可利用了。

第二節　視聽資料的蒐集、製作與整理

一　視聽資料的定義

所謂「視聽資料」即是泛指可供人們利用人體的視覺、聽覺與觸覺等感官來學習的資料。更廣義的說，凡是能夠用來傳播思想，用以教學的資料都是視聽資料㊽，為期具體的瞭解，我們依視聽資料呈現的形式與方法，分為下列各類說明：

㈠　書籍與印刷的文字資料：如圖書、報紙、雜誌、小册子等，這些都是將文字符號用印刷方式來傳遞訊息，提供教學的資料。

㈡　靜畫：如圖畫、圖片、照片、圖表等是以「圖」與「表」為主要表達之資料，較文字之表達更為具體，小學生容易接受。

㈢　立體教材：實物、標本、模型、立體圖型等，這些教材又較靜畫更為具體，因為它有「立體感」，兒童除了視覺的判斷外，尚可用「觸覺」去撫摸，其表現的與實物完全相同，或依比例放大，縮小，給予學生深刻之印象，可補文字敍述之不足，提高教學效果。

㈣　地圖、地球儀、天體儀等天象儀表，為對於地理與天象文字說明不足之輔助利器。

㈤板類媒體：如粉筆板、絨布板、磁鐵板、揭示板、打洞板等，這些板類媒體，目前泰半已爲「磁鐵板」所代替，因爲磁鐵板之表面處理已經可以兼具其他板類之功能，已爲各校普遍採用，原來教室之粉筆板逐漸以磁鐵黑板代替。

㈥表演類教材：如木偶戲、皮影戲、傀儡等，這些如同兒童玩具的材料，頗受小朋友的喜愛，尤其透過小朋友自行設計、製作、表演，興趣更濃。

㈦放映資料：幻燈片、電影片、透明圖片、微影資料、錄影帶、光碟、影碟等，必須透過放映器材配合方能有效運用，由於聲、光、色之配合，呈現動態的活動，更吸引學生，這類媒體資料逐漸取代了其他資料，而成爲視聽資料之主流。

㈧聽覺資料：錄音帶、唱片等，由於唱片使用保管維護均較爲不易，所以大都轉換爲錄音帶，兒童操作較容易。

㈨編序教材：電腦輔助教學教材，電腦套裝軟體：這二種教材其實可算是一種，其本質相同，僅呈現的方式不同而已，電腦輔助教學教材與電腦套裝軟體都是編序教材的一種，而以電腦程式設計出現，這是一種很好的「自學輔導」教材，也將是未來適應「個別化」教材的寵兒。

習慣上，一般人都把「資料」粗分爲「印刷資料」與「非印刷資料」兩類，而把「非印刷資料」視爲「視聽資料」，也就是「狹義的視聽資料」。本節所討論的也是指「狹義的視聽資料」而言。

二 視聽資料的蒐集

不論那一種資料的蒐集，首先必須掌握的是參考書目，當然，視聽資料也不例外，而後依據書目資料再行購置、交換、索贈，以達豐富館藏，服務讀者，支援教學之目的，茲分述如下：

(一) 參考工具書：「工欲善其事，必先利其器」，參考工具書及相關書目直接影響到資料蒐集的實際效果，為期有較完備的蒐集，茲介紹部份國內有關資料蒐集的參考工具書於後，以供參考：

1.行政院國家科學委員會科學技術資料中心編，科技類影片，錄影帶聯合目錄（臺北、編者、民七十三年）本目錄共蒐集國內各圖書館或中心所藏影片一千三百餘種，錄影帶二千八百餘種、分理、工、醫、農四大類，再依美國國會法分類，將影片與錄影帶分別排列。

2.吳相鏞著，縮影器材選購指南（臺北、編者、民七十三年）本書專論縮影機與縮影設備之選採注意事項，與各類型機種與器材之介紹。

3.台北市立社會教育館編：台北市立社會教育館影片目錄（臺北、編者、民七十二年），有社教影片，科學教育影片及一般劇情片。

4.台北市立圖書館編：視聽教育資料目錄（臺北、編者、民七十二年），其中包括錄音帶、錄影帶、影片、幻燈片、唱片等內容極為豐富。

5.台北市立圖書館編，視聽教育資料目錄—錄影資料部份（臺北、編者、民七十五年），內容包括台灣地區三家電視台之各種錄影帶及公共電視之錄影帶，尚有兒童最喜歡的卡通錄影帶。

6.國立教育資料館編：國民中小學教學資料聯合目錄（臺北、編者、民七十三年），蒐集各學校及社教機構之錄影帶、錄音帶、電影片、幻燈片、唱片及透明圖片，共計三萬壹仟餘種。

7.國立教育資料館教育廣播電台編：有聲資料目錄（臺北、編者、民七十四年），收錄自六十八年至七十四年該台播出之教學及專題演講錄音共七千六百餘捲及唱片二千餘張。

8.國立台灣大學視聽教育館編：國立台灣大學視聽教育館館藏目錄（臺北、編者、民國七十四年），收錄該館所藏之唱片，錄音帶、錄影帶、影片、幻燈片，以美國國會法分類，依字母順序排列。

9.國立台灣工業技術學院視聽教學中心編，教育影片錄影帶目錄（臺北、編者、民國六十九年），收錄有關工業技術管理，教學之電影及錄影帶。

10.台灣省電影製片廠編，台灣省電影製片廠影片目錄（臺北、編者、民國七〇年），收錄新聞片、記錄片、社教短片。

11.黃信捷撰，視聽資料徵集管理實務（臺北市，緯揚文化公司，民國七十四年）。

12.陸毓興，多媒體圖書館的資源與經營（臺北市，書藝書局經銷，民國七十三年）。

至於西文之參考工具書與書目相當豐富[49]，但其所介紹者大多為外語發音者，甚至為國外之原版資料，除非改配國語發音並加中文旁白，否則在國民中小學圖書館應用起來非常困難。

因之，在國民中小學圖書館來說，其參考價值不高。

(二)視聽資料的購置：視聽資料的購置一如一般資料，有許多必經的過程，分述如下：

1.製提「推介單」：圖書教師將有關的參考書目提供教師參考，並印製「推介單」[56]供教師推介之用，各教師視教學需要推介有關資料塡寫於推介單，並提送圖書館。

2.繕製擬購清單送核：圖書教師視本館預算額度，以及各教師所提「推介」資料，參照課程標準，擬定擬購清單，送「圖書館委員會」或有關主管核定。

3.訂購：經核定之清單送總務處、會計單位，進行訂購，將清單複印，分送書商或代理商，分別報價，經比價或議價決定書商或代理商後訂約，依約送貨。

4.驗收：視聽資料之驗收與書籍不同，因爲無法每一件均從頭到尾檢視。因此，應盡量擴大抽驗範圍外，應於合約內加以規定，「於若干（寫明）時間內，如有音質、色澤或其他不良情形，應另換新品，這樣，當發現某一瑕疵之時，可據約更換，否則就得白白蒙受損失了。

在購置時，以選擇信用良好之代理商代爲洽購爲佳，雖然直接向各出版商購置可能得到價格上優待及親自試片的機會，因國民中小學在人員編制上之困難而沒有那麼多的時間到處去尋覓，且每一資料均需辦理相同之手續，耗神費時；如果委由一家信用可靠之代理商，價格亦未必會提高，但如有缺陷及維護均可找到負責之人，因此，在現行會計制度下，以尋求某一代理商，以議價、比價方式購置較佳。

(三)交換：由於各國中小圖書館之預算有限，無力購置所需資料。因此，採互通有無方式，亦可爲增加館藏，服務讀者之一良方。與鄰近之數學校協議合作，分擔蒐集主題，合作利用，共通有無，實爲良好之政策，唯幻燈單片易遺失，唱片易損壞，可先行轉換爲錄影帶、錄音帶，不論利用，攜帶均方便。

㈣索贈：由於視聽資料價格較高，因此免費贈送之單位甚少，目前僅有教育單位製作之視聽資料免費提供學校圖書館利用，大部份爲教學用資料。除此之外，政府機構亦偶有社教資料之提供。

㈤借用：在台北市可利用台北市立圖書館之視聽資料，除幻燈單片外，均可免費借用，國立教育資料館亦提供出借之服務，師大視聽教育資料館美國在台協會文化中心亦有影片等資料免費出借，可廣爲應用。

至於國外資料之蒐集，可透過國內之代理商辦理，但應注意其「版權」是否「買斷發行」或「委託代理商」與「代理發行」之登記權狀，否則可能造成困擾，應特別小心行事。

三　視聽資料之製作

視聽資料爲教具之一部份，甚至可以說就是教具，自製教具乃教師本身之重要工作之一，爲了達成某一教學效果，教師必須製作各種使學生易於接受並促進瞭解以提高教學效果之教具，發揮教學功能。以台北市各學校目前的情形來說，視聽資料之「自製」，在設備上已無障礙[51]，而主要的癥結在於各學校之重視與否了。

為期使大家對於各種視聽媒體之製作有更進一步的認識，特將各型媒體的製作方法作一簡略的介紹：

(一)靜畫：靜畫之製作可分「乾裱」與「濕裱」：

1.乾裱：

(1)選擇適當之印刷物、照片、繪畫，在其背面以鉛筆作一記號作為裱褙之位置。

(2)以同一方向刷上膠水，注意宜平而薄且不重複。裱褙用紙板及材料二者均刷。

(3)稍待數秒鐘，對準位置貼正、壓平。

(4)加上標題及美工裝飾之。

2.濕裱：

(1)將欲裱之布或紙，板以清水浸濕或刷濕。

(2)將欲裱之圖量出大小以鉛筆作記號。

(3)刷漿糊（要加明礬以防止蛀蝕，或以稀釋之樹脂代之）於布或紙、板上欲裱之位置，宜平均不宜太厚。

(4)將欲裱之圖以濕布摩擦。

(5)將已擦之圖置於欲裱而已塗妥漿糊之布、紙或板上，並依預定位置拉平（圖會因濕而稍伸展為較大些）。

(6)以乾淨之滾筒自中心向外成放射狀壓平每一部份，並清除因滾壓而流出之漿糊。

(7)加邊修飾，涼乾即成。

㈡　立體教材：

1.實物：只要把教材所需之實物取來，放置於器皿之中即可，惟宜注意安全，以防不測。

2.標本：常見的標本有動物、植物、礦物、微生物等。

(1)動物標本：動物標本有乾、濕兩類，乾者大都先取出內臟後，予以消毒，去其骨骼、肌肉，然後塗上防腐劑，再塡入消毒棉花，以鐵絲做支架支撐其身軀，並表其動作狀。如以整隻剖開，浸泡於防腐劑溶液者爲濕製的「浸製標本」；昆蟲類則將之固定於固定板或夾上，在其軀體部份打入防腐劑，待乾燥即成，而稱「乾製標本」，這些標本做成之後，均需標示，以協助兒童瞭解。

(2)植物標本：把植物採回後，固定於紙夾，壓乾上蠟即成，稱爲「蠟製標本」；將植物之果實、種子，浸泡於防腐劑中亦爲「浸製標本」。植物標本製成之後，將所欲令兒童瞭解之內容標示出來，方有助於教學。

(3)礦物標本：將採集之礦物標本置於盒中，標明種類名稱即可。

(4)微生物標本：這是必須以「顯微鏡」才能看到的，所以大部將採集之微生物置於玻璃片上，經顯微鏡觀察確定無誤後，將蓋玻片外加膠以封固，必要時加以染色，而玻璃片上必須予以標明內容，否則難以識別，利用起來就不方便了。

3.模型：模型的種類很多，製作方法亦異，然而有一共同之處，各種模型都是依照實物之一定比例放大或縮小製出，以利教學，有些甚至可以利用美勞課時由學生自行製作，製作之材料可以用泥土、竹木、石膏、蠟、化學土、塑膠……等。

4.立體圖型：這些大都是數學的各種立方體、角柱、角錐等，可以用紙板、木板、塑膠板、壓克力、鐵板…等來製作，惟製作時宜注意其正確性，方不致於教學時產生誤導作用。

(三)地圖、地球儀、天體儀：

1.地圖的繪製，可以利用學校的「實物投影機」，把所需的地圖，放大於欲繪製的布或紙或板上，然後描繪，上色即得。

2.地球儀、天體儀之製作較困難，以購置較方便些。

(四)板類媒體：

1.絨布板的製作：

(1)取三夾板（木板亦可）截成所需之尺寸，再取絨布裁成較三夾板每邊長五至六公分。

(2)夾板上塗接合劑（強力膠）全部均勻塗抹，待二十分鐘左右將絨布鋪上，向四週拉緊拉平，以圖釘固定於背面，將絨布壓平壓實於板上，使其完全接合。

(3)背面部份再黏牢即可。

(4)教材之圖片背面貼上粗砂紙，即可黏貼於絨布板。

2.揭示板、長條板、短板：這些都以木板，甚至紙板依所需尺寸裁製即可，如係木板，則最好加以油漆，使用較方便。

3.打洞板：將一大塊之木板，依一定距離鑽孔，然後用粗鐵絲做成彎鈎，兩端插入打洞板之孔，即可放置「教具」，且可隨時調整間隔，使用相當方便。

(五)表演類教材：木偶、傀儡、皮影戲等資料，若能利用美勞課，由學生來製作更佳，可提高學生學習興趣，增強教學效果。

(六)放映資料：

1.幻燈片的製作，將照相機裝上幻燈片用的膠片（正片），選擇適當的材料拍照即得，拍妥送照相館沖洗即可。取回檢視、編號、排入片盒、試映、配音（同步錄音）、旁白，即成。

2.錄影帶的製作：台北市每一學校均有電視攝影機及錄放影機，所以製作起來甚爲方便，若較正式一點則要先寫脚本、排演，這樣可能需要太多的時間與精神，所以我們可以分拍攝與錄製二類：

(1)拍攝：如於室內宜加燈光補助，室外可採自然光，當主題確定後，調好焦距、拍攝，若校內無配音，打字幕及剪接等設備時，宜另備錄音機於錄製進行時播放音樂、台詞，否則變爲默片了。

(2)錄製：將電視天線連接於錄影機之輸入座，再由輸出座以電纜連電視之輸入座，即可把電視台播出之節目錄製，或者以兩台錄放影機錄製，則由甲機接輸出於乙機之輸入座，再由乙機之輸出接於電視機，即可由甲機之作品錄製於乙機，而在電視機中監視，選擇所需畫面。

(3)爲了放映之方便，可以用拍攝之方法，把幻燈片、電影片、透明圖片，實物投影等影像，全部轉換爲「錄影帶」，這樣，放映時就無需「遮光設備」，而且吸引兒童興趣。

(七)聽覺資料：錄音帶的製作，備妥錄音機即可錄音，但一般學校均不易找到「隔音」良好之地方，所以錄製時常受「雜音」之干擾。因此，可以用「值夜室」，將門窗關閉，再以棉被來充當隔音設備，效果頗佳52，最好多備幾個錄音機，可以同時播放各種不同之音樂以作配樂之用，其他音響可用器具代替，地板最好有地氈，否則立可用布舖於地上，減少雜音。

(八) 電腦輔助教學教材的設計製作：雖然目前各校的電腦設備尚不足，唯已有許多學校備有個人電腦，所以可以從事電腦輔助教學教材之設計，尤其是對於資優與智障之同學實施個別教學，效果更佳。首先設計好程式，再將編序教材之內容輸入，儲存於磁碟中即可，如購置套裝軟體應用亦可，對於學生則給予簡單操作方法之指導。

(九) 剪輯資料的蒐集與製作：在日常生活中見到可供教學參考之材料即可剪輯，貼於固定大小之紙張，再賦予標題、說明、加上分類號、著者號，而後分類裝訂成册、編妥目錄、索引，使用時異常方便。

四 視聽資料的整理

視聽資料在外形與傳遞訊息的方法均有很大的不同，雖同一媒體，往往有不同的形式，如聽覺資料就包括一般唱片、雷射唱片、卡式錄音帶、匣式錄音帶、盤式錄音帶……等，所以種類繁多，整理起來就複雜了。

仔細觀察、視聽資料與印刷資料相比較，有下列不同之特性：

1 視聽資料大部份是藉聲音影像，或是聲音兼影像同時來傳遞訊息的，所以必須藉視聽器材配合才能利用。

2.視聽資料大都非以「文字」為主要訊息之媒介。

3.視聽資料易受溫度、濕度等環境影響而損壞。

4.視聽資料價錢較書本印刷資料成本為高。

視聽資料的整理，目的在於方便讀者利用，亦方便館員之管理。所以，就一般國小圖書館常見之蒐藏就「分類」、「排架」和「儲存」等項目來討論：

㈠分類：在國小圖書館中，不論印刷資料與視聽資料最好使用同一分類法，以維持目錄的一致性，而館員與讀者（師生）亦僅需熟悉一種分類系統即可。然而，視聽資料之分類並不同於印刷資料之「瀏覽一遍」即可知其資料內容，所以，必須藉機器閱、聽之後才能瞭解資料之主題，而給予適當之分類號，如資料數量龐大時，常受人力的限制而產生分類之困難。所以，有些圖書館乾脆就以「登錄號」代「著者號」，而以「視聽資料」為一「類號」，這樣作業雖然方便，但是在資料利用上，就內容來說「即類以求」就發生困難了。因此，最好能於「目錄」上與書籍相同予以「分類」，並賦予「分類號」、「著者號」，另外因有「資料類型」之標示與代號（符號），讀者易於分別的排架上找到視聽媒體與印刷資料，而配合利用，以收「即類以求」之效。

為期更進一步之瞭解，將各種視聽資料舉一例於後，以供參考[53]。

㈡排架：由於視聽資料型式各異，外形頗不一致，一般來說排架可分兩大類，其一依照各類型資料自行依索書號排架，這樣可以節省許多空間，管理容易，而讀者利用時，則需分頭到各類型資料排架處查取資料（如為開架管理），如錄音資料，錄影資料分別爲一單位，各自由索書號小者開始排架。其中甚至把同一類中再分，如錄影資料中，把VHS、Beta 分別排列，或是錄音資料又將卡式，匣式，盤式分別排列。其二則以各種視聽媒體混合排列，依索書號順序排架，目前少有圖書館採用此方式，因爲空間不經濟。至於視聽資料與書籍之排架分開抑混合並排，調查台北市國民小學圖書館中，僅三校屬混合排列，而分別排列者佔88.89％[54]，雖然錄音與錄影資料可以改變成盒裝，使其形式與書本相似，但其他視聽資料就困難了，這就是視聽資料與圖書資料難以混合排列之原因。

㈢儲存：由於視聽資料之外形不一，所以儲存之器具與方法也不同，分別說明如下：

1. 靜畫：這些經過裱褙的圖畫、相片可以視尺寸之大小放置於書架或地圖櫃（如圖）中。
2. 立體資料：這些資料體積形式大小不一，所以用盒裝之後，再置於書架或櫥子中。
3. 地圖、地球儀、天體儀：地圖如爲單幅者存於「地圖櫃」中，地圖集則可置書架或地圖架中，至於地球儀與天體儀，則以玻璃櫥櫃來放置爲佳。
4. 板類媒體：由於面積均較大，可置於室內一角，但宜注意通風與除濕，尤其是磁鐵板更應保持乾燥，否則易生銹而損壞。
5. 表演教材如同立體資料處理。
6. 放映資料：

(1)幻燈片：

①單片，如果放映盒足夠時，存於放映盒，再置於紙盒，可以把同步之錄音帶及脚本、

手冊一併存放，使用較方便，但紙盒應標示清楚，以便尋找，如經費不足而沒有足夠的放映盒，則可存於膠套中，再以活頁裝訂，節省空間，但不通風，易損及幻燈片。

②捲片：捲片一般均置於圓筒形盒內，再將盒分裝於有格子的抽屜中，這種抽屜應須留空間存放同步錄音帶或手冊。

(2)投影片：透明投影機已普遍採用，故投影片之儲存頗受重視，如未加框者可儲放於資料夾之透明膠套內，襯以不透明紙，以便辨視，如已加框則儲存於盒中或活頁夾中。

(3)電影片：學校內以十六厘米及八厘米二種較多，而十六厘米的影片大都置於扁圓形鐵盒或膠盒中，再放於鐵架或鋼架上，宜加止滑裝置，以免滑落，八厘米影片則置於紙盒，再放於抽屜即可。

(4)錄影帶：一般為V.H.S ½吋 Bata ½吋二種，一般都有紙製或膠製外盒保護，可置於書架或抽屜中（如圖），注意防磁，以免受損。

(5)影碟：一般均有護套，置於架上（如圖），注意立置，不宜平放，以免壓擠與刮到而損壞。

7.聽覺資料：

(1)唱片：一般唱片都有護套，如同影碟一樣，置於架上，注意直立，不宜平放，並注意溫度以防變形。

(2)錄音資料：如同錄影資料，有紙製或膠製外盒保護，可置於書架，抽屜中，但注意防磁，以防干擾與損壞。

8. 編序教材、電腦輔助教學教材、套裝電腦軟體：

(1) 編序教材：這種資料可視同圖書處理。

(2) 電腦輔助教學教材與套裝電腦軟體：這些資料一般儲存於磁碟片中，也就是說，這些資料都以程式設計，透過電腦、輸入、儲存於磁碟機之磁碟中，所以保存只要將磁碟存妥即可，一般磁碟亦有紙套保護，唯取用時，避免手指亂碰，而損及紋路，同時亦應注意防磁，否則部份失效全都不能使用，存放如影碟，唱片一樣，立置於架上或抽屜，櫥櫃之中。

視聽資料有了妥善之儲存環境可以保持資料本身之品質，也可延長使用年限，由於「開架」服務之要求，對於視聽資料保管之安全受到很大的挑戰，尤其是視聽器材操作之不當造成之資料的損壞，更是常見的情形。因此，除了有妥善的儲存環境之外，對於讀書操作視聽器材的訓練將是重要的課題。

由於視聽資料在國小教學上普受師生之喜愛，所以，國民中小學圖書館對於視聽資料的蒐集，製作與整理，將是一件重要的工作，而對於如何安全又便於讀者之利用，更是服務的重心。

第三節　圖書的編目與分類

國小圖書館是學童學習的場所，也是教師教學資源的中心[55]，所以，徵集而來汗牛充棟的資料，必先加以組織與整理，也就是說，將所蒐集的圖書資料，按照其內容性質，歸入圖書館所採用圖書分類系統內適當的類目中，而形成一個有組織的整體，這種組織資料的工作稱爲圖書分類，其目的是提供讀者利用；目錄的編製，在將各種資料的內容，顯示於目錄中，充分表現館藏，這樣，讀者利用起來就方便多了，而圖書館本身管理上也助益匪淺。

國民中小學圖書館，由於受到國民教育法施行細則[56]的限制，沒有法定編制之專任人員，而數以千計的圖書資料，如何來實施「編目與分類」的工作？確實值得我們斟酌。

依據過去數年服務於國民小學圖書館所得的經驗，除了借助由高年級同學所組成的「小小圖書館員」[57]之外，只有「外聘」[58]專任人員了，但是一般國民小學難有「額外」的經費，所以，外聘專任人員就更加困難了。而這些年幼的「小小圖書館員」又該如何訓練以協助這項艱鉅的工作呢？

首先將選送來的學生集合於圖書館的工作室，每人分送一張已經寫好的「目錄卡片」和一張「空白卡片」，說明各種標點符號，如斜線「／」、冒號「：」、分號「；」、逗號「，」、分項符號「．—」、加號「＋」、圓括弧「（）」、方括弧「〔〕」……等等，再給他一本書，就「書名頁」、「封面」、「書脊」、「版權頁」中之有關各項詳加說明解釋，尤其是有關「標點符號」的寫法和使用時機，然後仿照「樣片」[59]，將自己手上的那本書「試寫」一張，教師詳加檢查，如果錯了，即予修正，並說明錯誤原因，然後再試，直到「全對」爲止，而後即可「大量生產」了。

至於「分類號」、「著者號」、「部册號」、「作品號」、「年代號」、……等，因涉及學術涵養與專業知識，非學生能力所及者，只好由「圖書教師」自己來完成了。如果學校的打字員可以協助時（若不能協助亦可外包予打字行打字），將寫好的卡片予以打字，那麼，漂亮而整齊的「目錄卡片」就完成，如果需要「書名目錄」、「著者目錄」、「分類目錄」、「排架目錄」、「標題目錄」㊿時，只要把打好字的目錄卡片拿去影印之後，加上著者即為著者目錄，加上標題即為標題目錄。要是沒有打字員，又沒有足夠的經費請打字行打字，那麼，只好請字體清秀的小朋友來擔任書寫卡片的工作了。

一　目錄卡片的定義

「圖書館為了使其館內所有的資料能夠充分的被讀者所利用，除了將圖書分類排列，使讀者辨別其性質而利於利用外，更編訂『目錄』來顯示館藏與資料的內容。

圖書編目係照一定的規則，將每一本書的特徵，包括書名、著者、出版資料、面葉數、圖表、高廣、裝訂……等項，一一記載下來，讀者從而瞭解每一本書的特性，而館藏經過編目，更可使館員及讀者查尋館中有無某書，以便利用。所以『圖書目錄是揭示圖書館藏書內容，介紹圖書和輔導者閱讀的重要工具』」㉑。

圖書目錄在形式上可分為「卡片式目錄」、「書本式目錄」和「機讀式目錄」。卡片式目錄是目前最常見的，我們又稱之為「目錄卡片」，它通常採用世界通用的標準規格，即橫長十二點五公分（五英吋），縱寬七點五公分（三英吋）（如圖一　見一五七頁），以純白或淡黃色卡紙裁製而成，中文目錄卡片為了書寫整齊起見，也有套上紅、藍線條者（如圖二見一五七頁），卡片的中間下方有個圓孔，乃便於卡片放置於卡片櫃的小抽屜中，以鐵條或鋼條貫穿，防止散落造成混亂或遺失之用的。這種卡片式目錄是由單張卡片所組成的圖書目錄，在使用上因為增加或減除時方便插入或抽取，易於排列，可經常保持最新館藏資料。書本式目錄則是將卡片目錄的內容編印裝訂成册，這樣，可以整本携帶、流傳，而條目清晰、閱讀查檢均方便，缺點是，排印一次費時且耗資不少，新增資料或撤架圖書均需待下次印刷時方能增加或删除，對於館藏內容之新穎性不如卡片式目錄。自從電子計算機問世且應用於圖書館自動化之後，以電腦編目而印製「機讀式目錄」，則可並取前兩者之長處，而去其缺失，惟購置電腦之費用價昂，非中小學圖書館所能負擔，且操作輸入人員缺乏，故未為一般中小學圖書館所接受。

若以圖書目錄的內容排列來分，則可分為「分類目錄」、「著者目錄」、「書名目錄」和「標題目錄」。換句話說，以「分類號」的字順或數序來排列者稱之為「分類目錄」，這種目錄是把所有「同類」的圖書資料集合在一起，而收「即類求書」之效。如以「著者」姓名之筆劃或字順編號為序排列者稱之為「著者目錄」，如果要找某一人的所有著作藏於本藏者，即可由這種目錄查得。「書名目錄」則以「書名」之首字筆畫或字順編號排列者，這是方便一些僅知書名而不知「類別」或「著者」之讀者查檢。如以「標題」首字之筆畫數或字順排列者，稱之為「標題目錄」。著者、書名、標題各種目錄亦有以首字之發音音標排列者，如以「國語注音字母」順序排列等。

目錄卡片應記錄那些資料呢？細查一下「中國編目規則」62就清楚了。

1. 題名：以圖書來說就是「書名」，其他資料則爲資料名稱，如世界地圖集，英漢有聲大字典。日報索引（縮影）63。

2. 著者：包括原著者、譯者、繪圖者、改寫者、編輯者、作曲者……64。

3. 版本：包括版次、版本及有關版本之著者敍述65。

4. 出版：包括出版地、出版者、出版時66。

5. 稽核：包括面葉數、圖表、高廣及附件67。和集叢在內。

6. 附註：以上各項如有不詳而需加說明者68。

7. 追尋：記載作品之標題及正題名以外之各種檢索項目69。

8. 索書號：包括分類號、著者號、部册號……

9. 登錄號：即圖書或資料入館登錄之序號。

當我們瞭解「目錄卡片」之後，如果需要某一本書或某一種資料，如果知道「書名」可查「書名目錄」，如果知道「著者」可查「著者目錄」，前兩者都不知道，則可查「分類目錄」或「標題目錄」，這樣，讀者就方便了。

二　目錄卡片的功用

「開架式經營的圖書館，目錄卡片有存在的必要嗎」70，表面上看起來，開架經營，讀者進館直接走近書架或進入書庫，將書抽出，滿意的再取出到出納台辦理借出手續或拿到閱覽桌閱讀，怎麼需要「目錄卡片」呢[71]？但是，詳加推敲研究，如果一所圖書館的資料僅僅只有幾本書或幾件資料，讀者一進館即一目瞭然，那麼，不需要任何整理即可盡收眼底了，這種圖書館當然什麼都可以省略，反過來說，如果館藏豐富、資料齊全，那麼圖書目錄自然有其存在的價值。否則，在汗牛充棟、數以萬計的圖書資料中，要想找一份資料，要從何找起？

「國民中小學圖書館需要目錄卡片嗎？」[72]，我們認為也無庸置疑，不但需要，而且各種目錄一應俱全最為理想，尤其是「標題目錄」最需要。因為國民中小學生年紀小，生活歷練較欠缺，所以，一進入圖書館看到的都是書，如果進館來只是隨便逛逛而已，碰到合意的就看，不合意的就丟，像到百貨公司，逛超級市場一般，那麼，「目錄卡片」的確沒有用處，有了反而礙事，佔了一個地方，感到不方便。如果是「有特定目的」，想找某一本書或某一種資料，除非是對圖書館學或利用圖書館有相當的認識，否則，一排排的書架，堆的都是書，要從那兒找起？如果館藏多一些可就費時了，甚至，由於「找不到」而打消了他「研究」、「學習」、「求知」的興趣，更影響了他對圖書館的信心。倘若我們備妥各種「目錄卡片」，可以從各種角度去查，得知本館是否已收藏這項資料或這本書；如果有，從「目錄卡片」上的「索書號」可以找到這份資料或圖書的位置，而很快地找到它，這種「成功」的喜悅，必能鼓舞「學習」的情緒，若是在「目錄卡片」中得不到消息，就知道本館並未收藏這種資料或圖書，可以經由「館際互借」的服務而獲得這項資料或圖書，於是，同樣的可以獲得「解答」，這樣，學生不但對圖書館深具信心，同時也「肯定」了他的研究，所以，除非國民中小學圖書館已進入自動化，而完成了「機讀目錄」，可經由「終端機」來查檢資料，則一般「目錄卡片」就可以關閉不用了，但是，國民中小學生也是「公共圖書館的讀者」，如果各公共圖書館的自動化尚未完成，而仍使用「目錄卡片」，則這批學生到了公共圖書館勢必從頭學起，無形加重了公共圖書館的負擔，就此觀點，「目錄卡片」在國民中小學圖書館中兼具「利用」與「教育」的兩大功能，怎能輕言捨棄呢？

三 「目錄卡片」的寫法——如何編目

「目錄卡片」的編寫係根據「中國編目規則」[73]，而中國編目規則係根據「國立中央圖書館中文圖書編目規則」[74]及「英美編目規則第二版」[75]作爲參考之藍本[76]。而其主要的精神是「適合自動化的要求」[77]，所以，它的「格式」可適用於任一文字之圖書資料與媒體[78]，亦適用於將來之電腦作業，更期全國作業標準化，所以建議國民小學圖書館應以「中國編目規則」之格式著錄編目，而且館藏外文圖書資料不可，可以統一用一種編目規則與分類法，這樣資料集中，讀者利用便利而館員管理也方便。

在編目之前，對於圖書或資料媒體的主要部份必須先行認識，工作起來才方便，例如，圖書的「書名頁」、「版權頁」、「封面」、「書脊」……等先瞭解清楚，同時對於編目規則中的「總則」及各章之「著錄來源」詳加閱讀，編目工作就會非常順利的。

前面曾經說過，目錄卡片有「書名目錄」、「著者目錄」、「分類目錄」和「標題目錄」之分，這些卡片都是從同一張母片而來，這張母片稱之爲「單元卡」（Unit card），所以，只要把「單元卡」編目，其他的各種卡片都解決了，現在我們來介紹「單元卡」的寫法與步驟：

(一)題名：就是書名，如果是其他類型資料，則指其名稱，如果使用紅藍雙色線卡，則請從第一條紅色直線和紅色橫線交叉處開始寫（如圖三　見一五七頁），若一行寫不完而必須換第二行時，則從第二條直線和第一條藍橫線交叉處開始寫（如圖四　見一五八頁），第二行仍寫不完必須換第三行時，同第二行，餘類推。若以白色卡片書寫，則前面預留約四字位置以備寫「索書號」，而上面預留二行之位置，以備複印後供作著者片、標題片時，塡寫著者、標題之用，而第一行無法寫完換第二行時，退一字之間隔書寫，第三行以後類推。至於副題名、解釋題名、並列題名、平行題名等，在國民小學圖書館中以省略爲原則，如欲著錄，可依「中國編目規則」著錄[79]，若爲其他類型資料則將資料類型名稱如透明圖片、幻燈單片、錄影帶等，以方括號〔　〕與題名相連（如圖三十見一六七頁）。

(二)著者：著者項之前以斜線「／」和題名相隔（如圖五　見一五八頁）。如果著者爲二人合著，則兩著者姓名之間以逗號「，」分隔（如圖六　見一五八頁），如有三人以上之著者，則寫第一人之姓名後加等著（如圖七　見一五九頁），若該書除著者外，尚有譯者、繪圖者……等，換句話說，該作品之完成，係由多人以不同的著作方式共同完成者，則其著者、譯者、編輯者、作曲者、繪圖者……之間分別以分號「；」分隔之（如圖八 見一五九頁）。若無法找到著者時，則直接接寫「版本項」或出版項（如圖九 見一五九頁）[80]。

㈢ 版本：版本項之前，以分項符號「．—」與著者項分隔之（如圖十 見一六〇頁），如著者缺項，則直接以分項符號與題名分隔之（如圖九）。如係初版可以不予載記，修訂版則必須著錄[81]。

㈣ 出版：出版項之前以分項符號「．—」和版本或著者項（若係初版或版本項從缺時）分隔之（如圖一一 見一六〇頁），出版項包括出版地、出版者、出版時，分別以冒號「：」、逗號「，」分隔之（如圖一二 見一六〇頁），為簡化工作起見，出版者通常以簡稱著錄，如正中書局寫「正中」，國語日報附設出版部寫「國語日報」……，但是，如有兩出版者相似如「臺灣書店」、「臺灣書局」兩者無法以簡稱分辨時，則以用全名著錄較妥[82]，而使用簡稱著錄必須建立「權威檔」[83]，若出版者為著者時，則以「著者」、「編者」……等字樣著錄之[84]，若出版者，經銷者不同，且載於版權頁之中，則應分別著錄，同時載明職責，並以冒號「：」分隔之（如圖一三 見一六一頁）。若無法找到出版者、經銷者，則註「—出版者不詳」字樣。出版年則以阿拉伯數字著錄之[85]，若版權頁載記之出版年為公元或外國紀年者照錄之，但應查註我國年代，並以方括弧「〔〕」括出，如為我國現代作品，以「民40.」省略之，以求簡化。

㈤ 稽核：稽核項包括面葉數[86]、圖、表、高廣、附件、書寫時，不論出版項之最末字於何處，稽核項必須另起一行書寫，自第二條紅色直線開始寫，亦即與題名之第二字對齊，其面葉數、圖表、高廣、附件間分別以冒號「：」，分號「；」，加號「十」分隔之（如圖一四、一五、見一六一頁 一六 見一六二頁），如有圖又有表，則圖與表間以逗號「，」分隔，如無圖亦無表，則面葉數之後直接接寫高度，則以分號「；」分隔之（如圖一七 見一六二頁），附件係指此一資料之附屬品，兩者需合併方得使用者，如某資料附有教師手冊及習題解答者，亦有附錄音帶一捲……。

圖書資料有些係數册甚至數十册者，通常不計其面葉數而記册數（如圖一八 見一六二頁），目前亦有許多出版商輯印古書，將數種資料輯印成一書，未重編頁碼，故一書中，起迄之頁碼甚多，難以算計，可記一册以求簡化。如果稽核項一行寫不完，必須換行時，應自第一條紅色直線開始寫，換句話說，即與題名第一個字對齊，這是要特別注意的（如圖一九 見一六三頁）。

(六) 集叢：集叢項包括叢書名與叢書號，以及附屬叢書名、附屬叢書號、叢書名之前以分項符號「.—」與稽核項分隔，同時以圓括弧「（）」將叢書項全部括入，叢書號之前以分號「；」與叢書名分隔，若有附屬叢書，則附屬叢書名之前以圓點「.」和叢書號分隔，附屬叢書號亦以分號「；」和附屬叢書名相隔之（如圖二十 見一六三頁）。

(七) 附註：附註項之書寫亦同稽核項，必須另起一行，自第二條紅色直線開始寫，若一行寫不完需換第二行時，亦突出於第一條紅色直線開始寫，餘類推（如圖二十一 見一六四頁）。

(八) 追尋：追尋項記載作品之標題及正題名以外之各種檢索項目（如著者、合著者、編者……）[87]，但國民中小學圖書館爲簡化工作可免予著錄。

(九) 索書號：索書號包括下列各種編號，其寫法如何：

1.分類號：分類號之書寫，記於題名之前，即第一紅色直線之前方（如圖二十二見一六四）。

2.著者號：著者號則寫於分類號之下一行，首字與對齊即可（如圖二十二見一六四頁）。

3.部册號、作品號、版次號、年代號……則視作品之情形若錄於著者號之下一行，惟作品號加脚碼於著者號之後（如圖二十三見一六四頁）。

(十)登錄號：登錄號之書寫，與其他號碼間隔三行爲原則，以免混在一起無法辨認（如圖二十四見一六五頁）。

至於有關非書資料之編目，亦適用於前述之目錄卡片寫法，各類型之資料，有少部份宜注意者，如：

(一)連續性出版品：

1.著者：通常以出版者著錄，而個人編者應著錄。

2.版本：如海外版、航空版、點字版，或英文版、重印本……均應著錄，以資識別。

（如圖二十五見一六五頁）。

3.卷期：卷期之前以分項符號「．—」與版本分隔，卷期一律自創刊號起著錄，且以阿拉伯數字記載（如圖二十六見一六五頁）。若有兩種以上編次系統，則以等號連之（如圖二十七見一六六頁），若已停刊者，其起訖編次及年月均應記載（如圖二十八見一六六頁）。

4.附註：若該刊變更刊名、變更編次，應於附註項註明，刊期、合併、分衍、併入、停刊、復刊、索引、摘要及標準號碼均應載明⑧⑧。

(二)　地圖資料：地圖資料與其他資料不同者，其有「比例尺」、「投影法」、「經緯度及晝夜平分點」之著錄，比例尺之前以分項符號「. —」與版本分隔，投影法之前以逗點「，」和比例尺分隔，經緯度和晝夜平分點同著錄於一圓括弧「（）」內，二者間以分號「；」相隔（如圖二十九　見一六六頁）。稽核項之數量以「幅」爲單位，如8幅地圖，十六幅地形描繪圖等，高度則長闊以公分量度記載[89]。

(三)　樂譜：對於附註項宜把作曲形式如讚美詩，二幕歌舞劇等，表演媒體包括「聲部」與「樂器」及表演時間等載明（如圖三十　見一六七頁）[90]。

(四)　錄音資料：應載明唱片、錄音帶之速度，如唱片$33\frac{1}{3}$轉/分，錄音帶之一捲卡式帶（六〇分）：$3\frac{3}{4}$吋/秒，聲道等（如圖三十一　見一六七頁）[91]。

(五)　電影及錄影資料：稽核項宜註明聲音、色彩、速度高廣等（如圖三十二見一六七頁）[92]。

(六)　靜畫資料：包括不透明與透明兩類型，透明者如幻燈單片、幻燈捲片、透明圖片及放射線照片等，不透明者如平面藝術品原件、複製品、圖表、照片和工程圖等，著錄時，特別註明其張數、捲數、份數、適用對象、類科等（如圖三十三見一六八頁）[93]。

(七)　立體資料：包括各種人工立體資料之著錄，如模型、生態立體圖、遊戲用品、玩具、雕塑及其他立體藝術品、展覽品、機器、服飾等，本項資料之著錄宜注意「質料」、「數量」，而高廣如爲多組件而置於一箱內者，則計其箱子之高、廣、深即可（如圖三十四　見一六八頁）[94]。

(八)　縮影資料：包括縮影捲片、縮影單片；不透明縮影片及孔卡，這些資料在目前各國民小學圖書館中難得一見，但因科技日進，來日可能普遍蒐集，而增購是項器材，著錄時應注意其縮小比例，原件高廣（如圖三十五見一六八頁）[95]。

(九) 機讀資料檔：包括機讀方式儲存之資料及其所需之程式，如儲存於磁帶、打孔卡、孔卡、打卡紙帶、磁碟、碟卡及以光學原理辨認字料之資料檔，是項資料，目前國民小學圖書館亦甚少蒐藏。然而，電腦輔助教學爲世界潮流，勢將無法避免。因此，事先提醒，以免來日張惶失措，這種資料應於內容註中稍加說明其內容、及適用對象、使用方式，以及資料涵蓋之起訖日期與蒐集日期、程式、階次等[96]。

單元卡業已完成，經過圖書教師審核無誤之後，即可送往打字（當然不打字亦可，如無法打字，則單元卡之書寫宜以「黑色」筆書寫，以便影印），打字完畢，則視本館本身的需要「複印」（目前各大圖書館有印卡機，可借用其設備印製）數份。

著者卡片的製作：只要把單元卡影印後，在題名的上方，退一字打上「著者姓名」即完成，但是，如果著者有兩位以上時，則需影印兩份以上，而著者之姓名，依次調整其位置（如圖三十六、三十七見一六九頁），以利讀者查檢與館員之排卡。

標題卡片的製作：亦如著者卡片一般，只是將著者姓名更換爲「標題」而已，標題之選用應依據「標題表」，因中文標題表未公佈，可用「中文圖書標題總目初稿」。

至於「分類卡片」和「書名卡片」則與「單元卡」相同，影印之後直接可以利用。至於「善本圖書」、「拓本」因國民中小學圖書館甚少蒐集，如有需要可參閱中國編目規則編製。

四　如何分類？

圖書的分類工作，可依下列步驟進行。

㈠選定圖書分類法：圖書分類法的種類很多[97]，但未必皆適合於國中小圖書館使用，因此需選擇適合自己圖書館需要者，依據調查結果顯示，目前以使用「中國圖書分類法」[98]者最多，「國民學校圖書暫行分類法」[99]者次之，其他分類法甚少爲國中小圖書館所使用，在此不擬推荐。

㈡確定分類之詳簡：圖書分類之詳簡應視館藏來決定，若館藏貧乏，分類再詳亦屬無用。若本館某類館藏特豐，則宜分類較詳，反之則簡，例如，在國民中小學圖書館中，讀者以教師與學生爲大宗。因此，教育類之書籍，提供教師教學、進修之參考，兒童文學及語文之圖書提供小朋友閱讀之需，所以這些類目書藏必豐，分類宜詳，反觀哲學、宗教、法律、政治之書籍，必寥寥無幾，宜分類簡略，這樣，才能適合讀者利用之需要，也方便圖書教師之工作。

㈢備妥相關之參考工具書：孔夫子曾說：「工欲善其事，必先利其器」[100]，孟子也說：「離婁之明、公輸子之巧，不以規矩，不能成方圓」[101]。因此，工具書是相當重要的，如各圖書館之「兒童圖書目錄」[102]，各有關之選書參考目錄[103]和各種參考用書[104]。

㈣ 辨類：我們知道，圖書的分類是依據「書籍內容的性質」爲主要標準，所以，要確定它的內容性質。要分辨一本書或一份資料的內容和性質必需知道：討論的主題是什麼？怎樣討論或研究這一主題？著者寫作的目的何在？爲了瞭解這些問題，我們可以從下列幾個方向獲得判斷的線索。

1.書名：有些書名就充分代表一本書的內容，因此分析一本書名的涵義，可以幫助瞭解這本書的性質，如政治學、經濟學、六法全書……。

2.著者：一般著者都有其特定著作與研究的範圍，所以從著者姓名可以知其梗概，當然亦有部份著者研究領域較廣，而著作跨類者亦有。

3.目次：從目次可以看出這本書主要的討論內容範圍，從而瞭解書中的大意。

4.序跋凡例：序若係他序，大部份推崇此書或著者之文較多，如爲自序則敍明著作或研究動機、目的、範圍；凡例則係對本書之詮釋與用法介紹；跋往往可以看出此書流傳之經過，對我國的舊籍之分類幫助尤大。

5.導言、緒論、提要和結論：導言或緒論往往是著者扼要敍述本書旨意和寫作對象，而提要或結論則爲本書之「畫龍點睛」之作，對分類之幫助甚大。

6.正文：閱讀正文是最正確的方法，但耗時太多，非一般分類人員時間所允許，但確實可以充分瞭解該類歸何處。

7.參考書目：從書後或每章之後所附的參考書目或參考資料中亦可獲致不少線索。

8.參考他館分類目錄：若此書實在難以分辨之時，可查他館分類目錄，看他們是將其歸入那一類的，供自己參考之用。

9.參考營業目錄：書商或出版社之營業目錄大部份依分類排列，可供參考。

10.多查書評：書評可知書之內容與優劣，尤以各科專家所作之權威性評論爲不可多得之參考資料。

11.請教專家：如果用盡各種方法，仍然無法瞭解，只好走訪專家，請其指點，尤其語文類之資料，因各種語文太多，無法一一精通，只好請教專家，這種方式非但解決了當前的難題，也增加了自己的見識。

(五)歸類：從「辨類」的各種方法瞭解該書或資料確定應入那一類，在分類法中選擇最適合本書內容的類目，給以類碼，以確定其在排架上的位置，稱之爲歸類，歸類的步驟如下：

1.在「分類法」的總表或簡表中，選擇最合適於本書性質、內容的「類」。

2.以這一「類」的「類碼」爲依據，再查詳表，查出最合本書的子目。

3.以這一「子目」的「類碼」作爲本書的「分類號」，寫於編目卡片上，書寫的位置通常在「題名」的前方。

4.分類號決定後，依照館中的規定，決定「著者號」及其他的「助記符號」[105]，而著者號通常寫在分類號的下方，其他助記符號則依館中規定著錄。

5.各種號碼都編寫完畢，要與原有目錄卡片之「分類目錄」來核對，是否有「重號」者，如有，立即依館中規定予以「區分」或「註記」[106]。

6.經查無誤，則確定了本書的「書號」，將之寫於館中規定的部位（通常為書名頁的左上角或右上角）。

7.如果本館對於某一類的書或資料蒐藏特別豐富，而分類法中所列子目太少，或這些資料爲最新增加之知識而無類目可容納時，必須詳加愼慮，依所採用之分類法本身原則，在性質相近的類目中，新添子目甚至類目，但應立即記入「分類法」及其「索引」之中，以便他日使用，同時通知本館全體館員切實遵照辦理，以謀統一歸類。決定後不得任意變更，而且永遠遵守，否則勢必形成混亂，無所適從[107]。

8.館中除了本館使用的「分類法」外，最好備幾本其他的分類法，以便進行分類工作發生困難時，可供參考之需。

㈥分類的原則：圖書的分類，除了自己本身對該一學科的瞭解外，尚需注意下列原則，才能使師生容易找到他所需要的書或資料：

1.圖書的分類與知識的分類有無差異，知識的分類是把所有的知識依其性質分成若干部門，並尋出其間相互關係，再組織成一系統。圖書分類則在這一系統中，找出適當的地位，把圖書納入，以便於查檢，但一書往往包含各種知識，所以，分類就必須愼重，以期大家的認同。

2. 圖書應分入最大用途之類中，最大用途之認定，在於讀者的需要，因此，依圖書館類型及服務之對象爲取捨。

3. 依著者作之目的：作者寫作的目的，決定了這本書的主題，也是此書討論的重心，雖然書中可能有別的題材，但那不是作者的重點，因此就不是書的骨幹，作者的目的，大概可以從書名頁、目次和本文中看出。

4. 抓住主題：一本書可能討論一個或多種主題，如是一個主題，則判定它爲那一種就解決了。如爲若干個主題，則看這主題能否被包含於一大類之中，合則入此大類，如不能，則看有無從屬關係，如有，則入主屬類中，如無，或平等並列，則依前後或篇幅之多寡而定。

5. 在一大類中，必要時，可依時代、地域、體裁、語文爲輔助分類之標準。

6. 辯論的題材，應依著者的目的，用以證明作者之主張，故依此入類。

7. 有正反相對之主張，以著者贊同之一方爲入類之標準。

8. 對於某一學科之研究，其所得之結果應入其學科。

9. 一種學科的歷史和說明，應入該類，因爲某學科的歷史，通常都把它當作是研究這一門學科的一種特殊方法。

10. 叢書：如果是有編號且同屬一類，則依叢書編，否則宜分散入其類，目前有許多叢書均各自獨立，出版社爲推銷虛掛叢書之名，卻無任何連續與相關，故宜分散編爲宜。

11. 性質不同或內容各異之套書，宜分散各入其類。

12. 專爲某一特定人而寫作的書，可依圖書館類型所服務之讀者另置一處，如盲人用點字書籍。

其他有關分類原則，可參考王省吾著圖書分類法導論（臺北、陽明山、中國文化大學出版部，民國六十九年）及美利爾原著、張鴻書譯，圖書分類指南（臺中市、文宗出版社，民國五十九年）二書，可得更詳盡之說明。

(七) 著者號的取法：著者號的取法很多，爲了方便各館參考，介紹幾種較常用的取法於後：

1. 四角號碼法：依著者姓名，以四角號碼檢字表爲依據；如爲一般姓名共三字者，取首字之前二碼，第二字、第三字各取第一碼，組成之四位數爲著者——如郭秋華，取「郭」之前二碼「07」，秋之首碼「2」，華之首碼「4」而組成「0724」；若爲單名，即姓名合計只有二字，則二字各取前二碼，如郭耀，取郭之前二碼「07」耀之前二碼「97」，組成「0797」，若爲四個字或四個字以上之姓名時，各館可訂定「取首三字」同一般三字之姓名者（這樣取得之著者號可獲首字相同者集於一處之便），亦可取前四字，各取首碼，唯各館確定後務必嚴格執行，方不致混亂。若爲西文著者，則譯中文姓名後再取。

2.中文目錄檢字法：以著者中文姓名之前三字的每個字起筆與最後一筆的筆順，按點「丶」橫「一」直「丨」撇「ノ」捺「乀」分別以「1」「2」「3」「4」「5」之數序，將首筆與末筆之序號相加，如趙大年，趙字首筆爲「一」即「2」，末筆亦爲「一」又爲「2」，大字首筆爲「一」亦爲「2」，末筆爲「乀」爲「5」，年字首筆「ノ」爲「4」，末筆「丨」爲「3」，故趙大年著者號爲趙2＋2＝4，大2＋5＝7，年4＋3＝7，即477，再查趙大年爲那一時代的人，依中國時代複分表於最前面加一時代號（中國時代複分表得先秦及以前「1」，漢及三國「2」，晉及南北朝與隋「3」，唐及五代「4」，宋遼金元「5」，明「6」，清「7」，民國「8」），所以，如果趙大年爲唐朝人，則其著者號爲4477，如爲明朝人則爲6477，著者若爲日、韓人，則取法同我國人，如爲西文，則依書名頁或版權頁之譯名取號，但應列「權威檔」，發現同一著者在不同書而有不同譯法時，宜查明註記，以期同一著者之作品，於著者片中可集於一處，方便讀者利用。

3.何日章法：在何日章先生的「中國圖書十進分類表」之後附有「著者號碼表」，這份表是以「姓氏筆劃」爲主，另以「丶一丨ノ乀」之筆順爲輔，共取三位數，號碼在中央，左右兩邊各爲姓。所以，兩個姓共用一個數碼。同姓著者，爲避免重號，則依名字的第一字前二筆，根據表中所附「小號碼表」附加小碼，如林美和著者號爲「225」，則林美麗因係第二本書之著者，故應取小號爲「225.2」，詳細可查何氏之中國圖書十進分類表。

4. 杜定友法：杜定友先生在其「學校圖書館學」一書中亦列有其「分類法」附有「著者號碼表」，亦以「姓」爲主，每一姓一號，同姓之著者另以「作品號」之脚碼方式處理「重號」情形[108]。

(八) 部册號、作品號、年次號之取法：

1. 部册號：通常一部書有兩册以上，不論其起訖面葉數是否連續，均使用「部册號」，通常以「V」爲代表，如第一册爲「V.1」，第八册爲「V.8」，記在著者號之下一行。在「目錄卡片」上亦記在著者號之下一行，但寫起訖册號並用「～」相連，如「V.1～12.」（如圖三十八見一六九頁），書標上則記各册之部册號。

2. 作品號：作品號用於同一類書又同一著者於同一圖書館中出現時，因其同一類而「分類號」相同，同一著者而「著者號」又相同，因而難以分辨，而有「作品號」之需要，由於作品號與著者號有密切之關係，故於「著者號」之取法中已述及，故不再詳述，然亦有非同一著者而「著者號」相同者，如係同一類書亦現「重號」而需「作品號」以分辨之（如圖三十九、四十見一七〇頁）。

3. 年次號：這是一些政府出版品中最常出現，每年出版一本，期刊之合訂本亦然，雖然可以用「部册號」註記，但往往本館所藏並非自創刊號起，於是以「年次號」代表更爲貼切些，這類註記以「民國紀元」代表爲佳，著錄於「著者號」之下一行，直接以民國紀元年代著錄（如圖四十一見一七〇頁）。

4.複本號：本來圖書館之購置應盡量少購複本，因經費並不充裕，但是目前「兒童書」出版種類僅數千種而已，因此，複本書之於國民小學圖書館是不可避免的，一般說來，複本書是以「C」代表，依序以1、2、3編次即可，著錄於著者號之下一行（如圖四十二見一七一頁），若與部册號同時出現時，則部册號於前，而複本號於後（如圖四十三見一七一頁）。

(九)登錄號之著錄：登錄號爲圖書媒體資料進館登記之流水號，記錄於「目錄卡片」時，宜與前列各號相隔二至三行爲原則，通常取五至六位數，若爲個位或十位數之號碼前面均補〇，以期整齊，亦可免於塗改，如爲「複本書」，則只要在卡片上記上第二個登錄號即知爲複本了（如圖四十四見一七一頁）。

(十)書標、書後卡、書後袋之書寫與黏貼：

1.書標之書寫與黏貼：書標之用紙市面均有成品，學校自行印製亦可，唯以印三行（如圖四十五見一七二頁）之型式較佳，第一行寫分類號，第二行寫著者號，第三行寫部册號、複本號或年次號（如圖四十六見一七二頁），書寫完畢黏貼於「書脊」距地脚二至三公分爲佳，但決定後最好一律，以期美觀，但是，如果頁數太少之書籍，貼於書脊看不見書碼，貼可改貼於「封面」或「封底」，但以靠近「書脊」處爲宜，若書脊部份有重要符號供辨認，貼上書標對讀者使用反而不便時，亦可改貼於「封面」或「封底」，如中華兒童百科全書，若書標貼於書脊距地脚二至三公分，正好把其標示之「注音符號」蓋住，對讀者之查檢反而不便，應予避免。

2.書後袋、書後卡之書寫與黏貼：假若工作人員人力不足時，這項工作可由「第一位借出者擔任」，這樣減少許多時間與人力負荷，書後袋、書後卡僅抄錄「書標」上之索書號與圖書之書名即可，貼於扉頁或「封裡」均可。

五 工作流程

前面所述，對於圖書媒體資料的「分類」與「編目」有一簡單的概念，但是，從一本書，一份資料進到圖書館，直到上架供讀者閱覽流通利用，必須經過一些關卡，這是應該知道的，簡單敍述於後：

㈠ 驗收、清點：圖書資料自書商或出版社商妥送到圖書館，首先要依照「購書單」所載各項一一核對，書名、著者、出版者、出版年、版次……是否相符，有無缺頁、漏印、倒裝……等，每項逐一核驗確實，並清點數量，於清册上加以註記。

㈡ 登錄：經驗收無誤後，即蓋「館藏章、登錄號、處理日期章」，然後登錄於「登錄簿」。

㈢ 查複本：登錄完畢後，即送分編，而分編之首即查複本，依「書名」查「書名目錄」

若書名相同，需查版次、著者、出版者、出版年是否相同，若均同，即為「複本」，則將索書號抄錄於「書名頁左上角或右上角」，並加複本號，同時於各「目錄卡片」上加註「登錄號」，即可逕送至貼書標、書後袋，若不是「複本」，則移送「編目」。

㈣ 編目：編目工作可由「小小圖書館員」擔任，但，圖書教師必須加以「審核」，如有錯誤即予更正。

㈤ 分類：分類應由「圖書教師」擔任，不得委由「小小圖書館員」操刀，因為小朋友的基本學養不足，無法擔任如此重任。

㈥ 查索書號：編目分類均已完成，必與舊有「圖書目錄」相核對，查出「重號」（以分類目錄為核對對象）者，則加註「作品號」，發現錯誤即予更正。

㈦ 寫、貼書標、書後袋、書後卡：經查無訛，即寫書標、書後卡、書後袋，然後予以黏貼指定位置。

㈧ 抽卡、上架：書標、書後袋、書後卡均完成了，即可把卡片抽出，送往打字、影印、製作書名目錄、著者目錄、標題目錄、分類目錄等，而圖書資料則移典藏上架。

㈨ 讀架、排卡：書上架後必須「讀架」，以免發生「誤置」而導致圖書資料的「失踪」，發現錯誤者立即歸位。卡片如影印回來且各種目錄製作完畢後，均應按順序分別插入各卡片盒，以便讀者利用。

㈩ 出借流通：前列各項工作均已完成即可流通閱覽（如流程圖）。

分類編目流程圖

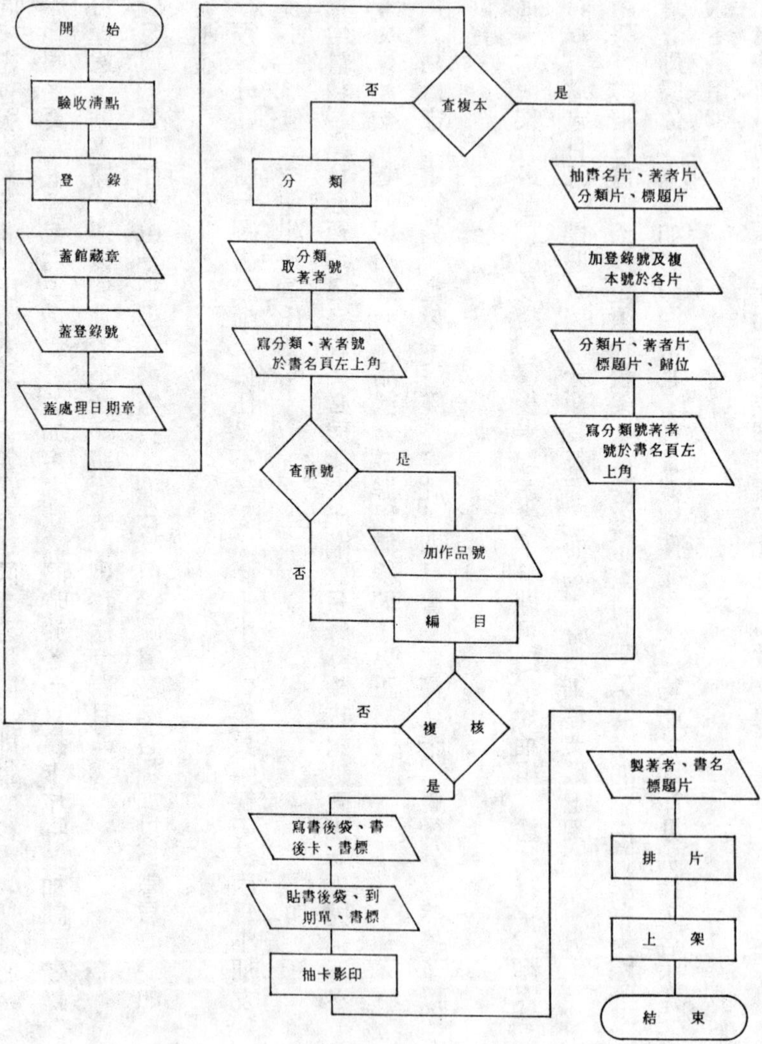

開　始
驗收清點
登　錄
蓋館藏章
蓋登錄號
蓋處理日期章
查複本
否
是
分　類
取分類著者號
寫分類、著者號於書名頁左上角
查重號
是
否
加作品號
編　目
抽書名片、著者片分類片、標題片
加登錄號及複本號於各片
分類片、著者片標題片、歸位
寫分類號著者號於書名頁左上角
複　核
否
是
寫書後袋、書後卡、書標
貼書後袋、到期單、書標
抽卡影印
製著者、書名標題片
排　片
上　架
結　束

至於西文圖書之分類，因中小學圖書館館藏西文書太少，故以用同一分類法爲原則，著者號則以中譯後依中文姓氏編取，但應列「權威檔」，以期劃一，至於書名片之排列，則排於中文之後，再依英文字母順序排列，亦可置於最前，亦以英文字母ABC順序排列之。

綜觀全部編目與分類之工作，在國民中小學圖書館中，以目前負責圖書館工作的人員之專業訓練，圖書館學系所畢業者佔百分之十一點一，而受短期訓練者佔百分之六十二點六三，未受任何專業訓練者有百分之三點零三，但有百分之廿三點二三未填答，這些可能係未受任何專業訓練者，總計起來，尚有四分之一的學校在分類編目工作上顯著的困難，這也許就是有部份學校至目前爲止圖書仍未分類的主要原因。因此，如果國民中小學圖書館爲了教學的需要，而本身又沒有能力來承擔「分類與編目」的工作，我們建議實施「建教合作」來彌補這項缺失，因爲目前各大學或專科的圖書館系（科）學生，當他們學習「分類編目」課程後，必須實地操作的「實習」，其學習效果才會紮實，因此，這些同學沒有「實習的場所與材料」，而國民中小學圖書館又沒有人員來擔當這份工作，若兩者「合作」，可各得其利而無害，若國民中小學圖書館能撥少許經費來充當「車馬費」或者「加班費」，那是更美好的了，這樣，圖書館科系的學生有實地經驗與理論配合，且驗證了理論的眞實性，對學習的效果必大增，而學校圖書館的分類工作又獲得解決了，這不是一舉兩得，互得其美嗎？

如果圖書館備有「個人電腦」，可利用已設計完妥之「程式」，將「書目資料」依「中國編目規則」之各項款目輸入[109]，按下設定之「指令」，則一張漂亮而完整的「目錄卡片」

即呈現眼前[110]。如果圖書教師事先能把各書之索書號寫妥於書名頁「指定」之位置，則這些「輸入」的工作完全由「小小圖書館員」來操作即可。這一簡單之程式，由王緊森老師與筆者經多年研究完成，相信對國民中小學來說，也是一件相當方便的，它可以減少抄寫與製作「各種卡片目錄」[111]之煩惱。亦可供採選、登錄、分編一貫作業，對「一人」圖書館來說，是個得力的助手。

第四節　圖書的裝訂與典藏

過去，由於把圖書視爲「財產」予以保管，於是，圖書館員爲了「財產」的安全，往往置於「櫃中」，甚至上「鎖」，以防不測，不論老師或是學生，只好隔著玻璃看「書皮」了，想要「摸」一下書，是件相當困難的事，怎麼談得上「閱讀」課外讀物，更說不上什麼「圖書館利用」了。

現在，雖然可以把「兒童讀物」列入消耗用品「不定期刊物」項下[112]，以免除因損毀、遺失而需「賠償」之責任，館員可以大膽地把「書」開放供給小朋友自由取閱。但是却因爲學校購書之經費有限，而師生閱讀的需求却無窮，爲了滿足「讀者的需求」，只好將有限的館藏，在其未破損或行將「破損」之前，預爲防患或及時發現，予以搶救——重新裝訂、修補，以利典藏及利用。

一　裝訂與修復

圖書資料的裝訂，在採選時業已列入重要的選擇標準之一，應是不需煩惱的工作，但是，國民小學的學生，年紀幼小，生活知識與經驗的貧乏，且初入這小型社會（學校），一切都充滿好奇，當然，對於圖書館也不例外。因此，他們進館最初的目的甚少為了找尋資料、探索知識、鑽研學問……而來的，大部份也是為了「好奇」而前來「探險」的，甚至邀集了一堆人「一起看」，在這時，有些閱讀速度快，有些速度慢，甚至七嘴八舌地爭論著，再下去，可能爭著「翻頁」，因而「撕破」了，甚至一本書分家了，變成好幾本。因此，兒童書，尤其是「低年級」看的「圖畫書」，由於書籍本身裝訂的不佳，加上小朋友缺乏「用書」的經驗與知識，所以，國民中小學圖書館的工作者，對於圖書資料的「重新裝訂」成為繁重的工作之一。

由於沒有足夠的經費把這些「斷簡殘篇」送到「裝訂廠」重新裝訂，且學校內更無「裝訂機」的設備，然而，這些得來不易的資料又不能「視若無睹」地任由「散失」，所以，在「窮則變」，「變則通」的情況下，可以用下列幾種方法：

㈠透明膠紙黏貼法：圖書進館流通後，約三至四星期，利用圖書「歸架」的機會，將「封面、書脊、封底」三部份先行加黏「透明膠紙」一次，書名頁、扉頁及版權頁，扉頁間亦加黏一次，同時檢視書中有無「裝訂線」斷脫。若發現，即時以「透明膠紙」黏貼，同時相連之數頁均應予黏貼，此後每次歸架均加檢視，則「散失」的機會大爲減少，而圖書的使用期限自然增長。

㈡ 釘書機裝訂法：將業已散落的書頁重新排列整齊，以較大型之釘書機給予重訂，這是一種快速便捷且簡便的方法，但是，往往會由釘書機的使用不當，而使部份文字因裝訂而看不見了。而且，對於頁數較多的圖書以及低年級所用「厚紙版」的圖畫書，則無法用釘書機，宜注意。

㈢ 膠水或樹脂黏貼法：倘若沒有大型釘書機，只好用膠水或樹脂來黏貼了。但是，不論是膠水或樹脂其效果均不佳，遇潮或大乾時，均易脫落。因此非不得已最好不用。

㈣ 線裝：把散落的書頁排列整齊之後，距離書脊約〇．五公分處以小型鑽子鑽四個孔，用麻線或綿線，尼龍線亦可依次穿連即得。如爲精裝書，則切開書背，依一定距離鋸成溝，再把線放入溝中，再灌入強力膠，外敷帆布再塗強力膠，使與封面、書背、封底相結合，這是較根本的方法，但費時且工作緩慢，不易實行。

對於期刊的裝訂：國民中小學圖書館的期刊雖然不多，但亦不需全部裝訂留存，而以選擇性裝訂成合訂本，供教師教學與進修之參考，學生利用的機會較少，尤其專業性之期刊應視其頁數之多寡，以一卷或兩卷爲單位裝訂。

期刊之裝訂程序如下：

㈠選擇其學術性與專業性之期刊，以供教學與進修上之參考書爲裝訂之對象。

㈡檢查有無缺期、缺頁，如缺期則即請出版者補齊，如缺頁，則向友館影印補齊，然後列清單送裝訂廠裝訂。

㈢如無經費送廠，則自行裝訂，其法如下：

1.穿孔線裝：依期刊卷期排列妥當，以打孔機於近書脊一公分處打四個孔，以繩索穿訂之。

2.黏貼法：各期依次以膠水或樹脂、強力膠予以黏貼。

㈣不論以何種方式裝訂，完成後均需加「封面」、「封底」，同時以「刊名」爲「書名」，分別印於「封面」與「書脊」，並將「起訖卷期」、「出版年月」以小一號字印於「書名」下方。

㈤裝訂完成之後，以「新書」處理方式予以「分類編目」，上架、流通。

二 維 護

圖書資料的維護，在國民中小學圖書館作業來說，尤爲重要，因爲國民中小學圖書館的資料損耗率爲各型圖書館之冠，因此，如何維護圖書資料媒體之完整，爲國民中小學圖書館之重要課題。茲分「印刷資料」與「非印刷資料」兩方面敍述於后：

㈠ 印刷資料：一份暢銷的（學生最喜歡看的）印刷資料，經過三個月的流通閱覽時間，將是「體無完膚」或是「遍體鱗傷」，所以，在第一個月結束前就得開始「個別檢查」，發現破損的跡象，即刻以「透明膠紙」黏貼補上，方不致繼續擴大，而能繼續「流通閱覽」，這些「暢銷書」流通一年，即應報廢停用，因爲書頁的蹂爛度已使部份文字無法辨認，而且，細菌的「附著量」亦過鉅，有礙學童健康，所以，可以「損耗率」的方式報廢⑪³，另購新書。

㈡ 非印刷資料：在國民中小學圖書館中，除了書籍外均可列入非印刷資料，我們又分「視聽媒體」⑪⁴與「立體資料」⑪⁵，分別敍述於後：

1.視聽媒體：指需藉「視聽儀器」之配合使用之各種資料媒體，也是「狹義」的視聽資料，如錄音錄影資料、幻燈片、電影片、投影片……等。如果儀器之操作委由讀者（學生或一般老師）自行操作時，各項軟體應以「備份」提供使用，以免損及原件而無法補救，在錄音帶、錄影帶之欣賞，宜用「放音機、放影機」，以防原帶因按錯鍵鈕而消失（洗除），幻燈片應於各片以鉛筆編上號碼，以便散落時方便重排，電影片則宜注意齒孔之保護，萬一「斷片」應立即接妥，投影片亦宜編號裝入透明塑膠袋中，以備下次他人使用時方便。這些以「強烈燈光」輔助的軟體，在使用時，宜特別注意，在使用中不可移動，以免因震動過巨而使燈泡損壞。至於這些軟體均不宜直接照射陽光，不可太潮又不可太乾，應置於陰涼而通風處，且不宜擠壓。錄音帶、錄影帶、電影片等用畢應「倒片」歸零，而幻燈片、投影片則應把順序依編號排好。

2.立體資料：俗稱「教具」，它在國民中小學圖書館中佔有相當大的比例，且規格大小不一，佔用極大之空間，大部份的學校另置一室。這些資料的使用率極高，破損率亦高，維護困難，破損修補不易，通常小部份之破損可自行修補，情況嚴重時則請原廠商前來保養修復，否則報廢重購新品。

在整體來說，圖書館內宜注意「通風」，不宜「潮濕」亦不宜過於「乾燥」，避免日光直接照射，可保持較長的使用年限，而「防火」亦為圖書館重要工作之一，一般圖書館均忽略它，這些資料不但「怕火」同時「怕水」，因此除了盡量避免置於「地下室」之外，消防滅火之材料以「乾粉滅火器」為佳。

為了圖書資料的安全，「食物」不可進入圖書館，一定要教育學童不把食物携入館內，因為有了食物，將遭「蟲、鼠」之害，且容易發霉、腐爛而生細菌，危害健康，假如經費許可，每年（至多五年）應將圖書資料「消毒」乙次，一則蟲、鼠遁形，二則細菌消滅，可延圖書資料之使用年限，亦保讀者之健康。

三　典　藏

目前各國民中小學圖書館均採「開架」服務，因此，典藏之方式就直接影響了讀者的利用，爲使「每一讀者有其資料，每一資料亦有其讀者」。所以，如何使讀者與館員均方便利用與管理館藏，就是「典藏」的主要課題。

雖然國民中小學圖書館的館藏量被一般人認爲不大，但其資料類型之繁雜却爲各型圖書館之冠，爲達「便於利用與管理」，必先有良好的典藏政策，方足以負此重任。

㈠排架：排架的主要目的在於資料媒體有其「固定之位置」，讀者與館員可依一定的法則，很快的找到，達到方便利用與服務之目的。但是館中的圖書、小册子、視聽媒體、立體資料……各形各樣，如何排列，甚爲頭痛。通常採下列二種方式：

1.依資料類型分開排架：即圖書資料、錄音資料、錄影資料、唱片、電影片、幻燈片、立體資料各自獨立一區，然後再依「索書號」排架，讀者欲找那一資料，就到那一區去查，這種方式在使用與管理上均稱便利，但是，若某一資料在本館之蒐集有圖書、錄影帶、影片與幻燈片時，因分置各區，將會使讀者「遺漏」，對資料利用之完整性來說是一缺點。

2.全部資料合併統一排架：即不論資料媒體之類型、體積大小，一律依索書號排架。因此，所有同一類之各型資料均集於一處，對於讀者利用來說達到「即類以求」之目的，但是，排架上却困難重重，因各類型媒體之外形、體不同，必需以最高、最廣、最厚之媒體爲設計書架之高、廣、深，甚至無法預測將有多大的資料可能進館。因此空間上浪費太大，同時因大小形狀不一混置，在清潔、維護與管理上均較困難。

不論以何法排架，均以「索書號」為依據，即先依「分類號」之大小，由小排到大，如分類號相同時，再依「著者號」之大小排，亦由小排到大。若「分類號、著者號」均相同，則依「作品號」、「部册號」、「年次號」……等順序排列。

各種資料於依序排架時，常發現「特殊資料」，其型體不一，如「錄音資料」、「錄影資料」，我們可以把它可裝盒製，一盒裝數個錄音帶或錄影帶，其盒如一般書大小，排架時如同一般書排入。但有些高廣特殊的資料，則可另置一架，於「排架目錄」中註明，若為「開架」服務，則公用目錄亦應加註，若有「參考室」、「閱覽室」、「書庫」等之分時，則亦於目錄中加註，以備讀者利用與館員服務及清點時較為方便。

㈡ 清點：圖書資料媒體之清點工作以於寒假與暑假進行為佳，這時學生放假，使用率降低，而學校行政人員與技工友仍須到校上班，工作起來較易。

清點之目的在於查出那些資料媒體「遺失」或「失踪」⑯，同時也查出那些是不堪使用而需報廢者。所以，為使圖書館的機能正常，應即時淘汰無法利用之資料，以免佔據空間，影響館藏之發展，更應删除無效之資料，增藏有用之資料，提供更好的服務。

清點工作之進行，最好二人一組，一人持排架目錄（如未備排架目錄，則可以分類目錄代替），一人讀架，若發現有書無卡，即立即以空白卡將書名、著者、索書號以鉛筆書寫或劃記於目錄中，如發現「有卡無書」，則把卡片立插待查，如有不堪使用者，則將卡片抽出，夾於書中，並露出一半，待清點完畢，集中造册，報廢。

㈢ 查禁書刊：一般說來，查禁之書刊大部份為政論性者較多，國民小學圖書館甚少碰到；但碰到時，依禁令通知，查檢「目錄」、造冊、會人事室㈡簽證，將資料與卡片一同「封存」。禁止流通，封條上除蓋上各有關印章外，並註明清冊編號，待解禁後恢復流通。

雖然近二十年來查禁之資料以「期刊」為多，然而我們也不得不注意。

不論是報廢、查禁之資料，其繕寫之清冊應妥為保存，並列入移交資料。

㈣ 撤架：雖然依財產管理辦法規定圖書使用年限為五年，但是，有些已逾五年仍未損毀，而且內容尚能適應時宜，可繼續使用，如大部份之字辭典、百科全書。有些則因新知識之創造與發明，對舊有觀念或理論業已改變（以科技類較多，考古類亦常如此），必需把不合時宜之書籍資料先行「撤架」，以免資料之錯誤而使「知識誤導」，在「教育的立場」這是應予十分注意的。

附註

❶詳王振鵠編著：學校圖書館（台中：東海大學圖書館，民國五十年），第四章第二節。

❷這是一八六七年，美國圖書館協會（American Library Association）在費城召開成立大會時，杜威為這一新成立的圖書館專業組織所擬訂的一條口號，作為圖書館選擇圖書與服務的最高準則。

❸詳王振鵠撰：「論全面發展圖書館事業之途徑」，教育資料科學月刊第四卷四期（民國六十一年十月），頁三。

❹詳Fargo,Lucile F., The Library in the School.(Chicago: A.L.A.,1947.) pp.149-173。

❺詳賈馥茗著：教育概論（台北：五南圖書出版公司，民國六十九年），頁八十五。

❻詳方炳林著：教學原理（台北：教育文物出版社，民國六十八年），頁一〇六～一〇七。

❼詳蘇國榮撰：「如何實施『兒童圖書館利用』教育」，台灣教育第三九〇期（民國七十二年六月），頁卅一。

❽詳教育部國民教育司編，國民小學課程標準（台北：正中書局，民國六十五年），民國六十四年八月頒布。

❾同註(8)，頁一五七～一六六。

❿詳張錦郎編著：中文參考用書指引（台北：文史哲出版社，民國六十九年），頁九。

⓫詳中華書局編輯部編：辭海（台北：編者，民國四十八年），頁五〇五。

⓬詳李文清著：小學圖書館之經營與利用（台北：台北市立師專，民六十六年），頁五〇。

⓭詳同⓬，頁五十二。

⓮詳同❽，頁九〇～九一。

⓯詳童尚經撰：「新型童話」，中央日報（民國五十三年四月四日副刊）。

⑯ 詳朱傳譽撰：「什麼叫童話」，中央日報（民國五十三年二月十日副刊）。

⑰ 詳陳海泓撰：「小學圖書館圖書選擇之探討」，台南師專學報第一五期（民國七十一年六月），頁一二一。

⑱ 詳同⑧，頁九一。

⑲ 詳同⑰，頁一二三。

⑳ 林海音撰：鄭明進輯圖（台北：台灣省教育廳，民國六十五年），（中華兒童叢書）

㉑ 阮毅成著：上有天堂下有蘇杭（台北：商務，民國五十四年），（全知少年文庫：第二輯第⑨／1）。

㉒ 王維梅撰：鄭明進圖，故宮一日遊（台北：將軍出版公司，民國六十五年），（新一代兒童益智叢書）。

㉓ 李愛梅撰：李愛梅的日記（台北：國語日報社，民國六十六年）。

㉔ 蘇尚耀著：好孩子生活週記（台北永和，著者，民國四十八年）。

㉕ 國語日報出版部編，一年的日記（台北：編者，民國七十一年）。

㉖ 詳同⑰，頁一二一。

㉗ 詳同⑧，頁九二。

㉘ 詳章以鼎撰：「兒童讀物的認識與選擇」，國立中央圖書館刊新十一卷第一期（民國六十七年六月），頁六七。

㉙ 如，林武憲撰：我來說你來猜（台北：台灣書店，民國六十八年）（中華兒童叢書）；林樹嶺編撰：聯想式國小兒童猜謎語（台南：金橋出版社，民國七十二年）；浩堅編撰；解華圖：推理畫謎（香港：雅花出版社，民國七十二年）。

㉚ 如台灣省教育廳兒童讀物編輯小組編，水晶宮（兒童歌舞劇）（台北：編者，民國六十九年），（中華兒童叢書），香港小童群益會導師編，童話劇集（香港：編者，民國六十八年）。

㉛ 詳同⑩，頁一八一。

㉜ 中華民國雜誌事業協會，國立中央圖書館編印：紀念先總統　蔣公百年誕辰全國雜誌展覽目錄（台北：編者，

民國七十五年十一月八日）。

㉝ 詳國立編譯館主編：師範專科學校視聽教育（台北：正中書局，民國七〇年），頁八～九。

㉞ 詳王振鵠撰：「圖書館與圖書館學」，圖書館學（台北：台灣學生書局，民國六十九年），頁八〇～八一。

㉟ 詳沈寶環著：西文參考書指南（Guide To Western Reference Books by Harris B.H. Seng）（台中：東海大學，民國五十五年），頁九～一七。

㊱ 所謂「類書」：辭海云：捃摭群書，以類相從，便於檢閱之書曰類書。辭源曰：採輯群書，或以類分，或以字分，以便尋檢之用者，是爲類書。而鄧嗣禹在燕京大學目錄初稿類書之部序上云……介乎雜家小說與總集之間，撏撦群書，囊括衆體，或分門別類，或以韻排，或以數目爲綱，或以無類可歸者，皆列入類書，以備一己之遺忘，供他人之參閱，作典章制度之資料也。總而言之，類書者，取材於古籍，而以一定之排列順序，或以類、以韻、以字排比，不加注意見，而專供查檢之用者。如古今圖書集成，淵鑑類承，佩文韻府，駢字類編，格致鏡原，藝文類聚，永樂大典，初學記……等均是。

㊲ 所謂「索引」，在百科全書常用的有「條目索引」，而條目索引又有「筆順索引」、「筆畫索引」、「注音索引」、「分類索引」之分，這些都是爲了查檢某一「條目」方便而設的，另有「分析索引」，它將書中各種有關的條目、名詞及文中提到的相關資料歸納到一起，並標明在書中的位置（冊次、頁數），便於讀者查檢書中任何主題的各種有關資料。「互見」則以「參見」的方式，把書中有關的條目連繫起來。

㊳ 李畊撰：「試談兒童讀物的標準」，「小學生」創刊十四週年紀念特輯——兒童讀物研究（台北市：小學生畫刊雜誌社，民國五十四年），頁七～二〇。

㊴ 詳蘇國榮撰：台北市國民教育輔導團國小圖書館輔導小組簡介，中國圖書館學會會報第卅六期（民國七十三年十二月），頁廿一～廿七及台北市教育局編：市立國民小學資本支出（教學設備）分析表（台北市：編者，民國七十五年）。

㊵ 詳行政院研考會編：中華民國政府機關出版品目錄（分定期與不定期出版兩部份）（台北市：正中，民國七

十一年）。

㊶ 索贈函如附件。

㊷ 謝函如附件。

敬啓者：玆諗
貴社出版　　，內容精闢，極富參考
價値，特此函請　寄贈乙份以供本校師生
閱覽，如蒙惠允，無任感荷！
此致
圖書館　敬啓
年　月　日

敬啓者：頃承
惠贈佳籍，深紉厚意，除登記編目妥為
珍藏以供閱覽外，謹此申謝。今後如蒙源源
分溉，尤為感荷。
此致
圖書館　敬啓
年　月　日

㊸ 其紀念章內容爲「此書係×××××所捐贈，特此銘謝並誌紀念」。

㊹ 感謝狀如附件。

㊺ 詳藍乾章撰：圖書館行政（台北市：五南圖書公司，民國七十一年），頁一一四。

㊻ 機關營繕工程及購置定製變賣財物稽察條例，於民國六十一年五月廿六日總統令修正公佈。

㊼ 所有招標程序，依行政院所屬機關學校營繕工程暨購置定製變賣財物稽察條例辦理。

㊽ 詳卓玉聰撰：視聽資料室的功能與設計，視聽資料管理研討會論文集（台北市，中國圖書館學會，民國七十五年），頁一～一八。

㊾ 如：A、Catalog of Britannica Films / Video。Chicago, Encyclopedia Britannica Educational Corporation。

B、Education Guide to Free Social Studies Materials。Compiled & ed。by Patricia H。Suttles & William H。Hertley。Wis., Randolph, Educators Progress Service, 1976-

C、Educational Film Locator of the Consortium of University Film Centers, 2d。ed. New York, R.R. Bowker Company, 1985。

D、Educators Guode to Free Health, Physical Education and Recreation Materials。Compiled and ed. by Foley A。Horkheimer。Wis., Randolph Educators Progress Servics, 1976.

E、Feature Films on 8mm, 16mm, and Videotape : a Directory of Feature Films Available for Rental, Sale and Lease in the U.S.A。Cop. Cop. ed。by James L。Llmbacher. 6th ed。New York, R.R。Bowker Company, 1979。

F、Library of Congress Catalogs: Film and other Materials for Projection. Washington, D. C., L.C. 1973-

G、World A.V. Programme Directory (micr form). London & New York。The Videofilm Center, 1979-

㊿ 詳見第八十七頁所附推介單。

51 台北市教育局自民國七十一年至七十六年度間業已撥出四六、五七二、六〇〇元之預算供台北市各國民小學充實視聽器材，詳見台北市教育局編：市立國民小學資本支出（教學設備）分析表，七十一～七十六年度）。

52 詳蘇國榮撰：學校教學廣播電台芻議，視聽教育雙月刊第二十三卷第五期（民國七十一年四月），頁二一～三。

53 例如：

```
M 647   院轄台北市街圖[地圖] / 大興出版社.--
4077        比例尺 1:25000.-- 台北市 : 大興出版
            社, 民72
            1 幅地圖 : 彩色 ; 80x54公分
            (平裝)

80744       I.大興出版社  II.俞曉佩
```

```
T 162   孝的故事, 扇席溫被[錄影資料] / 華廣傳
4400        播公司監製 ; 俞曉佩製作.-- 初版.--
            台北市 : 中視, 民71
            1 捲卡式帶(VHS) (約25分) : 有聲, 彩
        色 ; 1/2吋
            (平裝)

07062       I.華廣傳播公司  II.俞曉佩
```

```
K 394   人體的穴道[模型] / 永光儀器行製.-- 初
3090        版.-- 台北市 : 製者, 民73
            1 件模型 : 合成樹脂, 白色 ; 置於36x12
        x6公分盒內 +使用手冊(6面;18公分)
            (平裝)

40312       III. 永光儀器行
```

```
AR 833  二十四孝的故事[錄音資料] / 張大雄編劇
1144        .-- 初版.-- 台北市 : 麗歌, 民73
            4 捲卡式帶(約240分 ) ; 1 7/8 吋, 單
        聲道＋故事集(186面 : 彩圖 ; 18x23 公分)
        .--(中國民間故事 ; 3 )
            (平裝)

06744       I.張大雄
```

㊹ 詳蘇國榮撰：國民小學圖書館經營之研究（台北市：撰者，民國七十六年），頁五十五。

㊺ 詳鄭含光撰：「當前我國小學圖書館在經營上問題之探討」，教師之友第二十七卷第四期（民國七十五年十月），頁三～六。

㊻ 國民教育法施行細則於民國七十一年七月七日台(71)參字第二三〇一一號令發布，刊教育部公報第九一期第四～八頁。

㊼ 所謂「小小圖書館員」，即由高年級各班選出或推荐較優秀同學，前來圖書館協助圖書教師處理館務者，亦有稱「圖書館服務員」。

㊽ 所謂「外聘」，即以「特別」的經費，如捐款、家長會費、合作社盈餘、學生活動費…；來聘請校外（編制外）之人員來校辦理業務。

㊾ 樣片即事先寫好的那張標準的目錄卡片。

㊿ 目前各圖書館的西文書大都有標題片，中文書因中文標題表尚未訂妥，故各館普遍未設標題片，但國立中央圖書館目前已依「中文圖書標題總目初稿」而編製了「中文圖書標題片」。

(61) 詳吳哲夫、鄭恆雄、雷叔雲合著，圖書與圖書館利用法（台北市：行政院文化建設委員會編印，民國七十三年），頁九〇。

(62) 中國編目規則，圖書館自動化作業規劃委員會中國編目規則研訂小組編（國立中央圖書館印行，民國七十二年），一九九頁。

(63) 詳同註(62)，頁五～九，卅一～卅三、四三～四四，六一～六二，七二～七三，八七，九七～九八，一〇九～一一〇，一二一，一三四，一五二，一六二。

(64) 詳同註(62)，頁九～一二，卅三，四五，七三，八八，九八～九九，一一〇，一二二，一三五，一五三，一六三。

(65) 詳同註(62)，頁一二～一三，卅四，四五～四九，七三～七四，八八～八九，九九，一一一，一二二，一三五，一四六～一四八，一五三～一五四，一六三。

66 詳同註62，頁一三～一八，三四～三五，四九～五一，六六～六七，七六～七八，八九～九〇，九九～一〇一，一一一～一一二，一二三～一二四，一四八，一五四～一五五，一六三～一六四。

67 詳同註62，頁一八～廿三，卅五～四〇，五〇～五二，六六～六七，七八～八一，九〇～九二，一〇一～一〇四，一一二～一一五，一二四～一二九，一三七～一三九，一四八～一四九，一五五～一五七。

68 詳同註62，頁廿三～廿九，四〇，五二～六〇，六八～七〇，八一～八四，九二～九五，一〇四～一〇七，一一五～一一九，一二九～一三三，一三九～一四一，一四九～一五〇，一五七～一六〇。

69 詳同註62，頁一二九，四〇～四一。

70 詳蘇國榮撰，「淺談『分、編』二三事」，台灣教育輔導月刊第卅六卷五期（民國七十五年五月），頁一八～廿一。

71 詳鄭含光撰：「當前我國小學圖書館在經營上問題之探討」，教師之友第廿七卷第四期(民國七十五年十月)，頁三～六。

72 筆者從事「國民教育輔導團國小圖書館輔導小組」到各國民小學輔導訪問時，經常碰到這種問題，經調查目前有59.6％國小圖書館仍使用「目錄卡片」，有12.12 ％未編目者無卡片。

73 詳同註62。

74 詳國立中央圖書館編訂，國立中央圖書館中文圖書編目規劃（台北：編者，民三十五年初版，民四十八年增訂修正版，民六十八年重印）。

75 英美編目規則第二版即Anglo-American cataloguing rule 2d. ed. Chicago : American Library Association. 1978.

76 詳同註62，頁I（序言）。

77 詳盧荷生撰，「我所了解的『中國編目規則』」，中國圖書館學會會報第卅三期（民國七十年十二月），頁一三～一六，及吳明德撰，「從編目自動化看『中國編目規則』」，中國圖書館學會會報第卅三期（民國七〇年十二月），頁一七～廿三。

78 中國編目規則包括總則、圖書、連續性出版品、善本圖書、地圖資料、樂譜、錄音資料、電影片及錄影資料、靜畫資料、立體資料、拓片、縮影資料、機讀資料檔等各種資料媒體的著錄說明。

79 詳同註62，頁六～九。

80 詳同註62，頁九～一二。

81 詳同註62，頁一二～一三。

82 詳同註62，頁一三～一八。

83 權威檔係圖書館為業務上（編目與分類）需要，對於某些資料名稱或題名、著者、地名……之譯名，編號……等，因有重複使用之機會，為求一致，而免前後不一所建立之「存檔」，日後如出現同一項目或同一名詞、其譯法、編號、或名稱均以「檔」中所建立者為準，因此「檔」於「館內」具有其「權威」，因而稱為該館之「權威檔」。

84 詳同註62，頁一五。

85 詳同註62，頁一六。

86 「面葉數」，以現代印刷裝訂之圖書資料，大部份雙面印刷，並編印頁碼，這類圖書資料，著錄其「面」數，卽所編之頁碼，我國古代印刷之圖書，大部份為單面印刷，而「葉碼」編於版心，為有所分別，故載以「葉數」。因此，有「面」、「葉」之別。

87 詳同註62，頁廿九。

88 詳同註62，頁四二～五〇。

89 詳同註62，頁七一～八五。

90 詳同註62，頁八六～九五。

91 詳同註62，頁九六～一〇七。
92 詳同註62，頁一〇八～一一九。
93 詳同註62，頁一二〇～一三二。
94 詳同註62，頁一三三～一四二。
95 詳同註62，頁一五一～一六〇。
96 詳同註62，頁一六一～一七〇。
97 詳林孟眞撰，「兒童圖書館（室）分類系統之商榷」，兒童圖書館研討會實錄（台北，國立台灣師範大學圖書館編印，民國七十二年），頁八二～八三。
98 詳賴永詳編訂，中國圖書分類法（台北，編訂者印行，民國七十年增訂六版）。
99 詳同註28，頁五十二。
100 詳宋朱熹集註，四書集注，論語下衛靈公第十五，（台北，學海出版社，民國七十一年），頁一〇七。
101 詳同註30，孟子卷四，離婁上，頁九五。
102 如台北市立圖書館編印，兒童圖書目錄（第一輯）（台北，編印者，民國七十三年）、國立中央圖書館台灣分館編輯，全國兒童圖書目錄續編（台北，中央文化工作會文藝資料研究及服務中心印行，民國七十三年）。
103 如：行政院研考會編：中華民國政府出版品展覽展出國書目錄（台北市，編者，民國七十四年），國立中央圖書館編，中華民國圖書出版目錄（台北，編者，月刊）。
104 如：薛文郎，圖書館參考服務之理論與實務（台北，國立中央圖書館台灣分館，民國六十四年），張錦郎編著，中文參考用書指引（台北，文史哲出版社，民國七十一年增訂）。
105 「助記符號」，如參考用書以「參」字或「△」標記於「分類號」之上端，電影片與錄影帶以「影」或「T」……等，各館可依其需要詳予訂定，但決定後必須註記於館員所用之「分類法」及圖書館公告之「分類法」說明牌示上，一則館員分編時不致疏忽，二來讀者一看便知。

106 「重號」者，同一著者所作同一類書，其分類號與著者號必同，則可以「脚碼」分辨，如蔡明秀譯之三隻小豬的故事、蛙王子、小兄妹……這些書以國民學校暫行分類法編入893，以四角號碼取著者號爲4462則「則若干本均同號，難以辨別，可於著者號4462加注脚碼如4462-1、4462-2、4462-3……如係不同著者所著同類書，但著者號雷同，則又現重號，如陳德芳改寫，魔毯阿布吉兒和阿布修兒（台北，光復，民六十九）和陳俊雄文，鄭振耀圖，中國民間童話（台中、華仁、民七十二）二書，均爲884，7524，則可將著者號取脚碼，但應與同著者之脚碼相異，故可以羅馬數字爲脚碼如7524-I，7524-II，7524-III……如此則可分辨，用小數點法亦可，不同著者之脚碼應列入「權威檔」，以免錯誤而混淆。

107 各館均有其「特長」，而「分類法」則僅爲適應大衆需要，顧到「普遍性」，對特殊之蒐藏無法詳列，故各館宜注意。

108 詳杜定友著：學校圖書館學（上海、商務、民國廿四年），頁一一六～一二四，著者號碼表。

109 印題名（書名）、著者、版次、出版地、出版者、出版年、面葉數、圖表、高廣、附隨資料、叢書項…等。

110 如附圖：

308　沙漠的成因／夏元瑜主編．－
1011　－臺北：明統，民76
v27　61面：彩圖；20公分．－
　－（兒童的自然科學小百科）
0791　定價 500元（平裝）

⑪ 即書名片、分類片、著者片、標題片。

⑫ 將「兒童讀物」列入消耗用品「不定期刊物」項下之規定，見行政院主計處76、11、25，台(76)處孝五字第〇八四三四號函。

⑬ 損耗率：依台北市政府73、11、14(73)府教四字第四六五九二號函核准之台北市立圖書館藏書管理要點第五款規定：

「普通書列入開架供閱，經定期清點而發生損耗時，每月得在千分之二範圍內核實報銷。」

故圖書因開架閱覽而造成之「損耗」，得以「千分之二」之比例核銷，謂之「損耗率」。

⑭ 視聽媒體：一般指「狹義」之視聽資料，即指需藉特殊器材輔助方得利用之資料，如電影片、幻燈片、縮影片……等。

⑮ 立體資料：泛稱之爲教具，動植礦物之標本、各種地理模型、人體模型、沙盤、三角板、竹木尺……等，依一定比例製成之各種資料，與實物近似，可以用視、觸覺來幫助學習者。

⑯ 所謂「失踪」，指一般圖書因讀者「錯置」而使書籍未能「歸架」，致使「讀者」或「館員」找不到它，但於一段時間之後，可能又發現了。確實未曾遺失，通常爲「讀者」喜愛此書，一時未看畢，又無充分時間，故「暫藏」館中某處，欲待下次進館時繼續看，但因時間久或他事而遺忘了，使「它」無法「歸架」。

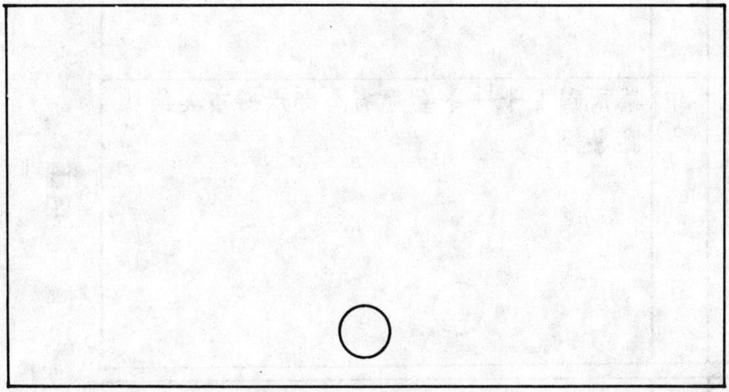

圖一

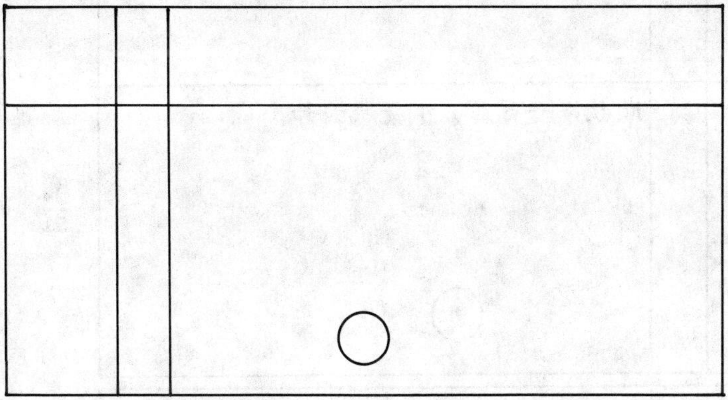

圖二

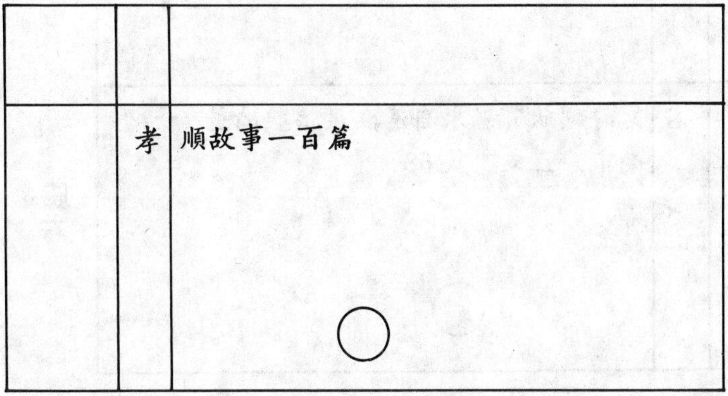

圖三

中華民國七十一年臺灣省南部六縣市美術比
賽專輯

圖四

孝順故事一百篇／于慶城編著

圖五

名家詩詞欣賞／朱自清，孟浩然編著 .-- 臺
南市：立文，民68

圖六

有 趣的自然科學／姜義鎮等著 .-- 臺北市：
國語書店，民 70

圖七

西 遊記／（明）吳承恩著；王蘊純改寫 .--
臺北市：東方，民 72

圖八

史 前動物圖鑑：恐龍的故事 .-- 臺北市：武
陵，民？

圖九

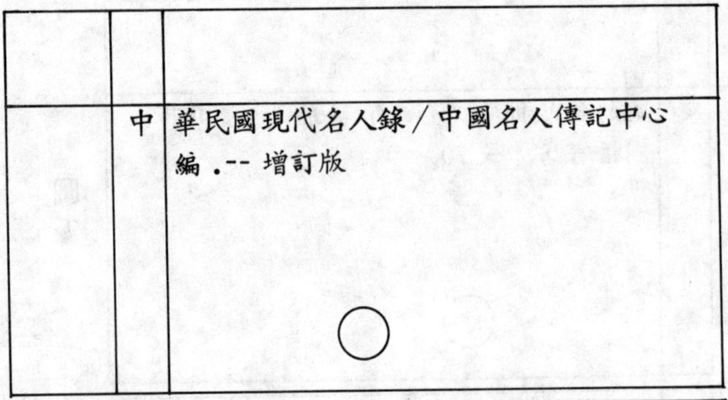
中華民國現代名人錄/中國名人傳記中心
編.-- 增訂版

圖十

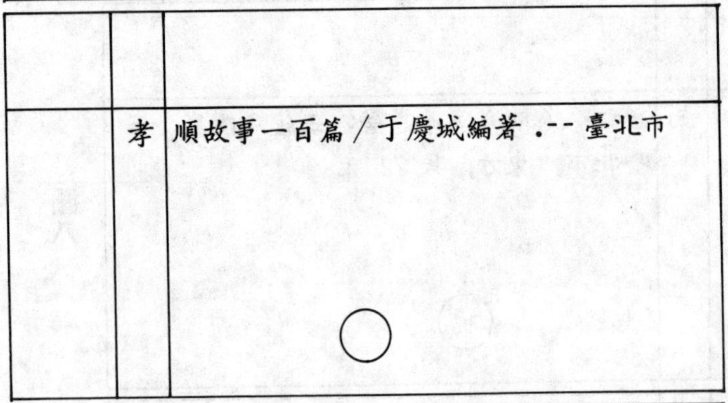
孝順故事一百篇/于慶城編著.-- 臺北市

圖十一

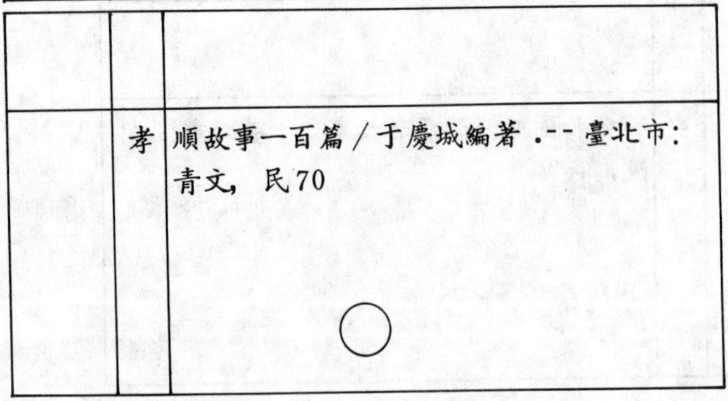
孝順故事一百篇/于慶城編著.-- 臺北市:
青文, 民70

圖十二

愛 的日記／三浦綾子著；朱佩蘭譯 .-- 十
版 .-- 臺北市：道聲出版：聯合圖書總經
銷，民73

圖十三

孩 子的心／邵僩著 .-- 臺北布：爾雅，民73
〔 5 〕，226 面：圖；19公分

圖十四

第 一屆亞洲族譜學術研討會會議紀錄／聯合
報文化基金會國學文獻館編 .-- 臺北市：
編者出版：聯經發行，民73
〔 448 〕面：圖，表；22公分

圖十五

實用日語讀本／國際學友會日本語學校著.--
基礎版 .-- 臺北市：統一文化出版社，
〔民？〕
171 面：圖； 22 公分＋錄音帶二捲

圖十六

中國歷代女傑／澎湃等著 .-- 八版 .-- 臺北
市：江山，民 73
〔 9 〕， 443 面； 19 公分

圖十七

小仙童漫遊記／中村都夢設計；許朝雄譯 .--
臺北市：民生報社出版：聯經總經銷，民
72
1 冊：彩圖； 21 公分

圖十八—一

教育愛／臺北市政府教育局編 .-- 臺北市：編者，民 69-73
5 册：部分彩圖；22 公分

圖十八—二

中國童話／漢聲雜誌社編寫、繪圖 .-- 六版 .-- 臺北市：英文漢聲出版公司發行：臺灣英文雜誌社經銷，民 72
12 册：彩圖；32 公分 .--（漢聲兒童叢書）

圖十九

童詩五家／林良等著 .-- 臺北市：爾雅，民 74
〔9〕，195 面：圖；19 公分 .--（爾雅叢書；164）

圖二十

圖二十一

	教	育愛/臺北市政府教育局編 .-- 臺北市: 編者, 民69-73 5冊: 部份彩圖; 22公分 附: 臺北市政府教育局編輯教育愛實施要
	點	

圖二十二

859.8 876	童	詩五家/林良等著 .-- 臺北市: 爾雅, 民 74 〔9〕, 195面: 圖; 19公分 .--(爾
	雅	叢書; 164)

圖二十三

859.8 8243 V.1-12	中	國童話/漢聲雜誌社編寫. 繪圖 .-- 六 版 .-- 臺北市: 英文漢聲出版公司發行: 臺灣英文雜誌社經銷, 民72 12冊: 彩圖; 32公分 .--(漢聲兒童叢
	書	)

圖二十四

859.8	童	詩五家／林良等著 .-- 臺北市：爾雅，民 74
876		〔 9 〕，195 面：圖；19 公分 .--（爾
	雅	叢書；164 ）
004312		

圖二十五

	中	央日報／中央日報社 .-- 航空版 .-- 臺北市：中央日報社，民 —
		冊；58 × 40 公分

圖二十六

	國	教月刊／國教月刊社編 .-- 第1 卷第1
876		期（民 40 年 9月）— 第　卷第　期
		（民　年　月） .-- 臺北市：編者，民
876		40 —
		冊；26公分
876	期	館藏自第 25 卷第 1 期起，缺第 32 卷第 4,8，
		原為季刊，自 1 卷 8 期起改為月刊

國　立中央圖書館館訊／國立中央圖書館編
　.--第1卷第1期(民67年4月)— 第
　卷第　期(民　年　月)=丨期— 期
　.-- 臺北市：編者，民67—
　　冊：圖；27公分
　季刊

圖二十七

臺　灣の山林／臺灣山林會編 .-- 第 1 號
　(昭和　年　月〔民　年　月〕)—
　第200號(昭和17年12月〔民　年12
　月〕).-- 臺北市：編者，昭和-17〔民 -31〕
　10冊；27公分
　館藏缺第1--79期
　(日文)

圖二十八

院　轄臺北市街圖／大輿出版社 .-- 比例尺
　〔1:25000〕.-- 臺北市：大輿出版社，
　民72
　1幅地圖：彩色；80 × 54

圖二十九

	二 聲	十四孝的故事〔錄音資料〕／張大雄編 劇 .-- 臺北市: 麗歌, 民73 4捲卡式帶(約240分)$1\frac{7}{8}$吋／秒, 單 道十故事集186面: 彩圖; 18 × 23公分 ○

圖三十

	二 單 分	十四孝的故事〔錄音資料〕／張大雄編 劇 .-- 臺北市: 麗歌, 民73 4捲卡式帶(約240分): $1\frac{7}{8}$吋／秒, 聲道十故事集(86面: 彩圖; 18 × 23公) .--(中國民間故事; 3)

圖三十一

	愛	麗絲夢遊仙境〔錄影資料〕／Walt Disney 著作; Ben Sharpteem 製作; Clyde Geromimi 導演; Milt Kahl 動畫攝影 .-- Santa Monica, Calit.: RKO Eedio Pictures; 臺 北市: 標緻, 民73 1捲卡式帶(約90分): 有聲, 彩色; $\frac{3}{4}$ 吋

圖三十二

雨的形成〔透明圖片〕/國立臺灣科學教育館編製 .-- 臺北市: 繪製者, 民73
1份透明圖片(5層): 彩色; 26 × 22 公分,
國小高年級適用

圖三十三

人體的穴道〔模型〕/永光儀器行製 .-- 臺北市: 製者, 民73
1件模型: 合成樹脂, 白色: 置於36 × 12 × 6公分盒內+使用手册(6面; 18公分)

圖三十四

人文月刊〔縮影資料〕/人文月刊社編 .-- 第1卷第1期(民19年2月)—第8卷第10期(民26年12月) .-- 臺北市: 中國縮影, 民73
1捲盤式片: 負片, 圖: 35糎
高倍數

圖三十五

		朱自清，孟浩然編著
	名	家詩詞欣賞／朱自清，孟浩然編著 .-- 臺南市：立文，民68

圖三十六

		孟浩然，朱自清編著
	名	家詩詞欣賞／朱自清，孟浩然編著 .-- 臺北市：立文，民68

圖三十七

622 8343 V1-2	前 年	後漢／馬景賢著；吳昊繪圖 .-- 臺北市：東方，民74 2冊：部份彩圖；22公分 .--（東方少歷史叢書；2）

圖三十八

874.59	烟	盒子的秘密/(美)約翰·麥康特原作 .--
856		華新初版 .-- 臺北市: 東方, 民73
		239面: 圖; 19公分 .--(世界推理小說
	名	作; 2)

圖三十九

874.59	愛	貓的孩子/(美)尼維撰;黃驤譯 .-- 臺北
856-Ⅱ		市:國語日報, 民67
		305面; 22公分

圖四十

058.2	中	華民國年鑑/中華民國年鑑社編輯 .-- 臺
8673		北市: 正中, 民70
70		〔20〕, 990面: 圖, 像, 表; 27公分

圖四十一

859.8 876 C_2	童 叢	詩五家／林良等著 .-- 臺北市: 爾雅, 民 74 〔 9 〕, 195 面: 圖; 19 公分 .-- 爾雅 書; 164)

圖四十二

622 8343 V1-2 C_2	前 年	後漢／馬景賢著; 吳昊繪圖 .-- 臺北市: 東方, 民 74 2 冊: 部份彩圖; 22 公分 .-- (東方少 歷史叢書; 2)

圖四十三

622 8343 V1-2 000432 000502	前 年	後漢／馬景賢著; 吳昊繪圖 .-- 臺北市: 東方, 民 74 2 冊: 部份彩圖; 22 公分 .-- (東方少 歷史叢書; 2)

圖四十四

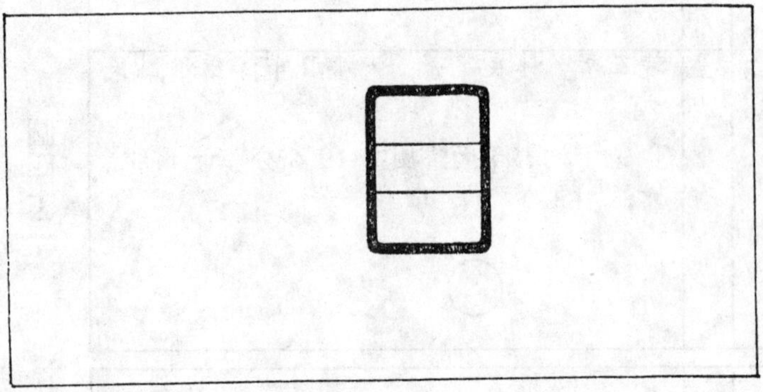

圖四十五

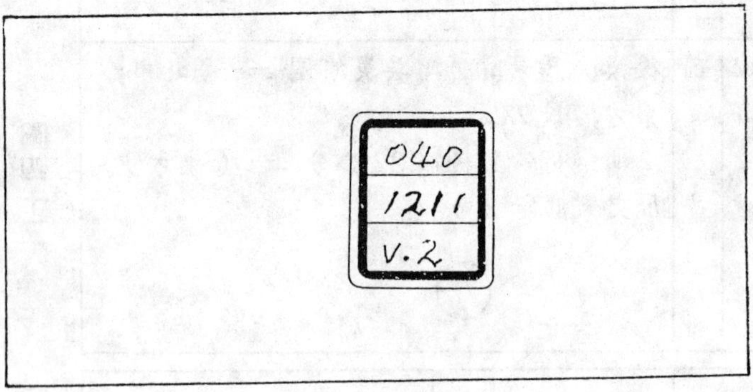

圖四十六

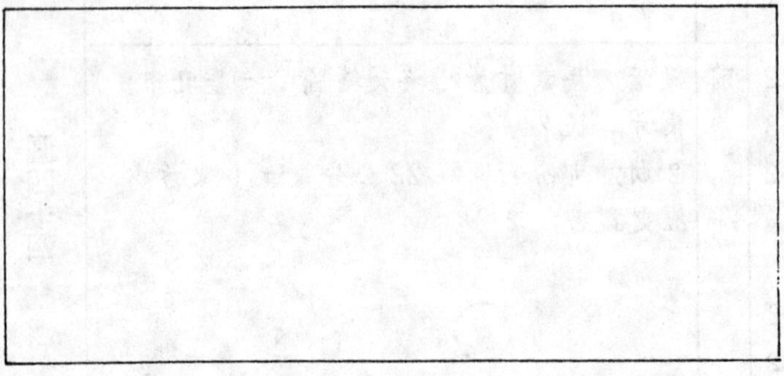

第四章　讀者服務

一個寬廣舒適的館舍，加以豐富的館藏，實爲一個圖書館重要的條件，而這些豐富的館藏能爲讀者所充分利用，才是圖書館功能的發揮。

館舍的建築，館藏的徵集、整理，均爲達成服務讀者所準備。易言之，這些豐富的資料媒體，必須經由館員利用其專業知識與服務熱誠，提供、推介給讀者，而發揮潛藏於資料媒體中之力量與功能，館員所承擔的角色，如同舞臺上的演出者，講臺上的演講者；但是後臺的準備再充分，講稿詞句再美，內容再充實，演出者失常，講演的人口齒不清，那麼，準備工作再好也無濟於事了。所以，讀者服務工作的成敗，決定了圖書館的前途，尤其是國小圖書館，如果負責的老師態度不佳，熱誠不足，很可能把小讀者嚇跑了，而且，影響了他一生的閱覽與研究意願。所以，我們的工作，非但要做好一般的讀者服務，更要啓發、導引這些小讀者，使他將來成爲善用圖書館的座上客。

第一節　閱覽與流通

閱覽工作是所有圖書館服務讀者的基本項目，它是讀者與資料相互間不可或缺的橋樑，縮短了館藏與讀者間的距離，溝通資料與讀者間的關係❶。如果這項工作良好，則豐富的館藏必將輕易且完整地爲讀者所利用，發揮其價值，而圓滿達成圖書館的任務。同時，讀者欲想在浩翰無邊的知識領域中，尋找其所需要的資料，滿足其個人的研究或消遣娛樂的目的，也惟有在閱覽部門的協助下纔易於達成，這也就是閱覽工作重要之所在。

在國民中小學圖書館中，閱覽工作可分下列幾點來敍述：

㈠館內閱覽：這是指僅在圖書館中，將陳列的資料媒體提供閱覽，而不外借。在臺北市各國民中小學中，僅三所學校尚未開放外，其餘均開放閱覽，而且大部份採開架方式服務，對小朋友來說，可說是一項福音，由於國小學生幼小，所以，館內閱覽工作又可分爲個別與集體閱覽之不同，分別敍述於後：

1.個別閱覽：學生或員工可以自由地利用其時間前往圖書館閱讀或查檢資料，但有部份學校因學生人數衆多，無法同時容納，不得已採限制措施，規定學生於指定日期方得進館。

2.集體閱覽：大部份的學校都排定各班集體進館閱覽之時間，同時各校圖書館閱覽席次亦有足夠一個班級學生使用之席位提供集體閱覽之需（臺北市有二校無閱覽席次）。而集體閱覽之主要工作在於圖書館利用之教學，但因缺少受過圖書館專業訓練之教師，故有五〇%的學校尙停留於自由閱覽階段，對工具書之利用指導僅佔一二%，其餘爲閱讀指導。

不論自由閱覽抑集體閱覽，理應由受過專業訓練之圖書教師指導，並以培養資料處理能力、圖書館利用能力和提昇閱讀能力為其主要施教範圍，分別敍述於後：

1.資料處理能力之培養❷：

(1)資料檢索能力：指導與訓練學生使用目錄、字、辭典、百科全書、傳記資料、地理資料、類書、索引、摘要、書本目次、視聽資料……等參考工具書之能力，瞭解各參考書之內容、性質、特性、排列組織、收錄範圍、檢索方法與使用時機，應以瞭解其編輯大意，凡例為起點，熟練其用法。

(2)資料選擇的能力：由於資料堆積如山，如何選擇最合適的資料，這就必須對於參考資料之特性先有充分的瞭解，方能把握最佳之契機，以節省寶貴之時間。

(3)資料理解能力：在平常國語科的教學中必須有充分的指導，對於文字、標點符號、語辭、語彙、文法之認識與瞭解，更對於文章段落結構的瞭解，主題，重點之把握，大意之解析與摘要之書寫均應有所認識、理解。從而指導學生自行選擇讀物，漸漸提昇其閱讀的深度，擴展閱讀範圍，進而培養其閱讀之態度、興趣與習慣。

(4)資料整理保存的能力：指導學生將閱讀、檢索所得之資料如何註記、撰寫筆記、摘要、作卡片、剪輯，進而分類、整理，以利來日應用之需。

(5)資料創造能力：指導學生在廣泛的閱讀檢索之後，能夠綜合、組織、歸納評鑑，進而創造、發表，期使獲得之資料成為有機體，發揮其功能。

2.圖書館利用指導：詳第五章，圖書館利用教育的實施。

3.閱讀指導：閱讀指導，旨在培養高尚情操與獲取更多知識，以適應未來生活。

⑴培養高尚情操：培養學生對於文學與學術作品之興趣，進而培養自動看書，擷取資料的能力；指導其於文學作品閱讀之後，對社會現象及人生觀培養正確的了解能力；擴充其思想領域，提昇其想像力；對於故事內容，瞭解情節，掌握內容；進而選擇圖書，擬定閱讀計劃，培養良好的閱讀習慣與態度。

⑵獲取更多的知識與資料：指導學生擬定計劃、蒐集特定資料，選擇、整理、保存、運用既有資料；指導學生追求更高知識的慾望與興趣；培養學生選擇圖書資料並從事研究的能力；培養其掌握重點，分辨主題，整理、保存、運用，同時把獲得之知識運用於日常生活與學習之中。

㈡外借流通：外借流通乃是館內閱覽的延長服務，目前各校限於空間的限制，沒有足夠的閱覽空間。同時，國小學生年齡幼小，放學之後又不便留校，晚間更無法利用。因此，時間不允許，空間不足，皆影響了閱覽服務之推展，因此，外借流通可彌補上項缺失，圖書資料借返家中，在自己方便的時間，在最舒適的環境下閱覽，必能收到最佳的效果。

外借的圖書也有下列兩種方式：

1.集體外借：都市或鄰近都市之學校班級數、人數多，若由學生自行前往圖書館借書，因限於僅有的下課十分鐘，找到書，排了隊，上課鐘聲已響，勢難如願以償，因而各校想出了種種的方法，以滿足學生之需求：

(1)班級借書證制：由圖書館發給各班「班級借書證」，各同學欲借書者向服務股長或學藝股長登記，下課時由服務股長持「班級借書證」向圖書館借書，館員則利用上課時間（空檔）整理該項借書置於一定位置，次節下課由服務股長到圖書館將該班欲借之書取回發給各同學閱讀，這樣可以免除下課十分鐘圖書館擁擠情形。

(2)班級文庫制：各班成立班級文庫，學期初，由班級文庫開列書單向圖書館借出一批圖書，轉借同學閱覽，一定時間之後再向圖書館轉借另一批圖書，如此循環，亦可充實班級文庫之藏書，而達閱讀之效，惟參考書仍需到圖書館閱覽查檢。

(3)借書袋或圖書箱制：由圖書館將館內複本書分裝若干箱或袋，於每箱或袋內附上該箱或袋之目錄，數量，各箱或袋亦編號，視班級之多寡而按時輪流交換閱讀，亦可收閱讀之效。

集體外借雖然可以節省時間，但是，往往因借出之種類、數量有限，未能滿足個別之需求，因此，個別借出亦有不可避免之勢，然而，若爲某一特別教學之需要而借出同一類書籍，實施教學亦甚爲方便而有效。

2.個別外借：小朋友的借書，其動機與大人不同，最初往往爲了「好奇」，甚至爲了「佔有」，即別人借我也要借，別人有我也要有的心理，動機雖不甚正確，這也是我們有利於「教學」之機會。他們的目的祇先要「有」，而不論什麼內容，所以，我們可以

「因勢利導」給予適當的導向，慢慢地，他會發現自己的興趣與愛好，而學會從事某一特定類科之閱讀，如再予以指導，則可進入「個別研究」、「專題研究」之境界，這是我們所應該注意的。然而，個別外借在圖書館本身工作上有下列的困擾：

(1)學生人數衆多，服務人員不足：許多學校因人數衆多，而館中服務人員不足，形成學生往往排了半天的隊，卻無法完成借閱與還書手續而生滋擾，甚至影響了其借閱的意願。

(2)學生大量借閱，造成館藏空虛：目前各校館藏普遍不多，如每一學生借書一冊，即有「零庫存」之感，造成讀者嫌館內閱覽圖書不足。

(3)學生外借圖書，易忘記歸還，甚至破損：學生借書興趣濃，但經常忘記歸還，不知還於何處，甚至遺失，亦偶有借回之書，爲其弟妹撕毀者，對圖書之損失甚大。

(4)學生外借之圖書，轉借他人，轉輾借出，最後找不回來，而生事端。至於爲其弟妹亂塗亂畫者更層出不窮。

然而爲了教育學生，使他養成正確的觀念與學習態度，我們不可因噎廢食，應正面來處理這些困難，因此，我們需要：

(1)發給個別之借書證：借書證爲學生借書之依據，最好每學年發一次，隔年作廢更換顏色，而且免費供應，如果在一學期或一學年中已用滿者，亦免費更換新證。

(2)加重學生的認知與責任：借書證背面印上借書規則❸，正面除印有班級、座號、姓名外，最好加印「家長姓名、住址、電話」❹，除供學生瞭解借書、還書之規定，因印有家長之地址、電話，可以直接與其連絡，遇借未還時，可以直接和家長溝通，瞭解其原因，而小朋友得到家長的提醒，很快的就把書歸還了。

⑶遺失、損毀問題，在借書證背面印妥有關「賠償」規定，並於每學期初在兒童朝會時特別提醒一次，同時告知如果發現「破損」即通知「服務人員」，以期即時「修補」，以保圖書使用與完整。

⑷每週由「服務同學」清查一次，逾期借書未還者，即時前往「催取」，提醒他已經逾期，儘快歸還。這種方式效果甚佳，因爲大部份逾期未還之原因均爲「遺忘」所造成，經這一提醒，一些放置於書包的圖書即可回到圖書館了。

爲了提高同學的借書興趣，以及培養正確的閱讀習慣和讀書方法，可以舉辦各種活動，如頒發「閱讀圖書績優獎」❺，增進其興趣。

第二節　參考服務

一　參考服務在國中小圖書館的重要性

「中小學生年紀這麼小，需要參考服務嗎」？筆者在擔任臺北市國民教育輔導團國小圖書館輔導小組輔導員時經常聽到各校發生這種疑問。一般人認爲「研究高深的學問，才需要參考服務」，却不知道這種「研究的種子」需要在小學時先予以「播種」、「灌溉」，才能於未來「成長」、「開花」、「結果」。因此，「參考服務」在國小圖書館工作上有其不可或缺的重要性。

例如：一位小朋友興沖沖地自走廊跑來，嘴中嚷着「老師，老師，九九乘法表是誰發明的」？如果不予他「有效」的指導，而以「不知道」來搪塞，就如澆了這位小朋友一盆冷水，又怎能產生「研究」的奢望呢？更可能使其一股「向學」之心因而「冰封」，不知要到何年何月才能解凍呢？如果適時給予指導，引入圖書館，以親切的口吻跟他說：「這個問題好極了，我們上圖書館去找」。同時以「比賽」的方式，指導他利用「百科全書」或「字、辭典」，這位小朋友可能因爲「自已找到答案」而獲得鼓勵與信心，無疑地，下回一有「疑難」一定往圖書館跑，因爲他知道圖書館可以協助「解決他的困難」。

在小朋友這種年齡，心中總有千萬個「爲什麼」？「誰發明的」？……也許他是無心而好奇的問，也許是眞想知道答案，甚至有意「探個究竟」，只要我們給予一一的指導，相信他們必因獲得滿足鼓勵與信心而成爲圖書館的「座上客」，久而久之，這個「知識的寶庫」必成爲他們的「樂園」，更因受「書香之薰陶」而提昇了「讀書風氣」，減少了「暴戾之氣」，提高國民生活品質。

二　實施「參考服務」的方法

我們知道「參考服務」旨在「幫助讀者瞭解館藏，進一步利用館藏」，工作應包括解答問題，指導讀者，編製參考資料和管理參考資料❻，然而，在國小圖書館中人力缺乏，僅有一位或二位的「圖書教師」，又如何來從事這項重要的工作呢？依據個人於國小圖書館中所得之經驗，分述如下：

㈠圖書教師應有的準備：孔子於論語衞靈公篇中云：「工欲善其事，必先利其器」❼，而在中庸第二十章中亦有「凡事豫則立，不豫則廢；言前定則不跲。事前定，則不困；行前定，則不疚；道前定，則不窮」❽的銘言，所以，必先有充分之準備方足以勝任愉快，因爲小朋友的想法，疑問來自多方面，千奇百怪，無法預測。

1.熟悉館內各種參考書及其用法：參考書是參考服務最有力的工具，館內各種參考書之內容、特性應該熟悉，用法更應清楚，一方面方便自己找尋答案爲小朋友解決疑難，一方面要指導小朋友利用，這樣才能「運用自如，得心應手」。

2.代表性參考書設法備齊：也許圖書購置經費有限，但是無論如何，最起碼的「參考工具書」應設法採購到館，否則，「巧婦難爲無米之炊」。工作起來倍感困難。

3.剪輯資料廣爲蒐集：各種期刊之各型各類資料，應廣爲蒐集剪輯，分類編輯成册，並製作目次、索引和摘要，以備參考應用，利用時機，指導學生「蒐集」、「剪貼」、「分類」。

4. 「顧客永遠是對的」：雖然是商場上的銘言，用之圖書館亦是正確的，認同無論學生提出的任何問題都是對的，這種觀念必須建立，因爲「求知」、「發問」是學生的「權利」，我們有「提供」與「解答」的「義務」，唯有這樣，才能鼓勵學生進入浩瀚的知識領域中「探索」、「研究」，從小朋友的「問」來引導他去「學」，進而指導他們從「書」上找到他要「學」的「問題」之「答案」，由於經過他自己一番努力鑽研而獲得的答案，必定滿足而快樂。所以，學生「進館」就是我們的「顧客」，無論提出任何「問題」，我們均以「誠懇」與「笑容」來迎接他們，這樣「生意」自然「興隆」，圖書館的功能自然就發揮了。

5. 圖書館經營的成敗，建立在我們的服務態度上：大家都知道，學生幼小的心靈中，對一切都「滿懷希望」，都有「美好的憧憬」，當然，對圖書館也一樣，他進入圖書館，首先接觸的是我們，因爲他對圖書館的「瞭解」尙是一片「空白」，我們給他的印象，就是「圖書館的一切」，倘若我們對他一臉「兇巴巴」的，他一定認爲圖書館是一些「兇神惡煞」聚集之所，少進爲妙；若是我們能「耐心」而「和悅」地給予引導，則他必認爲圖書館是天方夜譚中的「寶藏」與「仙境」，而樂爲「座上客」，所以，我們的服務態度，是圖書館經營成敗的關鍵所在。

㈡ 解答問題的方法：學生有「求知」、「發問」的「權利」，我們就該懷具「有問必答」的心理準備，至於解答問題的「詳、簡」，則可視學生與問題而予以劃分。因此，不論他的問題是多麼的「不合理」，或是多麼的「粗淺」，我們應該「照單全收」，唯有如此，才能滿足小朋友的「求知慾」，他們才會再到館裡來，尤其是低、中年級的小朋友，更值得我們的注意，非但要給他答案，更要態度誠懇、溫和、有耐心，至於解答問題的詳簡，個人認爲這樣：

1.指示性的問題，回答要越簡越好，越快越好，如：問題回答要「明確」，使小朋友很快就可以獲得解決。

2.常識性的問題應該「簡答」，或是告訴他查那一種參考書，如：「誰發明活字印刷」？「萬里長城在那裡」？「黃百器是什麼時代的人」？……

3.學術性的問題應「詳答」，並指導參考書之用法，以期漸進爲「獨立研究」之境界：如「印刷術的演進情形怎樣」（五年級學生曾問過）？我們非但要詳盡地給予解說，最好和他一塊兒「查閱參考書」，藉以指導他如何使用參考書，同時提醒小朋友，有「許多參考書」可以獲得解答，甚至有些「問題」要找許多參考書才可獲得較周延的答案，這樣，對於「探索知識」的來源就可以更爲豐富。否則，一種參考書沒找到，就如臨世界末日一般，豈不慘哉！

4.如果學生的問題本館沒有這類參考書可供解答，可以引介他們到鄰近之「公共圖書館參考室」詢問，亦可由館員以「館際互借」方式向友館借取資料，或影印回來給他們。

至於要怎樣回答學生的問題，我們必須先要瞭解學生的問題，然後瞭解學生的年級與年齡，再以他生活經驗與學習經驗，用他能懂的語彙來提供解答，尤其低中年級，往往在參考書上找到了却看不懂。所以必須特別注意，同時語氣、態度更應注意，不然嚇壞了他，再也不敢來了。總之，我們要以照顧嬰兒之心，小心翼翼的招待這些「小貴賓」，使他們「賓至如歸」才好。

㈢指導學生使用參考書：蒐集資料、解答問題，這是我們應有的服務，更重要的「教育讀者」，指導「學生使用參考書」以解答自己的疑問，更是我們的責任，俗語說：「給予貧困的人一條魚，他可以飽餐一頓，或是數日，如果教他釣魚的方法，則他想吃魚就有魚吃」，所以，唯有自己瞭解「利用參考書」的方法，具有使用參考書的技能，才眞正的方便自己。指導小朋友利用參考書的方式，以下列幾種方式進行，在過去數年中使用的情形，效果頗佳，茲分述如下：

1.認識參考書：每學期開始，最好舉辦「參考書展示說明會」，利用這個機會，把館內所有的參考書陳列於一處，介紹給學生，並對於各參考書的內容、性質、編排，使用方法與時機給予扼要的說明，講解，如果沒有適當而集中的時間說明，可以利用詢問問題而給予解答時，隨機講解，效果更佳。

2.對於「書評」、「書介」廣爲蒐集、剪輯：書評與書介對於一書之特色，尤其內容均有扼要的敍述與評論，可以瞭解該書，對於簡介參考書之論著❾亦應蒐集，這些一篇篇的論述，可以幫助瞭解此書之內容、特性，因而獲得「解答的線索」，因此，廣爲蒐集，可供教學參考，收益必大。

3.講解「尋找答案的策略」：一個問題出現了，到底「那些參考書可以找到『答案』或『線索』」？這是相當重要的問題，也影響獲得答案的「時間」快慢與「準確」的信度，因此，對於「問題的界定」很重要，同時，對於參考書的主要內容，編輯重點，使用範圍及對象，均應有所瞭解，否則如同大海撈針，浪費時間又毫無效果。太多的挫折，會減低了學生的興趣。

4.製作「錄影帶」、「幻燈片」來介紹參考書：學生對於有「彩色」、「聲音」的「動畫」最感興趣，所以，我們可以利用館藏的參考書，將其「封面」、「書脊」、「書名頁」、「檢索」之索引（如部首索引、筆畫索引、四角號碼索引……）、「內容」……各拍幾張「幻燈片」，送照相館沖洗回來，檢視排列，寫好脚本，利用「同步錄音」講解、經過試播、修正，直到滿意爲止，在「放映」幻燈片時，因有同步操作，可以另外再架起「電視攝影機」，把全部過程攝入鏡頭，而製成「錄影帶」，這樣，一部最簡單的自製「錄影帶」也完成了。不論有無遮光設備的教室均可利用「錄影帶」或「幻燈片」來介紹參考書❿，此外，也可以使用國立中央圖書館委由光啓社攝製的「中文工具書使用法」（上中下三集）、「知識的寶庫」（公共電視播出）、「中國圖書史」（這些錄影帶均可向臺北市立圖書館推廣組洽借利用）……等進行教學。記住，當這些錄影帶或幻燈片播映完畢後，最好即刻「實習」，讓學生實地「操作」一次，可以使印象深刻，進而「熟練」。

5.利用「活動」來誘導：教導學生不能以成人的方式來施教，因此，「活動」是最好的「法寶」，因爲學生充滿「競賽」、「探尋」、「好奇」、「好勝」、「榮譽」……之心理，所以，「活動」最容易達到此一「標的」。

⑴競答：將全部學生分成人數均等的若干組，並提供參考書於教室或直接於圖書館內舉行，然後提出四至五個問題進行競答，最好每題均可找到答案者，實施過程中，仔細觀察各組的查檢方法，以「全部正確查獲答案者」爲優勝，並請各組推派代表（最好輪流）說明查檢方法與查獲之過程，以供其他小朋友參考，敎師隨機講解這些參考書之特性與檢查方法和使用時機。待各種參考書查檢方法熟練之後，可於四、五題中出現一題沒有答案者供小朋友練習（注意，沒有答案也就是答案，只要把查檢各參考書之經過寫出或說出卽可）。

⑵尋寶：以四至五個款目，分別置於參考書中，每一題查得答案處均附下一題之問題款目，請查另一參考書，如果館內參考書不敷使用，可由第一組發第一題，第二組發第二題……而輪流利用參考書，待全部查完者爲優勝，這樣，查起來不但有趣，而且刺激，頗能引起其興趣。如能在對各種參考書有充分瞭解後來舉行更好，而這

些「問題」、「款目」最好與上課的教材有關者更佳，一來既可複習或預習教材，二來又可指導參考書的利用，可謂一舉兩得。豐富了教材，革新了教法，提昇教學效果，充實了教學內容，增進學習興趣，拋棄了「演講式」教學法，步入「討論」、「研究」與「探索」的方式。

⑶有獎徵答：利用兒童朝會或週會公佈問題，同時張貼於圖書館及文化走廊之佈告欄，由圖書教師分別就低中高年級各出若干問題，學生作答必須註明「資料來源」（即利用之參考資料）之書名、著者、出版者、頁次，而後投入「徵答信箱」，規定錄取名額給獎，如全對人數超過名額時，則以「公開抽獎」方式給獎。題目內容應以本校圖書館內之各種參考書為限，藉以促進對參考書之認識與利用。

此外活動項目甚多，這參閱第八章第四節圖書館利用教育課程設計與教學。

三　重要參考資料舉隅

參考書的界說有廣狹兩義，廣義的是：一切的書都是參考書，因為它都有參考價值⓫，狹義的則是：以專為參考目的而編製的參考書⓬，它在編製時，不期望讀者從頭到尾閱讀，其目的主要提供查檢事實，名詞……這種專供查檢而編輯的書，文史界稱之為「工具書」或「參考工具書」⓭，本文強調的是指後者——狹義的參考書。

一般說來，參考書可分爲兩大類：一是直接提供答案資料的，如字典、百科全書、年表……；一爲間接提供資料者，即提示答案之出處者，如索引、摘要、書目……等，分述如下：

(一) 直接提供資料內容（答案）者：此類參考書，只要依其「條目」查檢，即得所需之全部資料內容，這類參考書在國中小圖書館較多，學生亦較樂於利用，如：

1. 字辭典：這是每一學生必備而不可或缺的參考書，嚴格說來，專以解說文字的形體、聲音（發音）、意義、字源及其用法者稱爲字典⑭，又稱字書⑮，如新修康熙字典⑯、正中形音義綜合大字典⑰……。蒐集各類學問中之單字詞語及重要學說，逐一解釋，以備查檢之書曰辭典⑱，如辭通⑲，但是，目前出版界並未嚴格畫分，字辭兼收，而名稱混淆，如中華大字典⑳、中文大辭典，重編國語辭典㉑、增修辭源㉒，這些雖標明爲字典或辭典者，但字、辭兼收，它們大部份先收字，解釋字形、字音、字義、字源，而後再收以此字爲首之辭，再給予或詳或簡之註釋。字辭典又依其內容分一般字辭典和專科字辭典；專科辭典如物理學名詞辭典㉓，算學辭典㉔、科技大辭典㉕、中山自然科學大辭典、中正科技大辭典㉖、美術大辭典㉗、教育大辭書㉘、正中動物學辭典㉙、正中植物學辭典㉚、中華歷史地理大辭典㉛、中國音樂辭典㉜……等，這些都是專收某一學科之有關知識，特有名詞而加以註釋；一般普通辭典則以日常生活所常見之字辭加以註釋者。

2. 百科全書：百科全書一般人以爲是一種無所不包，一網打盡所有知識的參考書，所以只要有任何疑難百科全書均可解決，這一觀念要修正，臺大教授沈寶環博士在其「西文參考書指南」一書曾給百科全書下如此的定義：「百科全書是由涉及知識每一領域中若干學科的多篇提要文學，依某種秩序排列組合而成的一種參考書」[33]，他又說：「普通的或淺易的參考問題，多半可由百科全書裡取得圓滿的答案，除了若干最具專門性的問題，幾乎所有的參考問題尋求答案都可從百科全書入手，而且，參考書有其獨具一格的體制和形態，而這些體制與形態又多半由百科全書創始，所以，瞭解百科全書的結構組織，便能瞭解多數參考書的結構和組織。通曉百科全書的使用方法，也就可舉一反三的利用別的參考書了」[34]，由上可知，百科全書雖非萬能，但可解決大部份的問題，或至少可以由百科全書找起，因爲有些百科全書雖未詳細解答，但有後續書目與參考問題[35]，所以，圖書教師宜把館中各百科全書之性質、特色內容、用法作一簡短之介紹[36]，並熟諳指導使用方法與時機。百科全書亦如同字辭典一般分爲普通百科全書與專科百科全書，一般百科全書如：中華百科全書[37]、中華兒童百科全書[38]、廿一世紀世界彩色百科全書[39]、環華百科全書[40]、我們的世界少年百科全書[41]、中華新版常識百科全書[42]、幼獅少年百科全書[43]、新編光復兒童百科圖鑑[44]、漢聲小百科[45]、啓思青少年中文版百科全書[46]……至於專科百科全書則係指專門蒐集某一類科知識者，如：兒童教育百科全書[47]、科學彩色百科全書[48]、自然彩色百科全書[49]、學習音樂百科全書[50]、簡明數學百科全書[51]、中國文學百科全書[52]、大英科技百科全書[53]、中國兒童故事百科全書[54]、爵士吉他百科全書[55]……有些參考書雖然沒有掛上「百科全書」之名，但綜觀其內容仍然係一種「專科百科全書」，如：當代學術巨擘大系[56]、世界建築[57]、中華民國美術名鑑[58]……。假若欲對某一特定問題作更深一層的瞭解或詮釋，可用「專科百科全書」，尤其是對於教師作教學準備或進修時常可應用它；而一般的小朋友欲對某一問題作深入探討時，亦應指導他使用「專科百科全書」，普通的疑難，使用普通百科全書就可以了。

3.年鑑、曆書：有關各種統計、概要，常常可以從年鑑、曆書中得到，而年鑑又有普通年鑑、專科年鑑和百科全書補篇之不同，分別列述如後：

(1)普通年鑑：僅記錄當年發生的各種資料，通常前面均有例行性概括之資料。如中華民國年鑑[59]、一九八五香港年鑑[60]……。

(2)專科年鑑：僅記錄該類科於該年或該數年（有些都沒有按時每年出版，故間隔數年出刊）間所發生之資料，如：中華民國新聞年鑑[61]、中華民國教育年鑑[62]、中華民國經濟年鑑[63]、中華民國汽機車工商業年鑑[64]、中華民國電視年鑑[65]、交通年鑑[66]、中華民國圖書館年鑑[67]、中華民國出版年鑑[68]、中華民國文學年鑑[69]……有些資料雖未標示「年鑑」，而以「年報」出現亦可視爲年鑑，如行政院國家科學委員會年報[70]、臺灣農業年報[71]、臺灣地區產業年報[72]、工業發展年報[73]……。

(3)百科全書之續編或補編亦稱爲年鑑（Year Book），因爲百科全書編妥發行後又有更新的資料產生，改編、修訂百科全書則是牽一髮動全身之事，並非簡單，乃將新增之知識資料，完全依照百科全書之體例編纂、印行、提供讀者最佳之服務。因此，較具權威性之百科全書均以此法服務讀者，如大英百科全書年鑑（Britainnica Book of the Year）、大美百科全書年鑑（The Americana Annual）、少年知識百科全書年鑑（The Book of Knowledge Annual）……但是國內出版的百科全書到目前爲止，尚未見出版補篇或年鑑者，對於百科全書補篇之年鑑使用時宜注意下列各點：

①百科全書補篇的封面及書脊上通常均注明年限，若欲找某年之資料，宜先查明方不致有誤。

②注意補篇之特徵，且善加利用。

③注意各補篇索引之編製方法，有些百科全書補篇編有「彙積索引（cumulative index）」，將過去數年補篇索引彙編一起，善加利用，可節省不少時間。

④利用統計資料宜特別當心，不可將不完整之統計數字或估計當作最後統計。

⑤資料來源及正確性發生懷疑時，應複查其他參考書，以期正確可信。

⑥補篇不僅可與母篇配合使用，亦可單獨使用，或與其他百科全書配合使用。

一般說來，年鑑主要的用途有三：

①於統計資料，偏重於收集具體事實，因此，需要查檢「事實」之資料者可善加

利用。

②年鑑編製適合於參考，索引完備，使用者可於短時間內取得所需資料，爲即時參考之重要參考資料。

使用年鑑亦應注意下列各點：

①由於年鑑內容繁雜，所以應妥爲利用「索引」。

②使用前先瀏覽目次，亦可得其他所需之資料。

③使用某一年之年鑑，最好能與其相類似之參考書核對，以免引用錯誤之資料。

至於曆書（英式拼法Almanack、美式拼法Almanac）：在國外這種書籍與年鑑類似，每一種曆書有其特色，大部份以報導該國有關之資料以及世界性之紀錄性資料，如英國的Whitaker's Almanck、美國的The World Almanac、"Today" the-Pocket Almanac、Information Please Almanac、Fact on File，等都是大家所熟悉的曆書，而國內亦有譯本；國內亦有性質類似曆書之出版品，如世界珍聞[74]、熱線QQQ[75]、金氏世界紀錄大全[76]、頭腦小體操[77]、金氏世界紀錄大典[78]、九一五計劃[79]，以上這些雖然不是眞正的曆書，但均可供「即時參考問題」作解答。而我們的「曆書」，即農民曆，本來爲「農時」之參考。然而，今日亦已將許多日常生活之資料彙印其內，亦不失爲參考資料之一，我們不可忽視他。

4.類書：在參考書中，類書可以說是我國的特產，其發展遠在西洋百科全書之前[80]，然而，類書之編輯係「採輯群書，加以分類，或按韻排比，而抄錄成書，以備查檢之用」[81]，所以，類書是採自古籍，包括經史子集，蒐集有關之材料，剪裁排比，不加自己意見。其主要之功用為：備詩文之尋檢，綴事典之出處，考故事之演化，輯故事之遺文，校傳本之譌謬。它和近代百科全書亦有如下之不同：

(1)功用不同：百科全書主要對某一學科或事物，作有系統的敍述，使之有完整概念。而類書則有輯佚、校勘、尋檢辭藻，查考典故之功。

(2)內容不同：雖兩者均無所不包，但類書僅彙輯照錄而未加意見，百科全書則重新組合，依自己意見撰述，並注入新知。

(3)排列不同：兩者均有按類排列者，類書則有按韻排列者，而百科全書則有依字母順序或筆畫順序，發音順序排列者，且有「見」與「參見」之法。

(4)參考書目與索引：初期之類書甚少附錄參考書目於款目之下，且甚少編製索引（雖近有人編輯），而百科全書大都於款目之下列舉參考書目，並有完整之索引供查檢之需。

(5)修訂問題：類書幾乎沒有修訂，而續篇之撰寫亦僅三通，續三通、清三通耳，百科全書則大部份有修訂、補篇之辦法，以保持資料之新穎。

我們常見的類書有下列各類：

(1)檢查事物掌故事實者：皇覽[82]、藝文類聚[83]、北堂書鈔[84]、初學記[85]、太平御覽[86]、冊府元龜[87]、永樂大典[88]、古今圖書集成[89]、廣博物志[90]……等。

(2)查檢事物起源的類書：事物紀原[91]、格致鏡原[92]。

(3)查檢文章辭藻者：淵鑑類函[93]、佩文韻府[94]、駢字類編[95]、分類字錦[96]、子史精華[97]。

(4)查檢典章制度者：十通[98]、通典[99]、通志[100]、文獻通考[101]、續通典、續通志、續文獻通考、清通典、清通志、清文獻通考、清續文獻通考、十通分類總纂[102]、各朝會要、各朝會典、各朝職官表、皇朝掌故彙編[103]、皇朝政典類纂[104]。

5.年表：一般說來，年表分「史日對照表」及「大事年表」兩大類，分別說明如下：

(1)史日對照表：這是一種以時間爲主，不加註史事，專供「查檢年代紀元」之用的參考書，如五千年歷代世系表[105]、中國年曆總譜[106]、二十史朔閏表[107]、近世中西史日對照表[108]、兩千年中西曆對照表[109]、中西回史日曆[110]，這些「表」對於查檢「年代之互換」最爲方便，若撰述而引用年代必需中西對照，或是古代帝王之年號紀元等，一查即得，非常方便。

(2)大事年表：這是除了時間之記述外，並加註史事，專供查檢「史事」之年表，其編排大都依年代順序錄列。如中國大事年表[111]、中國歷史年表[112]、近代中國史事日誌[113]、民國大事日誌[114]等；亦有專門對某一學科之記述年表，如中國近六十年來圖書館事業大事記[115]、中國近七十年來教育記事[116]、中國文學年表[117]、中國美術年表

[118]……。

6.傳記資料：想查檢古今人名及其生平事蹟者，最方便的莫過於傳記資料了，這些參考書在中小學圖書館之需要特別殷切，因爲學生腦海中盤旋的人物問題特別多，因此，應廣爲蒐集，而傳記資料的來源亦非常廣，可從一般辭典、傳記辭典、百科全書、曆書、期刊、報紙、機關名錄、教科書、手册等等獲得，而傳記資料出現的型態則有書目、索引、辭典、合傳、生率年表、年譜、別號、人名錄、傳記等，分別介紹於後：

(1)書目：二十世紀中國作家傳記資料書目初稿[119]、紀念司馬光、王安石逝世九百週年展覽目錄[120]。

(2)索引：二十五史人名索引[121]、宋人傳記資料索引[122]、遼金元傳記三十種綜合引得[123]、八十九種明代傳記綜合引得[124]、中國近代人物傳記資料索引[125]。

(3)辭典：中外人名辭典[126]、中國人名大辭典[127]、古今同姓名大辭典[128]、外國的則有韋氏傳記辭典[129]、美國名人錄[130]、世界名人錄[131]。

(4)合傳：中國歷代學術家傳記[132]、民國百人傳[133]、民國人物小傳[134]、中華民國當代名人錄[135]、革命先烈先進傳[136]。

(5)生卒年表：歷代名人生卒年表[137]、歷代名人年里碑傳總表[138]。

(6)年譜：中國歷代名人年譜總目[139]、歷代名人年譜[140]。

(7)別號：古今人物別名索引[141]、中國歷代書畫篆刻家字號索引[142]、當代文藝作家筆名錄[143]。

(8)人名錄：標準譯名錄[144]、歷史名將錄[145]、中華民國企業名人錄[146]、對臺灣經濟建設最有貢獻的工商人名錄[147]。

(9)傳記：傳記資料出版甚多，不勝枚舉，在國小圖書館中以選擇兒童易讀、易懂者爲佳，而以名人、偉人故事最爲學生所喜愛，如小朋友偉人故事[148]、世界兒童傳記文學全集[149]、中國名人故事集[150]、中國名人幼年故事[151]，此外個別之傳記亦出書甚多。

7.地理資料：這是一項很容易因時空的變遷而影響的資料，所以，使用時要特別注意其時效。這些資料亦如同傳記資料一般來源廣濶，舉凡報章、雜誌、辭典、百科全書、旅遊指南、官書……等均涉及地理資料，其中以「旅遊指南」之介紹最能吸引小朋友的注意，而其出現的型態亦有書目、索引、辭典、地圖、方志、旅遊指南等。分述於後：

(1)書目索引：此類資料甚缺，而國內目前可得者僅有中國地學論文索引[152]及臺灣公藏方志聯合目錄[153]。

(2)辭典：中國古今地名大辭典[154]、韋氏地理辭典[155]、臺灣地名辭典[156]、外國地名辭典[157]。

(3)地圖：中華民國地圖集[158]、世界地圖集[159]、中華民國臺灣區地圖集[160]、中國歷史疆域古今對照圖說[161]，至於單張之地圖以及外國出版之地圖集甚多，無法一一介紹。

(4)方志：方志是保存地方上較正確而具體的資料，尤其是當地人物的略歷、著述，外患的防禦、天災、人禍及特殊風俗習慣等，在教學時，常爲小朋友最感興趣的資料之一，且爲我國地理資料之特色，因此，各地方志如能蒐集，對教學助益必大。

(5)旅遊指南：由於近年來交通事業之發達，人民生活水準之提高，旅遊已成爲人民生活之一部份，應運而生的「旅遊指南」亦如雨後春筍般出現，而且印刷精美，介紹詳盡，中小學生對這些資料亦甚爲着迷，這是不可多得的輔助教學參考資料。

8.政府出版品：又稱爲「官書」，目前約佔國內出版品半數的官書，常爲大家所忽視，它提供了許多法規、統計、計劃、政令……等參考資料，更重要的有許多研究報告、會議紀錄，都有相當的參考價值，甚至大部份均爲「免費」的。因此，如果備有「中華民國臺灣區公藏中文人文社會科學官書聯合目錄」[162]、中華民國政府出版品目錄[163]，行政院研究發展考核委員會出版品目錄[164]，即可查得所需資料，發函索贈。

9.視聽資料：包括唱片、電影片、幻燈片、錄音帶、錄影帶、錄影碟、縮影資料……這些資料都必須要配合一定的器材方可使用，然而，它却是小朋友最喜歡的資料，因爲它具有聲、光、色，甚至有動感，又售價不高，普遍被利用於教學，幻燈片與電影片因需要遮光設備，可轉換爲「錄影帶」使用，而唱片易於損耗，亦可轉換爲「錄音帶」，利用起來更爲方便，這些資料可查國民中小學教學資料聯合目錄[165]、視聽教學媒體資料目錄[166]、臺北市立圖書館視聽教育資料目錄[167]、視聽教育教材目錄[168]、錄影帶目錄合訂本⑯、地理教學視聽資料第一輯⑰及科技類影片錄影帶聯合目錄⑰等。

10.電腦輔助資料：這項資料目前各校均甚少觸及，但無可置疑的，在可見的未來將是所有學校圖書館資料蒐集的大宗，因爲資訊的昌明、電子計算機（電腦）的發展，將是不可阻擋的洪流。所以圖書館教師應未雨綢繆，妥爲準備，必要時先充實有關知識與技能，以備來日之需。

㈡間接提供資料內容者：這一類的參考書，它所提供的往往只是解答問題的途徑，指引獲得解答的方法，換句話說，就是找了這類參考書之後，可能還要再找前一類型之參考書，才能圓滿地獲得所需的答案，這類參考書可分爲書目、索引和摘要以及目錄卡片三大類，分別說明於後：

1.書目：可以說是一種爲「特別目的而選擇與蒐集文獻的清單，它是一系列的圖書名單，附有書名、著譯者、標題或一些其他適合查檢的特定編排款目，如爲專門收集某一主題的書目我們稱之爲「專科書目」，如全國兒童圖書目錄⑰、圖書館學文獻目錄⑰、史記研究之資料與論文目錄⑰、中華民國出版圖書目錄⑰、中華民國圖書館基本圖書選目⑰；另外尙有收錄各圖書館館藏之「聯合書目」，如中華民國圖書聯合目錄⑰、全國西文科技圖書聯合目錄⑰。我們知道，任何類型之最好書目，備有詳細的主題索引，同時指明收錄範圍，並列舉有關資料來源，提供款目內容之某些說明，而使我們方便於再進一步地追查資料⑰。在中小學生瞭解書目最重要的目的，以增進學科知識之領域，即古人之謂「即類以求，旁類以求」。

2.索引與摘要：在各種期刊中，每年均有成千上萬的論文發表，其出版量如是之驚人，以致使人無法對之全數瀏覽，這些專論中，偶爾有自己喜歡而需要的主題論文，但在浩瀚的資料大海中，無法取得或發現，幸好有無數的圖書館工作者，默默地埋首整理，製成索引或摘要，方便我們使用，論文索引通常收錄論文之篇名、刊名、著者、卷期、出版年月及頁數以便於查檢原文。而摘要除上列款目外，更以簡潔而正確的文字加以摘述，使讀者僅閱此短文而可決定是否需要翻閱原文，其敍述通常包括主要論點，具體研究方法，強調事項和結論，但不加評論與詮釋，如中華民國期刊論文索引[180]、中文報紙論文分類索引[181]、教育論文索引[182]、教育論文摘要[183]。這些參考書對於教師進修頗有用處。

3.目錄卡片：目前各圖書館均備有目錄卡片[184]，亦有印成書本式目錄，大部份把它分為分類目錄、著者目錄、書名目錄三種；西文則增主題目錄，它是本館資料查檢之線索，若本館未藏是項資料，亦可查聯合目錄而知何館有藏，再以館際合作方式為讀者服務，或轉介逕往該館閱覽。

以上簡單地把各類型之參考資料作一粗淺的詮釋並列舉幾種常用的參考書以供參考，便於向學生說明，至於各該書的用法與使用時機，可以多參閱參考書的參考書，如張錦郎先生的「中文參考用書指引」、沈寶環先生的「西文參考書指南」、李德行先生的「重要科技文獻指南」、師範大學圖書館編的「中文參考書選介」與「西文參考書選介」、臺北市立師專教學叢書中的「學科工具參考書」及陳善捷先生的「科技資料指引」，除此之外，亦可參閱各參考書中的凡例及使用說明。

四　參考技術

㈠晤談：圖書教師一定要清楚地瞭解學生問題的所在，才能給予適當的解答，使他對您有充分的信心，否則，學生的疑難您沒有弄清楚，不是答非所問，就是不知從何答起，所以「晤談」是一種技巧：

1.晤談的對象是「人」：學生也是人，我們必須對他相當尊重與認定，不可以用「卑微」的眼光來待他，我們必須認同他求知心切與得到滿足時之成就感，以激起其再學習之欲望。

2.從晤談中探知學生問題的癥結所在：由於態度和藹謙恭，他們必會把困難所在詳為說明，使圖書教師可以自晤談中得到線索，理出頭緒，方便找答案。

3.圖書教師應設身處地的為學生設想：有時候，我們不妨「賓主易位」來想，如果你處在小朋友的立場，對此問題看法如何？

4.以輕鬆愉快之語氣與學生交談：交談時切忌過度嚴肅，語氣中帶着輕鬆的口吻，尤其是在小朋友心情緊張，而不知從何說起時，更應小心。

5.晤談時不可獨霸而唱獨腳戲：但適當地控制場面則屬必要，圖書教師應傾聽小朋友的細訴，以期對問題的瞭解，而得正確解答之方向。

6.盡量以朋友相待：雖然您是以「教師對學生」的立場解答問題，但是，最好以「好友」的姿態，協助他，指導他，而不要以「教訓的口氣」來訓誡他。

7.「知之爲知之，不知爲不知」：圖書教師並非萬能博士，因此，如果碰到自己不懂的，可以告訴學生，「我也不瞭解，我們一塊兒去查好嗎？」這樣他們是能接受的，千萬不可以「假裝知道」，而給予一些不正確的觀念。

8.「不告不理」：如果學生自己在摸索，不一定要前去「幫他」，說不定由於您的不請自來，而干擾了他的研究計劃，他若需要您的協助，他自然會來找您。

(二)電話服務：打電話問問題，在國中小圖書館來說是很少碰到的問題，因爲學生上課在教室，回家去了圖書館也閉館了，好像不會有「電話詢問」的困擾，但是，當您告訴或指導過學生，可以撥電話到圖書館請求解答問題時，也許就會有學生撥電話來，尤其星期三下午，學生放學了，教師仍未下班，於是學生利用這個時間撥電話來，我們接到這電話，仍然要和氣地慢慢地給予解答，因爲是電話，看不到人，無法用動作與表情來補助，所以聲音不但要清楚，速度更要慢，以方便他們記錄下來，最後最好附上一句，明天到圖書館來，在那些書中可以找到您的解答，這樣，也許第二天他一早就來館報到了。

㈢ 找尋解答：學生的問題常常是奇奇怪怪的，一般說來脫離不了書本的影子，有時也會提出偶爾聽到或看到的新奇事物，請求解釋，所以圖書教師在瞭解其問題的眞意時，就得開始「尋求解答」，首先依據問題的性質，查檢字辭典、百科全書、地理資料、傳記資料、遊記指南、手册、曆書，亦可找尋「剪輯資料」，然後據以給予解答，有些問題無法獲得答案，這些無法獲得答案的原因是：

1.目前無解答該問題的參考書。

2.雖然有解答該問題之參考書，但本館未收藏。

3.目前本館的參考書已過時，新書未購回。

4.該參考書內容龐雜，又無索引或摘要，一時難以尋獲。

5.也許館中可能有些參考資料，但限於時間，無暇尋找。

6.該資料在報紙上刊載過，而目前國內報紙未出索引，難以查檢。

對於這一類的困難，圖書教師碰上了，應該很沈着的、和藹地告訴學生困難的所在，當然，一定要設法來解決他們的困難，必要時，告訴小朋友，等一兩天，找到了答案再告訴他，別忘了，留下他們的班級與姓名，然後，即刻向學術圖書館、公共圖書館或中央圖書館請教，以期得到解答，得以轉告他們，這樣可以堅定他對圖書教師的信心，使他更願意來館查檢資料，因而促進他，啓發他研究的欲望。

㈣ 參考工作之準備：「凡事豫則立，不豫則廢」，這是千古銘言，所以爲了能充分、圓滿地解答他們的問題，所以須備完整的參考資料，這些準備工作如下：

1.挑選參考書：國民中小學圖書館的服務對象是全校師生，所以，教學與學習所需之參考書為首要，因為參考書種類太多，且價格不低，學校經費又少，所以首先列出書單，視輕重緩急，訂定先後購置順序，逐年採購補實，必要時，可把大部頭的參考書徵求捐贈，亦為充實良方之一。

2.剪輯資料：平日閱讀書報期刊，備紅筆一支，遇有可供參考之資料以紅筆劃記，然後影印剪貼、分類裝訂，這是很好的最新參考資料。如能請小朋友參與剪貼工作，更能提高其興趣。

3.編製索引、摘要或書目：這是一項艱辛的工作，目前關於中小學生用的書目、索引或摘要甚少，因此，可以利用時機，指導他們參與，先從索引、書目之製卡開始，然後排列順序，再予編輯即成，至於摘要則只好由圖書教師來做了。

4.出刊「答客問」與「有獎徵答」資料：把一學期或一學年以來，學生所問的問題以及有獎徵答的題目，彙集後，依一定的順序排列，同時把「答案」與「出處」一併刊出，提供學生及教師參考，如他們再提同樣的問題，即可指導他們查檢，節省時間與精力，必要時亦可在其中刊印「參考書的簡介與用法」，讓他們瞭解、利用。

5.館際合作與互借：各國中小圖書館間礙於經費不足最好分工合作，即相鄰數校分別採重點蒐藏，相互支援，這是指特殊性（專科）資料而言，在未達此一服務之前，圖書教師可以指導他們利用公共圖書館之參考服務部，在假期、放學後，或是本館沒有該項參考資料時，不妨親自或撥電話到公共圖書館去請教，大都可以得到答案，必要時，圖書教師也可以代為服務，以館際互借方式，借取資料，提供學生或教師查檢，無法借出時，以影印服務亦可。

6. 與傳播媒體資料室之連繫：各報社、電台、電視公司都有資料室，備有新穎的資料，尤其時事動態、人物、國家、地理資料與文教活動，所以，必須經常保持連繫，亦為提供資料解答之地方。

附註

❶ 詳劉崇仁撰：圖書館的讀者服務——資料的利用，圖書館學（台北，台灣學生書局，民國六十九年），頁三七九～四一四。

❷ 詳林孟眞教授撰：台北市國民中小學圖書館設置及作業規範設計之研究（台北市，台北市政府研考會，民國七十四年），頁一三七～一三八。

❸ 如附錄四台北市北投區清江國民小學圖書館借書證。

❹ 同❸。

❺ 桃園縣立中山國小「閱讀圖書績優獎」獎狀，其內容辭句可視情形加以調整。見附錄五。

❻ 詳蘇國榮撰：淺談國民小學圖書館的「參考服務」，台灣教育輔導月刊（二十三卷七期）（民國七十四年七月），頁一一七～一一九。

❼ 詳謝冰瑩等編譯，新譯四書讀本（台北市，三民書局，民國七十四年），頁一九八。

❽ 詳同❼，頁三四。

❾ 如王靜芝撰：「認識史書」、「認識子書」，讀書選集第二輯（台北市，中央日報，民國六十九），頁一一二～一一八，一一九～一二六，及「認識三本辭章選集」，讀書選集第三輯（台北市，中央日報，民國七十年）頁七〇～七八…等。

❿ 本校（清江國小）即以此法施教，效果頗佳，亦獲教師之好評。

⓫ 詳張錦郎撰：中文參考用書指引（台北市，文史哲出版社，民國六十九年），頁九。

⓬ 詳沈寶環撰：西文參考指南（台中，東海大學圖書館，民國五十五年），頁五。

⓭ 詳同⓫。

⑭詳台灣省教育所兒童讀物編輯小組編中華兒童百科全書，(台北市，台灣書局，民國七十三年)第十一冊，頁三七一二。
⑮詳中文大辭典編纂委員合編，中文大辭典(台北市，中國文化大學出版部，民國七十四年)第一次修訂版，普及本，第三冊，頁二七六～二七七。
⑯詳凌紹雲等編纂，高樹藩重修再版，新修康熙字典(台北市，啓業書店，民國六十八年)。
⑰高樹藩編撰，正中形音義綜合大字典(台北市，正中書局，民國六十三年)。
⑱詳同⑮，第八冊，頁一七九九。
⑲詳朱鳳起編纂，辭通(台北市，開明書店，民國四十九年)。
⑳詳中華書局編，中華大字典(台北市，中華書局，民國六十六年)。
㉑詳教育部重編國語辭典編纂委員會編，重編國語辭典(台北市，商務印書館，民國七十年)。
㉒詳商務印書館編，增修辭源(台北市，商務印書館，民國六十七年)。
㉓詳許世興編：物理學名詞辭典(台北市，南山堂出版社，民國六十一年)。
㉔詳段育華、周元瑞合編，算學辭典(台北市，商務印書館，民國五十六年)。
㉕詳石育民、潘朝潤合編，科技大辭典(台北市，自然科學文化事業有限公司，民國六十六年)。
㉖王雲五主編，中山自然科學大辭典(台北市，商務印書館，民國六十四～七十年)，中正科技大辭典(台北市，商務印書館，民國六十七年)。
㉗詳美術家工具書編委會主編，美術大辭典(台北市，藝術家出版社，民國七十年)。
㉘詳唐鉞等編纂，教育大辭書(台北市，商務印書館，民國六十三年)。
㉙詳趙楷等合編，正中動物學辭典(台北市，正中書局，民國五十九年)。
㉚詳李亮恭、劉棠瑞合編，正中植物學辭典(台北市，正中書局，民國六十九年)。
㉛詳章嶔撰，中華歷史地理大辭典(台北市，新文豐出版公司，民國六十三年)。

㉜詳張樂水、戴安琳編輯，中國音樂辭典（台北縣新店，常春藤出版社，民國七十四年）。

㉝詳沈寶環撰：西文參考書指南（台中，東海大學圖書館，民國五十五年），頁二一四。

㉞詳同㉝，頁二一。

㉟如The World Book Encyclopedia 20 v., Chicago..Field Enterises Educational Corporation, 1963。

㊱詳蘇國榮製作：認識百科全書（錄影帶、幻燈片），時間約二十分，彩色，僅介紹清江國小館藏百科全書。

㊲詳張其昀監修，中華百科全書（台北市，中國文化大學出版部，民國七十年）。

㊳詳同⑭。

㊴詳百科文化事業公司編譯部編譯，廿一世紀世界彩色百科全書（台北市，百科文化事業公司，民國七十年）。

㊵詳環華百科全書編輯部編，環華百科全書（台北市，環華百科文化事業公司，民國七十一年）。

㊶詳Leonard Sealey M.原著，我們的世界少年百科全書（香港，麥美倫，民國六十八年），又港譯麥美倫少年百科全書。

㊷詳中華新版常識百科全書編輯委員會編，中華新版常識百科全書（台北市，中華書局，民國六十五～六十六年）。

㊸詳曾濟群總編輯，幼獅少年百科全書（台北市，幼獅出版社，民國七十二～七十三年）。

㊹詳光復書局編輯部編，新編光復兒童百科圖鑑（台北市，光復書局，民國七十一年）。

㊺詳漢聲雜誌社編，漢聲小百科（台北市，漢聲英文出版社出版，台灣英文雜誌社總經銷，民國七十三年）。

㊻詳王淑姿等編譯，啓思青少年中文版百科全書，譯自Golden Book Encyclopedia（國際標準本）（台北市，啓思出版社，民國七十一年）。

㊼陳笙等編，兒童教育百科全書（台北市，圓山圖書公司，民國七十年）。

㊽詳石育民編，科學彩色百科全書（台北市，自然科學文化事業公司，民國六十七年）。

(49) 詳張之傑等譯，自然彩色百科全書（台北市，自然科學文化事業公司，民國六十六年）。

(50) 詳常惠等編，學習音樂百科全書（台北市，百科文化事業公司，民國六十九～七十年）。

(51) 詳洪萬生、林國棟等譯，簡明數學百科全書（台北市，九章出版社，民國六十八年）。

(52) 詳楊家駱編，中國文學百科全書（台北市，中國學典復館籌備處影印，民國五十八年）。

(53) 詳光復書局編輯部編，大英科技百科全書，譯自：Illustrated Encyclopaedia of Science and Technology（台北市，光復書局，民國七十四年）。

(54) 詳黃明山總編輯，中國兒童故事百科全書（嘉義市，明山出版社，民國七十三年）。

(55) 爵士吉他百科全書（The Encyclopedia of jazz guitan）（高雄市，讀譜出版社，民國七十四年）。

(56) 詳李亦園等主編，當代學術巨擘大系（台北市，允晨出版社，民國七十一年）。

(57) 詳佛蘭克·洛伊、萊特（Frank Lloyd Wright）等原著二川幸夫等攝影、王增榮等譯，世界建築（Global Architecture）（台北市，胡氏出版社，民國七十一年）。

(58) 詳中華民國美術名鑑編輯委員會編輯，中華民國美術名鑑（Who's Who in Art 1982 R.O.C.）（台中市，印刷出版社，民國七十一年）。

(59) 詳中華民國年鑑社編輯，中華民國年鑑（台北市，正中書局，民國七十三年）。

(60) 詳吳國基編輯，一九八五香港年鑑，第三十八回（香港，華僑日報社出版部，民國七十四年）。

(61) 詳台北市新聞記者公會編，中華民國新聞年鑑，開國六十年紀念（台北市，編者，民國六十年）。

(62) 詳教育部教育年鑑編纂委員會編纂，中華民國教育年鑑（台北市，正中書局，民國六十三年）。

(63) 詳中華民國經濟年鑑編輯委員會編，中華民國經濟年鑑，民國七十四年（Economic Yearbook of The Republic of China 1985）（台北市，經濟日報印行，聯經總經銷，民國七十四年）。

(64) 詳汽車週刊社編，中華民國汽機車工商業年鑑（台北市，現代輪業出版社，民國七十三年）。

65 詳中華民國電視學會電視年鑑暨電視叢書編纂委員會編纂，中華民國電視年鑑，民國五十至六十四年（台北市，編纂者，民國六十五年）。

66 詳交通年鑑編審委員會編，交通年鑑，中華民國七十三年（台北市，編審者，民國七十四年）。

67 詳國立中央圖書館編，中華民國圖書館年鑑（台北市，編者，民國七十年）。

68 詳中國出版公司編，中華民國出版年鑑（台北市，編者，民國七十五年）。

69 詳柏楊主編，中華民國文學年鑑（台北市，時報出版公司，民國七十一年）。

70 詳行政院國家科學委員會編，行政院國家科學委員會年報（台北市，編者，民國五十二年起）。

71 詳台灣省農林廳編，台灣農業年報（Taiwan agricultural yearbook）（台中縣，編者，民國七十二年）。

72 詳中華徵信所出版部編，台灣地區產業年報，民國七十三年報（台北市，編者，民國七十三年）。

73 詳經濟部工業局編，工業發展年報，中華民國七十三年（台北市，編者，民國七十三年）。

74 詳黃蓁蓁編著，世界珍聞（台北市，青文出版社，民國六十五年）。

75 詳兒童天地叢書編輯小組編，熱線QQQ（台北市，民生報出版，聯經總經銷，民國七十四年）。

76 詳世界文物出版社編，金氏世界紀錄大全（台北市，編者，民國七十年）。

77 詳王家出版社編輯部編著，頭腦小體操（台北市，編者，民國七十一年）。

78 詳Norris Mowhirter 原著；朱小明譯，金氏世界紀錄大典（台北市，世界文物出版社，民國七十年）。

79 詳張伯權撰譯，九一五計劃（台北市，時報出版公司，民國七十三年）。

80 據沈寶環博士在其西文參考書指南中論及第一部英文百科全書爲Caxton所譯的Image du monde，而此書出版於一四六〇年，又謂大多數專家承認Chamber' Cyclopedia爲第1部英文百科全書，此書出版於一七二八年，但中國的類書可溯源於「爾雅」，而眞正的類書則始於「皇覽」，撰於魏文帝延康元年（西元二二〇年），由此證之，足足早於西洋一千餘年。

81 詳同⓫，頁四〇一。
82 詳魏王象等奉敕撰；清孫馮翼輯，皇覽（台北市，商務印書館，民國五十四年影印）。
83 詳（唐）歐陽詢等奉敕撰；于大成主編，藝文類聚（台北市，文光出版社，民國六十三年影印）。
84 詳（唐）虞世南撰；（清）孔廣陶校註，北堂書鈔（台北市，新興書局，民國六十年影印）。
85 詳（唐）徐堅奉敕撰，（明）安國校，初學記（台北市，新興書局，民國六十一年影印）。
86 詳（宋）李昉等奉敕撰，太平御覽（台北市，商務印書館，民國五十七年影印）。
87 詳（宋）王欽若、楊億等奉敕撰，冊府元龜（台北市，中華書局，民國五十六年影印）。
88 詳（明）解縉、姚廣孝等修，永樂大典（台北市，世界書局，民國五十一年影印）。
89 詳（清）陳夢雷撰；（清）蔣廷錫等奉世宗重編校，古今圖書集成（台北市，鼎文書局，民國六十六年影印）。
90 詳（明）董斯張撰，廣博物志（台北市，新興書局，民國六十年影印）。
91 詳（宋）高承撰；（明）李果訂，事物紀原（台北市，新興書局，民國五十八年影印）。
92 詳（清）陳元龍撰，格致鏡原（台北市，商務印書館，民國六十一年影印）。
93 詳（清）張英等奉敕撰，淵鑑類函（台北市，新興書局，民國五十六年影印）。
94 詳（清）張玉書等奉敕撰，佩文韻府（台北市，商務印書館，民國五十五年影印）。
95 詳（清）聖祖敕撰，駢字類編（台北市，台灣學生書局，民國五十二年影印）
96 詳（清）何燦等奉敕撰，分類字錦（台北市，文友書局，民國五十六年影印）。
97 詳（清）允祿撰，子史精華（台北市，新興書局，民國六十三年影印）。
98 詳（唐）杜佑等撰，十通（台北市，新興書局，民國四十八年影印）。
99 詳（唐）杜佑撰，通典（台北市，新興書局，民國四十八年影印）。
100 詳（宋）鄭樵撰，通志（台北市，新興書局，民國四十八年影印）。
101 詳（元）馬端臨撰，文獻通考（台北市，新興書局，民國四十七年影印）。

102 詳楊家駱主編，十通分類總纂（台北市，鼎文書局，民國六十四年）。

103 詳（清）張壽鏞等編，皇朝掌故彙編（台北市，文海出版社，民國五十三年影印）。

104 詳（清）席裕福等纂，皇朝政典類纂（台北市，成文出版社，民國五十八年影印）。

105 詳台灣學生書局編輯部編，五千年中國歷代世系表（台北市，編者，民國六十二年影印）。

106 詳董作賓編撰，中國年曆總譜（香港，香港大學出版社，民國四十九年）。

107 詳陳垣編；董作賓增補，二十史朔閏表（台北市，藝文印書館，民國四十七年）。

108 詳鄭鶴聲編，近世中西史日對照表（台北市，商務印書館，民國五十五年影印）。

109 詳薛仲三、歐陽頤合編，兩千年中西曆對照表（台北市，學海出版社，民國五十九年影印）。

110 詳陳垣編，中西回史日曆（台北市，藝文印書館，民國六十一年。）

111 詳陳慶麒編，中國大事年表（台北市，商務印書館，民國五十二年影印）。

112 詳郭衣洞（柏楊）編，中國歷史年表（台北市，星光出版社，民國六十六年）。

113 詳郭廷以編撰，近代中國史事日誌（台北市，中央研究院近代史研究所，民國五十二年）。

114 詳劉紹唐主編，民國大事日誌（台北市，傳記文學出版社，民國六十二～六十八年）。

115 詳張錦郎、黃淵泉合編，中國近六十年圖書館事業大事記（台北市，商務印書館，民國六十三年）。

116 詳丁致聘編，中國近七十年來教育記事（台北市，商務印書館，民國五十九年影印）。

117 詳敖士英編，中國文學年表（台北市，文海出版社，民國六十年影印）。

118 詳傅抱石編，中國美術年表（台北市，五洲出版社，民國五十七年影印）。

119 詳鄭繼宗編，二十世紀中國作家傳記資料書目初稿（台北市，書評書目社，民國六十九年起）。

120 詳行政院文化建設委員會，中央圖書館編，紀念司馬光、王安石逝世九百週年展覽目錄（台北市，編者，民國七十五年）。

121 詳二十五史編纂執行委員會編，二十五史人名索引（台北市，台灣開明書局，民國五十年）。

122 詳昌彼得等編，宋人傳記資料索引（台北市，鼎文書局，民國六十三～六十五年）。

123 詳哈佛燕京學社編，遼金元傳記三十種綜合引得（台北市，鼎文書局，民國六十二年影印）。

124 詳田繼琮等編，八十九種明代傳記綜合引得（台北市，成文出版社，民國五十五年影印）。

125 詳中央圖書館編，中國近代人物傳記資料索引（台北市，編者，民國六十二年）。

126 詳劉炳藜等編，中外人名辭典（台北市，中行書局，民國五十六年影印）。

127 詳臧勵龢主編；許師慎增補，中國人名大辭典（台北市，商務印書館，民國六十六年）。

128 詳彭作楨輯，古今同姓名大辭典（台北市，台灣學生書局，民國五十九年影印）。

129 詳Webster's Biographical Dictionary, rev. ed. Springfield, Massachusetts: G. & C. Merriam Comany, 1947。

130 詳Who's Who in America, Chicago: Marquis who's who, Inc. 1899 to date. biennial。

131 詳International Who's Who, London: Europa Publication Ltd, 1935 to date, annual。

132 詳蕭政之、楊應愼合編，中國歷代學術家傳記（台北市，僑聯東方圖書公司，民國五十四年影印）。

133 詳吳相湘撰，民國百人傳（台北市，傳記文學出版社，民國六十年）。

134 詳劉紹唐主編，民國人物小傳（台北市，傳記文學出版社，民國六十四～六十六年）。

135 詳中華民國當代名人錄編輯委員會編，中華民國當代名人錄（台北市，中華書局，民國六十八年）。

136 詳中華民國各界紀念國父百年誕辰籌備會編，革命先烈先進傳（台北市，編者，民國五十四年）。

137 詳梁廷燦編，歷代名人生卒年表（台北市，商務印書館，民國五十九年影印）。

138 詳姜亮夫編，歷代名人年里碑傳總表（台北市，商務印書館，民國五十四年影印）。

139 詳王德毅編，中國歷代名人年譜總目（台北市，華世出版社，民國六十八年）。

140 詳吳榮光，歷代名人年譜（台北市，商務印書館，民國六十七年）。

141 詳陳德藝編，古今人物別名索引（台北市，藝文印書館，民國五十四年影印）。

142 詳商、黃二氏合編，中國歷代書畫篆刻家字號索引（台北市，文史哲出版社，民國六十三年）。

143 詳薛茂松編，當代文藝作家筆名錄（台北市，編者，民國七十年）。

144 詳中央通訊社編譯，標準譯名錄（台北市，編譯者，民國六十九年）。

145 詳陳元素撰，歷史名將錄（台北市，中央文物供應社，民國六十九年）。

146 詳楊必立主編，中華民國企業名人錄（台北市，哈佛企業管理顧問公司，民國六十九年）。

147 詳中華徵信所出版部編，對台灣經濟建設最有貢獻的工商人名錄（台北市，編者，民國六十二年）。

148 詳大衆書局編輯部編譯，小朋友偉人故事（高雄市，編者，民國六十九年）。

149 詳光復書局編輯部編，陳千武等改寫，世界兒童傳記文學全集（台北市，編者，民國七十三年）。

150 詳蘇尙耀著，中國名人故事集（台北市，文化圖書公司，民國六十九年）。

151 詳施孝文編著，楊先民繪圖，中國名人幼年故事（台北市，童年書店，民國六十九年）。

152 詳王庸、茅乃文合編，中國地學論文索引（台北市，台灣學生書局，民國五十九年影印）。

153 詳中央圖書館特藏組編，台灣公藏方志聯合目錄（台北市，編者，民國七十年）。

154 詳臧勵龢等編，中國古今地名大辭典（台北市，商務印書館，民國五十五年）。

155 詳Webster's New Geographical Dictionary, rev. ed. Springfield, Massachusetts: G. & C. Merriam Company, 1972。

156 詳陳正解編，台灣地名辭典（台北市，敷明產業地理研究所，民國四十九年）。

157 詳陸景宗編，外國地名辭典（台北市，維新書局，民國五十五年）。

158 詳張其昀主編，中華民國地圖集（台北市，國防研究院，民國四十八～五十一年）。

159 詳張其昀主編，世界地圖集（台北市，國防研究院，民國五十四～五十七年）。

⑯⓪ 詳內政部地政司、聯勤總司令部測量署合編繪，中華民國台灣區地圖集（台北市，內政部發行，幼獅文化公司經銷，民國七十年）。

⑯① 詳擘開印撰，中國歷史疆域古今對照圖說（台北市，徐氏基金會，民國六十八年）。

⑯② 詳中央圖書館編，中華民國台灣區公藏中文人文社會科學官書聯合目錄（台北市，編者，民國五十九年）。

⑯③ 詳行政院研考會編，中華民國政府出版品目錄（台北市，編者，民國七十年），和行政院。

⑯④ 詳行政院研考會編，行政院研究發展考核委員會出版品目錄（台北市，編者，民國七十一年）。

⑯⑤ 詳國立教育資料館主編，國民中小學教學資料聯合目錄（台北市，編者，民國七十三年）。

⑯⑥ 詳台灣省教育廳編，視聽教學媒體資料目錄（台中，編者，民國七十五年）。

⑯⑦ 詳台北市立圖書館編，台北市立圖書館視聽教育資料目錄（台北市，編者，民國六十九年，另民國七十五年出版錄影資料部份）。

⑯⑧ 詳國立教育資料館編，視聽教育教材目錄（台北市，編者，民國七十四年）。

⑯⑨ 詳中華電視台企劃室資料組編，錄影帶目錄合訂本（每月出刊）。

⑰⓪ 詳台灣師範大學地理學系編，地理教學視聽資料第一輯（台北市，編者，民國七十一年）。

⑰① 詳行政院科技顧問組，行政院國家科學委員會科學技術資料中心編，科技類影片錄影帶聯合目錄（台北市，編者，民國七十三年）。

⑰② 詳中央圖書館台灣分館編，全國兒童圖書目錄（台北市，編者，民國六十六年，民國七十三年另出版續編）。

⑰③ 詳中央圖書館編：圖書館學文獻目錄（台北市，編者，民國七十五年）。

⑰④ 詳王民信編，史記研究之資料與論文目錄（台北市，學海出版社，民國六十五年）。

⑰⑤ 詳中央圖書館編：中華民國出版圖書目錄（台北市，編者，民國四十五年起）。

⑰⑥ 詳中華民國圖書館基本圖書選目委員會編，中華民國圖書館基本圖書選目（台北市，中國圖書館學會，民國七十一年）。

177 詳中央圖書館編，中華民國圖書聯合目錄（台北市，編者，民國六十六年）。

178 詳行政院國家科學委員會科學資料中心編，全國西文科技圖書聯合目錄（台北市，編者，民國六十二年）。

179 詳陳善捷編撰，科技資料指引（台北市，台灣學生書局，民國六十八年），頁二二。

180 詳中央圖書館期刊股編，中華民國期刊論文索引（台北市，編者，民國五十九年起）。

181 詳政治大學社會科學資料中心編，中文報紙論文分類索引（台北市，編者，民國五十二年起）。

182 詳國立教育資料館編，教育論文索引（台北市，編者，民國六十一年起）。

183 詳台灣師範大學圖書館編，教育論文摘要（台北市，編者，民國六十七年起）。

184 詳蘇國榮撰：國民小學圖書館經營之研究（台北市，撰者，民國七十六年），頁五十二～五十三。

第五章　圖書館利用教育的實施

第一節　圖書館利用教育的重要性

依據輔仁大學學生利用圖書館狀況調查報告❶顯示，在被調查的大學生中，自國民小學開始「利用圖書館」者，只有一五·六一%❷，其中有七二·四一%不會使用「百科全書」❸，八五·八四%不會使用「指南、手册」❹，七六·○四%不會使用「類書」❺，甚至於五○·三三%的學生不會使用「字典、辭典」❻，這是令人不可思議的事。

從上述簡單的數據就可以明瞭，絕大多數的學生不會「利用圖書館」，僅把「圖書館」視爲「讀書館」、「自修室」，或是「藏書樓」❼，更不知「目錄卡片」、「參考書」……爲何物？這是教育工作者所應深思和檢討的。

數千年來，「學而優則仕」❽與「十年寒窗無人問，一舉成名天下知」的「科舉」模式，導引着我們的教育指針，直到今天，「升學主義」、「文憑第一」乃爲「科舉的延續」。因此，「蔣光超（講光抄）」的上課形態，遍佈每一角落，而「貝多芬（背多分）」的讀書方式，也爲每一學子所遵循。因爲想要學生得更多，教師就「拚命的講」，有「傾囊而出」之勢，深怕講少了，學生不明白。學生則「拚命的抄」，否則記不起來，一會兒忘了，爲了要多得一點「分數」，就得「拚命的背」，背得越多，分數也越高。試想，在這種「模式」與「心態」下，學生怎麼需要「圖書館」呢？對於「目錄卡片，參考書……」等名詞是那麼的「陌生」而「茫然」。老師呢！只要有「滿肚子的學問」，一張「嘴」，一本「講義」或「教科書」，再加上幾根「粉筆」，教學所需也就一應俱全了。「圖書館」是多餘的，「參考書」更是「閒書」，何必浪費寶貴的時間呢！這也許就是「圖書館不被重視」的主因。

然而，處在急遽變化的今日，科技知識的日新月異，以至分秒必爭，各種新知新聞又如潮水般湧入，使人無法承受，所以，處於這個「知識爆炸」的時代，在精細的分工下，有一批埋首書堆，默默耕耘的「圖書館專業人員」，他們運用其「專業知識與技能」，將各形各色的「新知」，自各個角落「蒐集」，加以「分析」、「整理」，用最「簡速」的方式提供最佳的服務，所以，我們可以大膽地說：「圖書館又稱資源媒體中心，它是最充實的寶庫，最富有的知識銀行，要什麼？有什麼。只要您『善用它』，那無窮的益處，將永遠陪伴着您。」

學習活動若於早期得到適度的啓發，必能促使來日的發展。因此，在國民中小學，甚至學前，兒童「可塑性」最佳時，「圖書館」能給予一個良好的印象與導向，甚至良好的圖書館利用技巧⑨，將終生受用，尤其今日，「終生教育」是世界教育的趨勢，而「圖書館」即是「終生學習的處所」⑩，擔負「終生教育」的重責大任，利用圖書館的知識與技能成爲每個人現代人必備的條件，身負國民教育的國民中、小學，實應開設「圖書館利用」課程，以適應所需[11]。

第二節　圖書館利用教育的定義

印度圖書館學之父阮加納桑（Shiyali Ranamrith Ranganathan）氏曾於一九三一年發表其名著「圖書館學之五項法則（The Five Laws of Library Science）」：

㈠圖書是爲利用的（Books are for use）。

㈡圖書是屬於所有人士的（Books for all）。

㈢每一本書都應有其讀者（Every books for its reader）。

㈣節省讀者的時間（Save the time of reader）。

㈤一所圖書館是一成長的有機體（library is a growing organization）[12]。

從這五項法則來看，第一至四項均爲「利用」，而第五項則是利用後所造成的結果。因此，圖書館的功能貴在圖書館利用，然而，「圖書館利用」若未施予指導，或不施予教學，這些「讀者」又怎能「利用」呢？所以，「圖書館利用教育」是「圖書館利用」的先聲，那麼，「圖書館利用教育」又是什麼呢？

圖書館利用教育（Library instruction）是指導學生利用圖書館的各種教育活動，一般而言，包括介紹認識圖書館環境的活動（library crientation），教導利用圖書館（Instruction in the use of library），以及書目的指導（Bibliography instruction）⑬。認識圖書館活動，在歐美通常被列爲新生訓練活動項目之一，讓圖書館對剛入學的新鮮人表示歡迎之意，介紹圖書館的館舍和設備，館藏內容，圖書室各項規則和服務項目等，也就是圖書館的概況介紹；教導如何利用圖書館以指導讀者熟悉「索書號」、「分類法」、「排架」（對開架管理而言），卡片目錄的使用，以熟諳各種圖書資源的利用爲目的；書目指導，則教導學生迅速而有效的使用圖書館現有的書目工具⑭。

更進一步的說，在國民中小學，圖書館利用教育着重於培養、訓練學生對「圖書館利用」的主要知識、技能和態度⑮，同時，以對「圖書館的認識」爲培養基礎，從學習態度和讀書習慣之培養，進而對於有關「分類」、「目錄」、「參考書」之認識與瞭解，及非書資料之蒐集、整理和應用，同時予以創造、思考及實際應用之學習，因此，筆者認爲：

㈠修訂國民中小學課程標準，將「圖書館利用」列入「正式課程」，並排定「授課時間」，俾教師有所依循，目前無統一的「課程標準」，亦無「固定之授課時數」，因此，教材內容均憑個人喜好，授課時間則有借國語科者，利用團體活動時間者，甚至利用午間靜息者……不一而足，若欲達到「圖書館利用」之預期目標，必需有「正式的課程」，方能使圖書館利用的紮根工作更爲落實。

㈡增進各科教師圖書館利用的知識與技能，若各科教師有豐富的「圖書館利用」知識與純熟的技能，即可在其教學中，隨機授予圖書館利用的知識，且經常利用教材訓練其技能，而增進其學習效能，反過來說，若教師本身對圖書館利用尚且一知半解，甚至完全陌生，又怎能教學呢？

第三節　圖書教師

教育部於民國七十年頒佈的修訂「國民小學設備標準」[16]中，明白規定「各校應由校長指派『圖書教師』一人處理館務，班級較多之學校，酌增圖書教師若干人，協同處理館務」[17]。直至民國七十二年，全國尚無「圖書教師」之設置，所以中國圖書館學會於民國七十二年年會中提案[18]敦請教育部通令省市教育廳局，依部頒國民小學設備標準設置「圖書教師」，立即獲得大會的通過，教育部旋於七十三年四月間通函省市教育廳局及國防部轉金、馬戰地政務委員會，轉函各校[19]，請各國小校長指派教師兼任「圖書教師」。

當這份公文轉達到各國小時，由於各校長對於「圖書教師」並不瞭解，有些「歸檔存查」了事，有些隨便指派「設備組長」或「課務組長」兼任了事，至於有沒有「圖書館學專業訓練」完全不問了。

一　圖書教師的任用資格

依據教育部頒「國民小學設備標準」中「圖書設備標準」之規定，「圖書教師應受圖書館專業訓練」[20]，但「圖書館專業訓練」係指那些？並無明文規定，而一般法令亦甚少提及，今就「大學及獨立學院圖書館標準草案」[21]第十條所稱：圖書館館員分專業人員與非專業人員。專業人員需具下列資格之一，其待遇比照教員支給之：

(一)國內圖書館學系組及研究所畢業者。

(二)其他學系畢業曾選修圖書館學或資訊科學二十學分以上，並在圖書館服務一年以上者。

(三)資訊科學及教育資料科學系畢業者。

(四)專科學校圖書資料畢業，並在圖書館服務二年以上者。

(五)圖書館人員高等考試及格者。

(六)圖書館人員普通考試及格，並在圖書館服務二年以上者。

符合這些「專業人員」條件者雖然很多[22]，但欲擔任「圖書教師」者，尚必具「教師資格」與「圖書館專業人員資格」，缺一不可，所以，上述「專業人員」必須再修習「教育專業科目二十學分」，或者「國小一般教師再選習圖書館學二十學分」[23]，衡諸目前，只有國立臺灣師範大學社會教育學系圖書館教育組畢業者，爲唯一具備「圖書館專業」與「教師資格」者，因爲他們非但修習教育專業課程，同時修習圖書館專業課程，而爲最合適的「圖書教師」。

國立臺灣師範大學自民國四十五年設「社會教育系」以來，雖然歷時三十年，畢業生亦不少，然而，大部份投入國中以及社教機構，幾乎沒有服務國小者，直至民國六十九年該系開設「夜間部」，招收「在職進修」人員，其入學者八〇％以上均爲「國中小教師」，這批「國中小教師」畢業後就是「國中小圖書館教育」的一股生力軍，可惜，僅僅招收三屆就停招了，區區百餘位教師，欲推動數千所國中小之「圖書館教育」，自是僧多粥少，不敷分配。

七十五學年度起該系又恢復招生了，而臺北市教育局以及高雄市教育局爲了因應當前的需要，以「在職訓練」方式，調訓一批未具「圖書館專業」資格之「圖書教師」，在各教師研習中心實施「密集訓練」，另中國圖書館學會亦於每年暑假舉辦「暑期圖書館工作人員研習」[24]，這些「密集訓練」提供他們「概念性」的「專業知識與技能」，以補「專業訓練」之不足，對於國小圖書館教育之推展亦頗有助益。

然而，「專業能力」與「專業精神」之訓練與培養，非一朝一夕一蹴可成者，短期之「密集訓練」終非長久之計，因此，個人建議：

(一) 配合圖書專業二十學分之需要，在各師院設圖書館教育系或於初教系內設圖書館教育組開授「圖書館學概論」、「圖書選擇與採訪」、「參考資料與參考服務」、「圖書館利用」、「讀書法」……等課程，修滿學分者方得擔任「圖書教師」及「圖書館工作」。

㈡師院進修部，暑期部開授前列課程，供在職之教師自由返校選修，修畢學分，成績及格給予學分證明，得兼「圖書教師」及「圖書館工作」。

㈢師大、師院各系增闢「圖書館學」爲輔系或副主修，鼓勵同學選習「圖書館學分」。

㈣荐送現職國中小教師至各大學圖書館學系或圖書館研究所進修，以充實「圖書館專業知能」，修畢學分得兼「圖書教師」與「圖書館工作」。

若能如此，一則可以激起教師之工作情緒，再則對於圖書館利用教育之紮根工作，可獲實質之效果。

二 圖書教師之職掌

在「國民小學設備標準」中規定「各校應由校長指派圖書教師一人處理館務」，並無其他說明或解釋的文字，而「處理館務」在國民中小學圖書館來說，並非僅指一般兒童圖書館的「採編、閱覽」而已，尚應包括「圖書館利用教育」的實施以及支援教學活動，否則就與公共圖書館的兒童室毫無分別了，因此，「圖書教師」的職掌，個人認爲可分爲下列各點：

㈠館內技術服務：技術服務乃讀者服務之準備，我們知道，圖書館的採訪選擇、交換贈送、分類編目、摘要索引、書目、排架典藏與特殊資料㉕之整理，乃是幕後之準備工作，也就如作戰先頭部隊之後勤。欲有完美順利成功的服務，必先有完善穩妥的準備。因此，完美的「技術服務」才是成功的「讀者服務」之基石。不然，想要使用「目錄」，目錄不全，甚至未編㉖，欲利用圖書資料，又未予「分類」㉗，試想，要如何來「利用」？又怎樣「指導」小朋友呢？

(二) 館內讀者服務：也就是對校內師生的各種服務，如圖書的出納流通，參考諮詢，尤以「參考諮詢」最爲重要㉘，我們非但要解答兒童的一般疑難，更要隨機指導「利用圖書館」的知能，輔導他們「自食其力」，找到他們自己所需要的資料和答案，使他們不僅因獲得解答而「快樂與滿足」，更因學得「解答的方法」而激起「再來的慾望」，因此，爲了招徠「顧客」，我們必須設計許多具有「趣味性」的活動，吸引他們參與㉙。

(三) 提供教師教學參考資料：學校圖書館設置的目的，在於協助教學，增進學生學習效果，因此，對於有關教學之參考資料應廣爲蒐集，首先，對於課程標準必須熟悉，各年級各學科的教材必需瞭解，隨時隨地注意蒐集，加以整理、歸類、剪輯、編號，製成目錄與索引，提供教師們教學之參考利用，必能充實教學內容，提昇教學效果，增進學生之學習興趣與效果。

(四) 協助教師製作教具：傳統演講式的教學法業已日漸式微㉚，代之而起的是實驗、觀察、蒐集爲主的「自學活動」，換句話說，學習需由學生自我意願爲主，而非強迫的注入，爲了引導其興趣，教師必須利用各種教學資源、器材，以誘導其潛在的能力，使之充分發揮，因而，教具的製作與使用，刻不容緩，教師本身課務繁忙，無暇蒐集製作，圖書教師以其「專業知能」來協助教師蒐集，乃是順理成章之事。

㈤「圖書館利用教育」之教學：爲「圖書教師」最重要的工作之一，學校若重視「圖書館利用教育」，則由教務處排定時間，全班同學定時地到圖書館，接受預先設計的教材與一定進度的教學，以漸進的方式教學㉛，最好能依教材之進度拍成「錄影帶」或是幻燈片，因爲這樣一來有聲光、彩色與動感之效果，可增強學生的學習興趣與效果，二來亦可複製、拷貝以供廣泛使用，可節省了人力與解決「師資不足」之困難。同時也可以利用兒童個別進館，前來詢問疑難之時，隨機給予指導，一方面協助他解答疑難，一方面適時地施予「參考書利用」的指導，介紹參考書之特性，使用方法、使用時機，甚至對於「索引」、「摘要」、「書目」、「剪輯資料」之利用，亦可伺機進行指導，這種「個別指導」往往深刻而有效，只是每次指導之人數太少，而花費時間太多，不甚經濟。

㈥舉辦各種圖書館活動：爲了提高學生對圖書館的認識與利用，我們可藉著各種圖書館活動的舉辦，來吸引學生進館，然而這些活動的舉辦，必須與訓導處、輔導室配合舉辦，這樣可以促進圖書館與各處間之情誼，又可增進各處對於圖書館之瞭解，而使活動辦得更爲生色㉜。

㈦協助教師成立「班級圖書室」：班級圖書室實爲學校圖書館的延伸，因此，對於各班級之班級圖書室應提供技術支援，甚至於圖書資料之支援，以期圖書館利用教育普及於每一位學生，由於班級人數較少，教師更能順應其個別差異，指導之效果必大大的提高[33]。

三　圖書教師的修養

如果一位圖書教師能對其職掌善盡職責，必能使學校圖書館成爲「教學的中心」、「學校的心臟」，而「圖書教師」亦將成爲學校的「靈魂人物」，但是，他自己仍然必須具有相當的條件與修養，茲列述於後，提供參考：

㈠正確的觀念：圖書館所提供的服務，對整個學校是重要的，甚至影響學校的辦學績效，基於這點，必須先有正確的觀念，對於校內師生、技工友、職員等，均應提供「適切的服務」，以滿足他們的求知慾，達到其目的，進而成爲一個不可多得的朋友，其樂將無窮。

㈡所提供的服務是否成功有效，端賴本身之專業知能：對於「圖書館學」的原理，服務的原則，有深切的認識與瞭解，進而熟練各種技術，以達「得心應手」之效，若能如此，服務之品質必能提高，效果必然卓著。

㈢熟練各種參考書之特性與用法：如對參考書的認識一知半解，既有虧於職守，亦爲全校師生之損失，而對參考書有透澈的瞭解，即可迅速而準確地利用它查檢，給予師生快捷而滿意的答覆與解答，一則提高師生進館的興趣，二則使讀者對本館建立良好的信心。

㈣對各科教材內容與進度充分瞭解：爲了配合教學進度，適時提供教學參考資料及教具之製作，對於課程標準的內容與各學期之教學範圍與進度，製成表格再將蒐集的材料系統化，以期靈活調配，用以配合教學，使教學效果達於最高之境界。

(五) 靈活的視聽資訊：卡利佛（Kathleen W. Craver）在其「學校圖書館媒體中心的未來」一文中首說：「圖書館媒體專家的地位在於他的技術爲資訊的儲存、檢索、利用與應用，又稱爲『界面專家』」[34]，所以，今日「多媒體」之被利用於教育[35]爲衆所重視，因而對於最新之視聽器材、教學資料，不論硬體、軟體，都應掌握其資訊源，以便隨時蒐集、購置、參考、應用。

(六) 具有高度的服務熱誠與敬業精神，並以「利他」爲信守之戒律：圖書教師本身兼具「館員」與「教師」之雙重身份與任務，若具高度之服務熱誠，必有犧牲奉獻之精神，必然有「利他」爲守則的表現，也唯有如此，圖書館事業才能紮實地發展[36]。

(七) 經常閱讀、進修，汲取新知：今日號稱知識爆炸，各種出版品如洪水般湧來，唯有不斷的閱讀、進修，方不致爲其所淹沒，尤其是「期刊論文」的研讀研究，更爲重要，經常瀏覽，對於「專業性」期刊更不應忽視，且需作筆記、摘要、索引與剪輯，以增新知與便於日後運用，同時亦可服務師生，否則我們非但爲其洪流所淹沒、吞噬，更爲其所淘汰，又怎能服務大衆！

四 圖書教師與設備組長

國民小學依據「國民教育法施行細則」[37]第十二條第一款國民小學行政組織第三項：「二十五班以上者設教務、訓導、總務三處及輔導室。教務處分設教學、註册、設備三組；……」而有「設備組長」之設置，另第十三條國民小學及國民中學各處、室之職掌……「一、教務處：掌理各學科課程編排、教學實施、學籍管理、成績考查、教學設備、教具圖書資料供應與教學研究，並與輔導單位配合實施教育輔導等業務。……」詳明「設備組長」之職掌乃「教學設備、教具圖書資料供應與教學研究」等支援教學之單位。

圖書教師，顧名思義，其主要職責在於「教」，如何把「圖書館學之知識」傳授、教導予學生，使學生獲此知能，以擴大其學習領域，充實生活，同時，協助教師準備教學，以豐富教學內容，換言之，「圖書館利用」教育之推展，主要任務就是落在「圖書教師」的雙肩了。

若在二十四班以下的國民小學，「圖書教師」就有兼具「設備組長」之功能，因爲學校行政體系中沒有「設備組長」之設置。因而有「各校應由校長指派圖書教師一人處理館務」之規定，所以，這類型之學校，「圖書教師」除擔負「圖書館利用教育」之教學重任之外，尚應處理「館內行政事務」。

五 圖書教師與一般教師

一般教師係泛指普通的級任與科任教師，他們除了共負輔導學生之生活教育與道德教育之外他們的授課範圍就是一般的教科書了，假如圖書教師能與之密切配合適時提供教學資源，必能使教學更生動有趣，效果必更卓著。

學校圖書館最大的功能在於發揮教師之教學效果與學生之學習功能，所以，「圖書教師」在一般教師擬定教學計劃時，就必需採主動而積極的態度㊳，資料的選擇與蒐集就成為這一活動的重點所在，藉著「參與教學計劃」把有關的資料提供出來，而一般教師亦可「建議採購有關的教學資料」。

整個教學單元依教學計劃進行、發展，圖書教師與一般教師的合作並未中斷，「圖書教師」協助把「教學資料」送進教室，教導學生如何使用，教學後更推荐其他資料，供課後研究之參考，這樣，學生的學習興趣提高了，教學效果必大增㊴。

例如，國小四年級下學期有「金門」這個教學單元，圖書教師除了「蒐集」有關「金門」的資料外，還得做一些「課後研究」，所以，教學時不是僅把「教科書」為主要的教學依據，而尚須運用既有的館藏。

首先利用投影片、幻燈片或電影片來介紹「金門的歷史、人物、位置、地利、風土」，並把有關的地圖、地理模型，或是由學生共同設計「沙盤」，以促進對金門的地理位置、地形，再瞭解金門的產物及地理重要性，更因蒐集金門近況的「剪輯」中瞭解，更應由故事、散文、戲劇……等找出一些以金門爲著作背景者，供學生課後深入研究之用，另一方面，更應指導學生應用百科全書、地理資料、地圖集和傳記資料中找尋所需之訊息，甚至可以指導使用有關書目、索引、摘要，以期作更深入的研究。如此，學生必能獲得最佳之「學習效果」。

所以，成功的教學活動，必須是「圖書教師」與一般教師通力合作，教學之品質方能提高，而學生之學習亦提昇，圖書館的「館藏」也就充分發揮其效益了。

第四節　圖書館利用教育的課程設計與教學

一般說來，課程設計包括組織的類型（organizational patterns）、學問的結構（structures of disciplines），以及教材的形式與安排（form and arrngement）[40]。就學校教育來說，除了課程設計之外，尚包括「教學」，表面上「課程」是處理「教什麼」的問題，而「教學」則是處理「如何教」的問題，事實上，課程與教學均爲達成學校教育目標的手段，關係極爲密切。

就課程設計本身來說，可分爲「縱的連貫」與「橫的連繫」。所謂「縱的連貫」是指同一學科的銜接，從最低年級至最高年級，甚至由小學、中學而大學，同一學科的教材，按照一定的程序和組織，密切聯繫，循序漸進，前後貫通；而「橫的連繫」則指不同學科間之配合，即同一學年間，雖然學科不同，但各學科間的教材緊密的配合與連繫，才能使課程的學習成為完整的活動㊶。

至於教學，哈艾特（G. Highet）在其「教學的藝術」書中謂：「教學不是科學，而是一種藝術」㊷，從方法的觀點來說，教學是交互影響、多向溝通、共同參與、獨立、自動等諸原則所融合，又因為適應個別差異，達到民主要求，迎接知識爆炸的時代，為繼續學習的終身教育而舖路，所以，自動學習與獨立研究是我們的目標㊸。因此，教師必須瞭解並熟練各種教學方法，再予靈活運用，方能予學生正確的導向，更能啓發其潛能，進而發揮，以期來日服務社會、國家。

圖書館利用教育的課程設計亦然，必須把有關「圖書館利用」的全部教材，依其程序、組織，循序漸進、前後貫通，也就是說，把全部的課程，分成若干段落，分別於一年級、二年級、三年級……實施教學。同時，在同一年級中，亦與其他各科，如社會科、自然科、國語科……相互配合，也就是在各科間實施「隨機教學」，以使「圖書館利用」的知識與技能，完全溶入兒童學習活動之中，俾在「國民教育」階段，即能對「圖書館的認識、資料的檢索、蒐集、整理、分析與利用」有所認識與瞭解，進而應用於生活之中，以解決各種生活上、學術上、研究上的種種困難。

在「縱的連貫」方面，分列「圖書館環境的認識」、「讀書的意義」、「圖書構造的學習」、「圖書的維護」、「圖書目錄的認識與利用」、「圖書分類的認識」、「參考書的認識與利用」、「閱讀衛生」、「心得報告的書寫」、「班級文庫的建立與利用」等十個單元設計，在「橫的連繫」方面，則以各科教學活動設計來說明，同時，爲了促使對於「圖書館利用」有更濃厚的興趣，再配以「圖書館活動」來配合。茲分述於後：

一　縱的連貫——圖書館學的領域

依圖書館利用教育本科目之組織體系，前後連貫呼應，分別就「學習領域」、「實施要項」與「教學年級」列表說明：

領域	實施要項	國民小學 1	2	3	4	5	6	國民中學 1	2	3
		教學年級								
一、圖	1. 認識本校圖書館的位置。	√	√							
	2. 認識圖書館內的分區。	√	√							
	3. 認識館內的陳設情形。	√	√	√						

書館環境的認識									
4.認識圖書教師是誰？	√	√	√						
5.知道什麼時間來看書。	√	√							
6.現期兒童期刊的認識。	√	√							
7.一般圖書的認識。		√	√						
8.錄影帶、幻燈片的認識。		√	√	√					
9.怎樣與圖書教師和服務同學合作。	√	√	√	√					
10.社區公共圖書館的認識。			√	√	√	√	√		
11.社區文化機構的認識㊹。					√	√	√	√	
二、讀書的意義									
1.瞭解讀書的樂趣。		√	√						
2.瞭解閱讀可以增進知識。			√	√					
3.瞭解讀書可以豐富人生。					√	√	√		
4.瞭解閱讀可以促進社會進步。					√	√	√		
5.瞭解紙、文字、印刷術之發展。					√	√	√	√	
6.瞭解文化財和圖書的價值。						√	√	√	√
三、									
1.瞭解圖書的封面和書名。	√	√							
2.知道書名頁和版權頁。（詳附錄五）			√	√					

圖書構造的學習							四、圖書的維護								
3. 瞭解目次的意義。	4. 瞭解序文和結論的意義。	5. 瞭解標題的意義。	6. 認識與利用索引。（詳附錄六）	7. 認識註釋和附錄並加以利用。	8. 參考書目的認識與利用。	9. 瞭解插畫與內容的關係。	1. 知道怎樣取書、拿書、翻書和放書。	2. 知道不在書上亂塗。	3. 瞭解怎樣保持圖書的清潔。	4. 看畢圖書小心放回原處。	5. 不和同學搶閱圖書。	6. 知道圖書脆弱易破損的原因。	7. 簡單的修書常識。	8. 瞭解圖書的裝訂。	9. 瞭解各種裝訂技術。
						√	√	√	√	√	√				
√						√	√	√	√	√	√				
√	√					√			√			√			
√	√		√									√			
	√	√	√	√									√	√	
	√	√	√	√	√								√	√	√
	√	√	√	√									√		
		√	√	√	√								√		
			√	√	√										

	四（續）	四（續）	五、圖書目錄的認識							六、圖書分類的					
	10. 裝訂之研究與實習。	11. 自製圖書。	1. 卡片目錄的認識與利用：(1)分類卡片的認識與利用。	(2)書名卡片的認識與利用。	(3)著名卡片的認識與利用。	(4)標題（或主題）卡片的認識與利用。	2. 書本目錄的認識與利用。	3. 聯合目錄的認識與利用。	4. 書單、廣告等營業目錄的認識與利用。	1. 低年級的圖書放在那裡。	2. 我喜歡的那類書放在那裡。	3. 圖書爲什麼要分類？	4. 十大類的認識㊺。	5. 本館排架的認識和使用。	6. 書碼表示什麼㊻？
										√					
										√	√				
		√	√	√	√						√	√	√	√	√
		√	√	√	√	√	√				√	√	√	√	√
		√	√	√	√	√	√	√	√			√	√	√	√
	√	√				√	√	√	√			√	√	√	√
			√	√	√	√	√	√	√				√	√	
						√		√	√						
								√							

認識			七、參考書												
7. 怎樣依據書碼（索書號）找書？	8. 怎樣有系統的閱讀才能增進各方面的知識。	9. 認識圖書分類，可既類求書（詳附錄七）。	1. 字辭典、百科全書與類書之認識與利用。	(1) 看圖識字的認識。	(2) 節本字典的認識與利用。	(3) 節本辭典的認識與利用。	(4) 圖畫百科全書的認識。	(5) 兒童百科全書的認識與利用。	(6) 青少年百科全書的認識與利用。	(7) 普通百科全書的認識與利用。	(8) 專科字辭典的認識與利用。	(9) 專科百科全書的認識與利用。	(10) 外語字辭典的認識與利用。	(11) 外文百科全書的認識與利用。	(12) 類書的認識與利用。
				√			√								
				√	√		√	√							
					√	√	√	√							
					√	√	√	√	√						
√	√	√			√	√		√	√						
√	√	√			√	√		√	√	√	√	√			√
√	√	√				√		√	√	√	√	√	√	√	√
	√	√							√	√	√	√	√	√	√
	√	√							√	√	√	√	√	√	√

的　認　識

2.年鑑、圖鑑之認識與利用：				3.期刊的認識與利用：					4.手册、便覽與指南之認識與利用：		
(1)圖鑑之認識與利用。	(2)利用圖鑑來解決疑難。	(3)瞭解年鑑的種類㊼及其特性。	(4)利用各種年鑑解決學習困難。	(1)接近期刊。	(2)知道期刊的種類㊽。	(3)瞭解報紙、期刊與學習之關係。	(4)能從報紙、期刊蒐集資料並予分類。	(5)利用蒐集之資料解決學習之困難。	(1)能從手册、概況中知道某一機構、團體之情形。	(2)能從便覽中獲知各種事務進行之步驟與方法。	(3)從各種指南中習得各種知識並應用於學習之上。
√	√			√							
√	√			√							
√	√	√	√		√	√					
√	√	√	√		√	√	√				
		√	√		√	√	√	√	√		
		√	√		√	√	√	√	√	√	√
√	√	√	√				√	√	√	√	√
		√						√		√	√
										√	√

和利用

	1	2	3	4	5	6	7	8	9
5. 傳記與地理資料的認識與利用：									
(1)名人故事與名人傳記的認識與利用。			√	√	√	√	√		
(2)人名辭典與地名辭典的認識與利用。				√	√	√	√		
(3)年表的認識與利用。					√	√	√	√	
(4)地圖的認識與利用。			√	√	√	√	√		
(5)地理模型的認識。			√	√	√	√	√		
(6)地圖集的查檢與利用。					√	√	√	√	√
(7)人名、地名索引的認識與利用。					√	√	√	√	
(8)方志的認識與利用。						√	√	√	√
6. 圖片、相片之認識與利用：									
(1)風景明信片之蒐集與分類。				√	√	√	√		
(2)期刊中圖片、照片之蒐集與分類。					√	√	√	√	
(3)認識微卷資料。						√	√	√	√
7. 視聽資料的認識與利用：									
(1)圖書館中幻燈片、電影片之認識。		√	√				√		
(2)瞭解館中有那些錄影帶、錄音帶。			√	√	√	√			
(3)模型、地圖、設計圖之認識與蒐集。					√	√			

(4)幻燈片、微卷、地圖之利用。				√	√	√	√		
(5)瞭解各種視聽資料之分類，編排與利用。					√	√	√	√	
(6)各種視聽器材㊾之認識與操作。						√	√	√	√
8.書目、索引和摘要的認識與利用。									
(1)瞭解書目、索引和摘要的意義。					√	√			
(2)瞭解書目、索引和摘要的編製。					√	√			
(3)瞭解書目、索引和摘要的用法。					√	√	√	√	
(4)試編書目、索引和摘要。						√	√	√	
(5)專書書目、索引之利用。						√	√	√	√
八、閱									
1.瞭解閱讀衛生：									
(1)手要乾淨。	√	√							
(2)坐姿要端正。	√	√							
(3)書本距離要適當。	√	√	√						
(4)不邊吃邊看。	√	√							
(5)不躲在牆角看書。	√	√	√						
(6)不在太亮或太暗的地方看書。	√	√	√						

讀衞生									
(7)保持圖書器具和書之清潔。	√	√							
(8)不邊走邊看書。	√	√	√						
(9)要看有益身心健康的書。			√	√	√	√			
2.自己瞭解閱讀衞生並指導較低年級同學。				√	√	√			
3.瞭解注意閱讀衞生的原因：									
(1)為自己健康。	√	√							
(2)為大家健康。		√	√						
(3)是公共道德。			√	√	√	√	√		
九、心得報告之									
1.有目的的讀書：									
(1)讀書為解決學習上之困難。			√	√	√	√			
(2)讀書為滿足自己的需要。			√	√	√	√			
(3)讀書是一種有目的的活動。					√	√	√	√	
(4)讀書會增進知識的領域。				√	√	√	√		
2.撰寫心得報告㊿。									
(1)怎樣擷取書中要意。			√	√	√	√	√		
(2)書目資料款目的著錄格式。					√	√	√	√	

行	書寫 (3)筆記、摘要的撰寫方法。	書寫 (4)發表作品與評鑑。	十、班級文庫之建立 1.選擇適當的圖書	(1)有趣味、能鬆弛精神、使心情愉快。	(2)富有豐富的想像並有啓發性。	(3)文筆通順。	(4)主題正確、思想純正、積極。	(5)能擴大知識領域、豐富人生。	(6)印刷精美、裝訂精良。	2.實施分類編目，製作一種目錄卡片。	3.分類排架。	4.裝訂簡單規則。
1												
2												
3												
4	√					√					√	√
5	√			√	√	√	√	√	√	√	√	√
6	√			√	√	√	√	√	√	√	√	√
7	√	√		√	√	√	√	√	√	√	√	√
8		√								√		
9		√										

以上就課程設計的教材以「表解」的方式介紹給讀者，至於這些教材的內容如何來「教」呢？我們就「書的構造」、「圖書分類的認識」、「參考書的認識與利用」，分別以「教學活動設計」（詳附錄八～十一 見三四三～四〇五頁）來說明。

二　橫的連繫——各科教學的配合

一個成功的教學，除了其本身目的的完成——縱的連貫——之外，必須溶入各學科中，使其相互發生關連，而達全面性之效果，也就是教育專家們常說的「主學習」、「副學習」和「附學習」之完成。

圖書館利用教育之教學活動，其主要目的在於應用圖書館學的各種理論與技術，來協助、輔導學生各學科的學習活動，使學習更有效又更經濟，所以，若各科教學中能善加以利用，教學本身亦可達事半功倍之效，學生的學習更因方法之有效而感生動、有趣，更因而使學習有長足的進步。

在各科教學中，教師如果能於課前先行提出若干問題，令學生到「圖書館」或自己家中的「書架」上先行「蒐集」、「查檢」有關「資料」，經過自己的「整理」、「分析」、「歸納」，再於上課時提出「報告」、「討論」，且能將其「蒐集」、「整理」、「分析」、「歸納」、「報告」、「討論」的過程與方法列爲主要評鑑的項目，更能提高學生的興趣。

在整個教學過程中，以「分組蒐集」、「各組報告」、「共同討論」、「教師補充」爲主要流程，這樣，整個教學活動爲師生共同參與，甚至以「學生爲主」，因此，學習是主動的、深入的，也是多面的。

舉個例來說，在自然科或社會科中，常發現一些名詞、人名、地名……這些如果能於課前提出，並令學生事先到圖書室查檢相關資料，經整理後提出報告，不但學生會對它更瞭解，而且增加其興趣，增廣知識領域，爲了更進一步的瞭解，特將各科之教學活動設計舉一例於後，供大家參考（詳見附錄五～十一）

三　各種圖書館活動之配合

所謂「圖書館活動」並非「在圖書館裡辦活動」就算了，而是利用各種方式舉辦各種活動，不論在圖書館內、館外，藉著「活動的進行」，促進學生對「圖書館的認識」，進而「利用館藏」，一則使圖書館充分的被「利用」，二則又使活動的內容更形豐富、充實，同時又增進了學習的效果。

舉辦這些活動，必須注意下列幾項原則：

㈠ 多樣化、趣味化、活潑化。

㈡ 適合學生之能力，使之有「成就感」。

㈢ 有啓發性、競爭性，並有適當之獎勵。

㈣ 主動的服務，親切的招待。

㈤ 經常辦理，不可一曝十寒。

(六) 利用各種視聽媒體，增加學生的興趣[51]。

要符合上列各項原則，而可供辦理的活動相當地多，玆舉較常用者於後，以供參考：

(一) 圖書館週的舉辦（認識圖書館）：

每個學校都已經設置了圖書館（室），臺北市的中小學中，尚有許多美侖美奐的圖書館，然而，學生如果把它看成氣氛森嚴的「辦公室」而不敢接近，又怎能「利用」呢？爲了消除這種心理，以活動來誘導、啓發，使他們「想接近」，因此，舉辦「圖書館週」的活動效果最佳，其主要的活動如下：

1.張貼海報：要喚起學生的注意，在圖書館及文化走廊和較明顯處，張貼「圖書館週」的海報讓每一位學生都知道這一活動，歡迎每一同學都參與，亦可配合中國圖書館學會舉辦之全國圖書館週活動，使用其設計精美之海報張貼，學校圖書館亦可自行設計。

2.參觀圖書館：圖書館的參觀可分爲集體參觀與個人自由參觀，圖書教師作「定時解說」，以期對圖書館有較深入的瞭解，而圖書教師應有如下的準備：

(1)準備足夠的座位：至少足供一個班級學生數的座位，讓學生坐下來詳聽您的介紹，並準備各種視聽媒體輔助說明，提高學生興趣，同時備妥放大的「目錄卡片」和「分類表」，以備解說之用。

(2)介紹的內容應包括：服務的項目，如疑難解答，參考工具書的使用指導、館藏特色、視聽媒體與器材、實驗器材與玩具、借還書規則、閱覽規則、簡單的分類概念、目錄卡片的認識與使用、館藏排架情形……並儘量給予發問與討論的機會。

3.辦理相關的活動：如電影欣賞、音樂欣賞、美勞佳作展、燈謎、演講、講故事、掌中戲、各種展覽……其中以「講故事」與「掌中戲」最能吸引低年級的小朋友，而「卡通影片」、「科技錄影帶」及「偵探推理片」最令高年級同學感興趣。冒險、戰爭、文藝時使國中生喜歡。

4.響應中國圖書館學會的「全國圖書館週」活動㊷，辦理書展，專題特展，參觀社區公共圖書館及社教機構㊸。

(二)引領學生進入圖書館㊹

圖書館的利用，最重要的是製造讀者「渴望進館」的需求動機，所以，爲了使學生有良好的圖書館經驗，增進其對圖書館的興趣，圖書教師必須設法安排學生前往圖書館，其方式如下：

1.團體進館：團體進館又可分爲「參觀」與「利用」二種情形：

(1)參觀：這是最基本的活動，一般教師或圖書教師於學年或學期開始時，尤其是新生，應該首先安排這項參觀活動，圖書教師應先把館內情形、陳設及各項設備之配置，如目錄櫃、出納台、服務台、期刊室、視聽室、玩具間……等介紹給學生，對開架服務的圖書館，尤須重「分類概念」之認識與「排架」之介紹，否則，他們進館之後就難以找到其所需要的圖書與資料了。同時也應注意各種規則之說明，以期共同遵守。

(2)利用：集體利用圖書館爲目前各國民中小學最常使用的方式，因爲目前各校圖書館的空間面積與學生人數未達應有的比例[55]，所以，以「分配時間」[56]集體使用，尤以「閱讀指導」最爲普遍。

2個別進入：除了集體進館之外，更應設法誘導學生個別進館利用，以解決其個別之需求，然而，要怎樣才能吸引入館，以覓取所需呢？筆者認爲：

(1)分送讀物目錄：印製具吸引力的讀物書目、書評或摘要，分送各班教室，供學生瞭解館藏之部份內容，而知「確有值得一看」的書，以及各種他所需要看的書。

(2)介紹有趣的書刊：將最感興趣的書刊，用各種不同的方式，如海報、視聽化，來介紹給同學，產生一股吸引力。

(3)特殊精華展：每週或一特定時間，定一主題展示精華讀物，引起興趣。

(4)提供參考書目：配合各年級教材內容，提供參考書目，供學生「預習」之參考。

(5)放映幻燈片、電影、錄影帶……等視聽資料，以提高學生興趣。

(6)利用週會、朝會、團體活動，由圖書教師或同學，作簡短且具誘導性之報告。

(7)利用各種剪貼、立體廣告、圖書……之展示，以廣招徠。

3.參觀公共圖書館及文化機構：學校圖書館不一定能夠滿足學生的需求，所以，爲了滿足他的慾望，必須讓他對於學校附近的公共圖書館之兒童室、博物館、天文台、科學館、文物陳列室、藝術館、天象館、文化中心……都有所認識與瞭解。這樣，如果在學校圖書館中找不到他所要的資料，他就可以到那些地方去找了，可彌補學校圖書館館藏之不足㊼。

㈢ **講故事**

說也奇怪，講故事是件老少咸宜的事，不論幼稚園的幼兒、小學、中學或大學生，甚至「在職進修」的「老學生」們亦樂此而不疲，在兒童圖書館中，「講故事」是兒童最喜歡且最具吸引力的活動了。

說故事要怎樣才能「扣住」小朋友的心，所羅門（Solomon, Eynn L.）在其「任何人都能講故事」㊽一文中提出下列技巧：

1.熟悉故事之內容：自己至少先讀兩次以上，才可以對小朋友講或朗誦。

2.等每一位小朋友集中注意力於您的身上時才開始，如果講述中途，有小朋友私下談論時，立即停止，待全體靜止後再繼續講。

3.書拿來時，盡量讓小朋友看到書上的圖畫，這樣可以引起閱讀這本書的興趣。

4.聲調的抑揚頓挫要留意，口齒要清晰，字字清楚，且盡量使之戲劇化。

5. 聲音要富於情感，並特別強調要緊的字和詞。

6. 運用圖畫發問，表演或講述類似的經驗等事先準備的方法來輔助瞭解故事內容。

也許第一次講述會很緊張，而缺乏信心，但是只要依上述方法進行，當您看到小朋友們靜靜的坐着傾聽入神時，信心自然而然的產生，接着，自己也會因全神投入而忘我。這個活動主要的目的，在於引起兒童對於「讀物」的重視，與對著者和插圖的興趣，藉以引導兒童進入「圖書館」，發現館中有許許多多他們所喜歡的書。

當然，我們也可以改變方式，由一般教師來講述，甚至找幾位學童來講，以提高他們的興趣。

至於故事的內容，盡量找尋「兒童讀物」中的故事，因爲我們的目的是「吸引小朋友進館」、「接觸圖書館」更進一步對「書——兒童讀物」發生興趣，再推廣到「參考工具書的認識與利用」[59]。

講故事不但能陶冶學童的性情，鼓舞學習的情緒，也能擴大與增進學童的知識與經驗領域，所以，在圖書館中講故事，開拓兒童思想的天地，並激發其閱讀、求知的興趣，因此，如果能由學童來講給大家聽，可以促其利用圖書館中的資料來充實故事的內容，達到充分利用館藏的目的和功能。

如果能配合「多媒體」的運用，以錄影帶、電影片、幻燈片、投影片……等相輔配合，甚至以掌中戲、布袋戲之方式演出，將更吸引學童的興趣。

(四)展覽活動

我們從字面上就可以看出，展覽就是把各項靜態的資料，以「動態」的方式展出，一則是「閱覽」工作與服務「對象」的延伸，二來可以誘導、吸收更多的「潛在讀者」進館，進而「利用館藏」，因此，各項的展覽活動必須朝着這種方向來努力，不論舉辦那一項展覽，首先要注意以下各點：

1.一般人是去「看展覽」的，所以，展覽應該「讓人眼睛一瞥即過而留下印象的展示」，而非仔細研究爲目的，所以：

(1)要有清晰的構想。

(2)要有明確的主題。

(3)要表現突出，否則無法吸引人。

2.有恰當而詳細的計劃：

(1)展出的目的要明確。

(2)構想清晰而嚴謹。

(3)對於展品、事實要深入瞭解。

3.怎樣才能表現其價值：

(1)展出的名稱：若能明白清晰地以何種「名稱」把欲呈現的「目的」表達出來，則能吸引讀者，亦爲展出成功的一半。

(2)時間、地點的選擇：時間最好利用大家有餘的時間，如星期日、例假，甚至星期六等，如時間稍長之展覽，最好能「跨一假日」，這樣讀者有充裕而完整的時間前去參觀，地點一經決定，即應廣爲宣傳，利用海報、新聞傳播媒體予以廣告週知，效果尤佳。

(3)內容以展出「一主題」爲原則，具有「啓發性」且越逼眞越好。

(4)如何佈置：把「展品」置於「最易看得到」的地方，若不易看到，則以「燈光」補充之，說明「宜簡」，能傳達「中心思想」即可，色彩之選擇以具吸引人之「注意力」爲主，再加上適當的「標題」即可。

(5)動態展覽之配合：動作可吸引人之注意，所以，在某些動態的展出，觀衆較熱心參與，如舉辦主題相關之演講，視聽方面的配合，辦理徵文比賽等。

(6)廣爲宣傳：展覽活動，必須透過各種管道溝通、傳遞，使全校師生均明瞭，因此，海報、佈告的張貼、朝會、週會的報導，各級任與科任教師的轉達，均非常重要，若辦一展覽而沒人知道，就白白浪費人力物力與時間了。

4.那些展覽活動可資舉辦：

(1)新書展：新到館圖書資料之展示，可利用「書衣」或「實體」，卡片式介紹、書評式介紹、摘要式介紹，使讀者瞭解「新進館」的資料，便於參考利用。

(2)剪輯資料展：平時鼓勵學生「剪貼」，利用適當時間指導學生「分類」輯成可資利用的「資料」，然後定期展示，非但習得「蒐集資料」之「方法」，進而「指導利用資料」的秘訣，同時收到「觀摩」之效，更進而「刺激」其學習。

(3)書畫展：對於師生之優良書畫作品，提供展覽以激發學習興趣。

(4)讀書心得撰寫展：首先鼓勵學生閱讀，然後令其在所閱讀過的書中，選擇一本最有心得的，將其心得寫出來，或者寫「書摘」亦可，然後展示觀摩，以收「取人之長，補己之短」之功效。

(5)自製圖書展：首先指導學生，把自己的「作品」，按照「書」的格式裝訂，製作封面、目次頁碼，以及「書名頁」、「版權頁」、封底……等，令其正確地瞭解「書的構造」，然後提供展示，彼此觀摩。

(6)主題或精華資料展：配合時令季節或特定情況，甚至配合教材單元，舉辦是項資料之展出，以令讀者「瞭解館藏」與「利用館藏」。尤其是「精華資料」的展出，將本館之「特殊」館藏介紹給讀者，這是非常重要的。

(7)民俗文物展：事前將本校附近之民俗文物廣為蒐集、整理、製作說明，提供展示，介紹先民之努力成果，藉以「尋根」。並激發「思古之悠情」。

(8)玩具展：尤其「自製」玩具展更具意義。

(五) 各項比賽之舉辦

競賽是人的天性，而比賽更是最好「肯定」自己與「推荐」自己的方法，因此，比賽易於掀起大家的參與，圖書館亦可藉各種比賽，以吸引讀者的參與，進而「爲參加比賽」而「利用館藏」，無形中達到「圖書館利用」的目的，茲舉各種比賽於後，以供參考：

1.查字典比賽：可分爲字典、辭典、成語辭典、專科辭典、破音字典……等，其比賽方式：

(1)參加人數：視「場地」之大小與「工具」之多寡而定，以「同年級」或「同級段」爲比賽對象較佳，而各班人數相等最好，不等亦無妨，可採個別自由報名或各班導師推薦均可，但以自由報名爲佳。

(2)題目先行「印妥」，注意印刷「清晰」，且需再三「校對」，以免發生「錯誤」。

(3)限時宜嚴：以「碼錶計時」，準時開始，準時收卷，停止作答，以收「公平」之效。

(4)說明宜清楚。

(5)給獎：給獎人數及獎品或獎狀宜事先公佈。

(6)每學期始末各舉辦一次爲佳，亦可配合某一活動舉行。

2.查百科全書比賽：目前各校均有「中華兒童百科全書⑥⓪」，但部份學校未使用而閒置，甚爲可惜，且亦有許多學校除中華兒童百科全書之外，尚有其他數種百科全書，如能將各種百科全書讓小朋友都會使用，那麼，小朋友的知識領域必更爲擴大，因此，查百科全書比賽的目的，就是提供他們認識與利用百科全書的機會。然而，舉辦是項活動時，必須以本館內有這些百科全書才可以，否則學生無處查，因而減低其興趣。其他則與「查字典比賽」的方式大同小異。

3.即席演講比賽：於比賽之前，公佈範圍，令學生於圖書館中查檢資料，以增演講內容，比賽時，以抽籤決定題目，即席進行，評選後，即頒獎。

4.講故事比賽：就學生已看過的故事書中，選出一些故事，或自編故事亦可。

5.時事測驗：爲了培養學生看報的習慣，增進知識與擴展見識，就最近所發生的國內外大事予以編製題目測驗，此項比賽宜經常舉行。

6.自製圖書比賽：配合自製圖書展覽，將學生自己的作品或蒐集的資料剪輯，自行裝訂、繪製插圖、封面、封底、編寫目次、頁碼……然後參加展覽比賽，是項比賽學生興趣濃厚，每學期至少應舉辦一次以上。

7.共享時間：學生亦可把自己飼養的「寵物」或自己珍藏的玩具與蒐集，携來與同學共享，促進同學間的情感。

四　閱讀指導的實施

今天，各種媒體異常發達，尤其是電視、錄影帶、卡通電影等「動態」、「彩色」與

「音響」一齊呈現的，更是學童所喜愛，但是，這些都需要「特定的地方」和「特定的器材」才能使用，方可使學童得到「滿足」。然而，「閱讀」只要「一卷在手」，有足夠的光線，就可以讓他們消耗一段時光，並獲得「滿足」，同時，由於「知識的爆炸」，「資料」如「洪水」一般地湧來，使我們無法抗拒，也無法躲藏，因此，如何「有效的閱讀」？就成爲大家所注目的了。

㈠**心理準備**：閱讀是一種重要的思想傳達，也是一種複雜而需要技巧的思想傳達工具，這對於幼小的兒童來說，是一項相當困難的過程，試想，我們眼中一頁數行的文句，在幼小兒童的眼中，可是一堆堆奇怪又神秘的「符號」，他必須先熟悉每一個「符號」—（文字）所代表的意義，如媽媽、猴子、蘋果、勇敢、美麗……同時，還要瞭解特殊符號如＋－×÷？！……；「」……的特殊用途與使用時機，因此，他們需要學習「演繹」、「歸納」、「推理」、「解析」、「欣賞」……甚至學至「精讀」與「略讀」，所以我們必須有如下的心理準備：

1.將「閱讀」看作「成長」的延續過程，然後才能對「過程」中的任何一時期所發生的「閱讀問題」獲得更多的瞭解，進而設法幫助他。

2.所有的兒童不一定在「同一時期」或「同一年齡」就有閱讀的「心理準備」，因此，不能以「同一的模式」應用於其他的兒童，應該特別注意「個別差異」。

3.閱讀的能力與技巧是可以增進的，雖然每一孩子閱讀的困難與興趣不同，而且其遭遇困難的原因何在，往往不易察覺，但是，只要細心觀察，總是可以發掘的，然後「對症下藥」，克服險阻，「平坦大道」即在眼前，所以，對於閱讀能力的「培養」與技巧的「訓練」，必需以愛心、耐心、信心與毅力來灌溉，當有花開結果之時。

4. 給予豐富的經驗：由於閱讀需要以「經驗作基礎」，因此，必須給予「親身」的體驗與認識，教導其認識週圍的環境，如公園、樹木、花草、市場、圖書館……並給予參與日常生活中工作的機會，如種花、澆水、飼養小動物……等等，以便在工作中得到更多的「體驗」，對來日閱讀時頗有助益。

5. 耐心地回答孩子的問題：雖然小朋友常問「這是什麼？」「爲什麼？」也許他只是「隨便問問」，不一定要什麼答案，也許是眞的且「渴望」獲得「解答」，但是，無論如何您都得耐心地給他回答，解釋、說明，千萬不可「嚴詞峻拒」，最好幫助他，使他自己能找到答案，印證答案，至少使他參與尋求解答的活動，這樣更能「啓廸思考」、「啓發閱讀」。

6. 講故事給孩子聽：聽故事是老少咸宜的活動，尤其是小朋友，更爲熱衷，但是，對幼兒來說，故事的內容最好在兒童的生活範圍之內較易瞭解，而且要「口語化」，甚至加一點「動作」、「表情」更爲生動，進而令其指出書上「圖畫」的意義，並鼓勵他發表，或者講述之後讓兒童「節述」或「複述」，藉以訓練其語言的表達能力，別忘了，適時給予適當的「鼓勵」，使之有「成就感」而激發其學習與閱讀的慾望。

㈡**應該做什麼？**當孩子的生理成長達於某一階段，而心智成熟亦已進至某一時期，閱讀的基礎業已準備完成，那麼，我們應該做些什麼？提出幾種看法如下，以供參考：

1.提供快樂的氣氛：父母或教師若能溶入於兒童，共同閱讀，且盡量給兒童「成功」、「勝利」的鼓勵，同時也給予「安全」與「快慰」，然而別忘了「適時給予輔導」，切忌「教條式的訓勉」，以期在「愉快」、「歡樂」中習得完整的閱讀技能。

2.準備健康的讀物：讀物本身的品質必須經過仔細而愼密嚴格的品管，父母或師長尤應注意，對於年齡越小越嚴格。因此，必須選擇「有意義」且「適合」該時期兒童心智的讀物，否則，如同「毒物」一般，戕害其身心，來日危害社會，豈不罪過。

3.指導正確的閱讀方法：無論做那一種事，方法用錯了，要想成功，機會必不多，因此，正確的方法是成功的不二法門，不論閱讀的姿勢、持書的距離，如何擷取書中的主題大意，筆記的寫法、心得的書寫、佳辭美句的學習與運用，在在都需有「正確的指導」。

㈢**怎樣做？**準備既已就緒，就得試試功力，怎麼做呢？切記，心不可太急，也不可有「一蹴即成」的心理，因爲任何的學習都是「漸進」的，而非「突變」，因此，非但要有耐心，且要有毅力。

1.講故事：雖然人不分男女老幼，都喜歡「聽故事」，但是，爲了有計劃的培養兒童「閱讀興趣」，講起故事來，就得略施技巧了。

(1)自己得先把故事書拿來，選出要講的故事，從頭到尾閱讀兩、三遍，把生字、新辭、掌故先查出來，瞭解整個故事的內容與架構。

(2)要講以前，先讓每一位小朋友坐好，安靜無聲再開始以期集中注意力，如講述中有小朋友交談，則立即中止，待靜止後再繼續。

(3)講述中，最好把故事書拿起來，讓學童看故事書的封面，甚至偶爾也展示書中的「圖畫」，以引起兒童看「這本書」的興趣。

(4)第一次講述，把故事從頭到尾講完，第二次講時，留下約四分之一，在精采高潮時停止，剩餘的，讓小朋友自行看書補述發表，第三次、第四次，則漸次縮短講述的部份，而增長小朋友閱讀的部份，最後就可自行閱讀了。

(5)在自己閱讀部份，最好提供小朋友發表的機會，一則培養其組織、發表能力，二則引導其閱讀，瞭解其閱讀的成果，而可加以評鑑。

2.改寫故事：在聽完一則故事，或看畢一篇文章時，鼓勵小朋友把這篇故事或文章「濃縮」為「短文」或改寫成「詩」、「劇本」，也可把故事或文章「伸長」，甚至「表演」，這樣可以促使對故事或文章深入的瞭解，進而培養其寫作能力，組織技巧，更可啓發其創作能力，亦可經由仿作而創作之訓練。

(1)把圖畫書的內容改寫成故事，在幼年讀物中，往往「圖畫書」佔大部份，而且繪圖精美，小朋友愛不釋手，因此，當其再三撫摸閱讀時，先令其「口述」故事內容，再讓他記錄下來，可用「國字」、「注音」混合成文，藉以培養其閱讀與寫作能力。

(2)把「童話」、「寓言」、「神話」或「歷史故事」的長文縮短，用自己的「口語」，將其「精簡」，而成「鍊潔」之短文，或原文「簡鍊」，依自己的意思，增加「情節」或「美辭妙喻」，將之延伸，俾說明更爲「清晰明白」，易於瞭解。

(3)改寫原文：細讀之後，完全由自己的語調手法，把它重新佈局，而後寫出來。

(4)詳釋原文：將原文中的「典故」（掌故），「成語」、「新辭」，查檢工具書之後，詳加詮釋。

(5)從參考書目或學校目錄櫃中的「著者目錄」中找出「著者」其他的作品，加以參考閱讀，以瞭解著者「寫作之趨勢」，進而學習他的「筆法」，提高寫作與創作之能力。

(6)圈選文中的成語，掌故、美句、妙喻，並試作一短句或短文，以學習其用法。

3.做筆記：把書中的要點內容記下來，作爲日後引用之資料，其指導方法如下：

(1)先記下書目資料，對這本書的書名、著者、譯者、出版者、出版年等先予記錄於篇首，以便將來查檢。

(2)閱讀序、目次、凡例、緒言及跋，以瞭解本文之大綱，著者寫作之動機、時間、以及寫作之方法。

(3)閱讀本文，從頭至尾，略讀一遍，記住中心思想。

(4)仔細閱讀「需要」的部份，並記下「標題」，再用最簡單的句子敍述出來，越簡單越好，不必要的字，盡量刪去。

(5)如有必須引用的文句，用「」號括出，並註明該書第幾頁，以便複查時方便。

(6)最後必須加上自己的感想或心得。

(7)指導學生使用「資料卡」記錄，以便於「分類保存」，日後運用更爲方便。如果這樣整理起來，日子一久，就是一個非常好的「迷你資料庫」了，對於各種報告，研究的撰寫，均有很大的幫助。

4.「書」的認識：利用指導閱讀的機會，輔導學生瞭解「書」的構造，以瞭解書的各部名稱，如封面、書脊或書背、扉頁、書名頁、目次、序、本文、跋、圖、表、附註、附錄、參考書目、封裡、封底，甚至於書的裝訂，如精裝、平裝、線裝、包背裝、經摺裝、旋風裝、卷軸、竹簡、石書、拓片……等等，進而可以瞭解我國「書」的演變及世界「書」的歷史，並作比較。

5.「書評」的閱讀：由於「印刷品」之充斥，無暇詳讀群書，所以，書評的蒐集甚爲重要，因爲「書評」是某些專家、學者在看畢該書之內容後，給予該書或論文的評論。因此，當我們需要某些資料時，可以從「書評索引」中獲知有關這類資料的「書評」，查閱該「書評」之後，即可決定看不看那些「書」或「論文」，這樣可節省了許多時間，因此，書評的閱讀是非常重要的，不論在報章或期刊發表之「書評」應廣爲蒐集，一則可以作閱讀指導之資料，二則尚可作爲選擇與採訪之參考。

五　影響青少年與兒童閱讀興趣的因素

(一) 年齡

年齡是身心發展重要因素之一，兒童期正是由「自我中心」的「有己無人」發展到心目中「有別人存在」而有「顧及到別人」的感受與意見，而他的經驗也由「家庭生活」擴大到「學校生活」，由父母兄弟或親屬擴及原來不相識的人，因此，對自己的未來理想，也開始有了獨立的思想，有自己的「意見」與「看法」，於是，由於年齡的逐漸成長，對於某些行業與人物產生「崇拜」的心理。

到了青少年，是由「兒童期」轉入「成人」的「過渡」與「轉變」期，生理方面，生長迅速，動作上須重行適應，常顯「笨拙」，青春期的若干生理現象出現，又令他們莫名其妙，「好奇」又「畏懼」，造成心理之困擾。這時，發現「自己」的存在，而開始與「別人」相對照。所以有了「自我認證」（selfidentification）的心理，於是步入「依賴自己」，「仰仗自己」，也就是「自主自立」的地步。

由於兒童與青少年，在各階段的年齡，生理的發育成熟不同，而生活體驗逐漸累積，需要逐漸擴大，興趣自然隨之改變，尤其是相關的「讀物」，因年齡的增長，生活環境的擴大，知識、見聞的激增，產生重大的改變，據筆者多年的觀察，將其喜好，分述於後：

1.學前期：由於學童之注意力未能持久，而眼睛的成長，停滯於「遠視」階段，同時，見識不廣，知識不豐，所以，文字對他來說，猶如一堆「符號」，一如圖畫，因此，以「圖」爲主的「圖畫書」爲其所好，其中又以「兒歌」更爲喜歡，然而，一般人又期「啓發」其智慧，而有「看圖識字」之簡易圖畫字典出現，由於受到「父母」之讚賞，亦喜翻閱。

2.低年級：進入國小，剛入新社會，難免尙有「拘泥」之心，但視野漸寬，已能注意身外之動物，在兩者不甚平衡的心理之下產了一種「移情」或謂「補償」心理，對於「卡通故事」、「動物故事」特別喜好，童詩、童謠，饒口令等亦甚喜歡。新近設計的「立體書」可供兒童操作亦受歡迎。

3.中年級：這時，兒童體驗更多，新社會業已熟悉，心中有許多幻想與爲什麼，則以神話故事、民間故事，簡單的科學故事與科學新知逐漸佔有他的廣大空間，名人傳記，英雄故事爲其學習，模仿之榜樣。

4.高年級：由於知識的成長與學科之要求，對於歷史故事，名人傳記、地理資料、科學知識均逐漸注意，甚至對異性開始「好奇」，漸趨於「探索」而「討好」，讀物之性質立產生了分化，女生趨於「靜態」的「文學、藝術」與「家庭生活」方面讀物之獵取，男生則以「動態」之「體育、戰爭」、「探險、推理、偵探和武俠小說」等讀物爲主幹，然兩者均對「偶像崇拜」產生了喜好，名人傳記，風雲人物等爲其獵取之對象。

5.國中期：由兒童進入青春期，以「自我爲中心」進入「肯定自我」，對於「社會、人生、自然……」種種產生解不完的「爲什麼」？因急於獲得「解答」，所以對於「藝術、宗教、哲學」開始萌芽，對於「小說、散文」愛不釋手，女生更因「天癸」之首次來臨而不知所措，接著以「多愁善感」「羅曼帝克」之心沈迷於「愛情文藝小說」之中，同時因知識之突飛猛進，對於古典小說、世界名著亦爲之着迷。男生則因青春初期，骨骼與肌肉的發育未能完全配合，許多動作因不協調而產生「笨拙」之感，心理上又認爲自己已經「成長」，所以對於解決「實務」的各種「手册」與「便覽」大感興趣，對於「英雄」的崇拜，漸入「瘋狂」，所以，對於「勵志」、「傳記」及「知識性」之讀物大量吸取。

(二)性別：

性別之差異，使得生理結構與心理發展均有顯著的不同，不論生理或心理，女生似乎較男生發展爲早，大體而言，學前與低年級階段尚無分歧，中年級已初見端倪，高年級漸趨明朗，而至國中已完全分清界線了。

由於傳統的「男主外女主內」思想籠罩著我們的社會，所以，女生對於「家事」較爲重視，亦較「理想化」，所以對於讀物的興趣，由夢幻的「白馬王子」、「白雪公主」漸至於「愛情小說」，從「童話」、「神話」漸至「文藝、散文」，處處顯示出較爲「靜態」的讀物，可能是我們成人們認爲女生應該是「閑靜」才是「高雅」所致，也許是受「生理」影響所使然，男生則顯「剛烈」而「好動」，對於各種事件之處理，似有「不許失敗」之心，永遠向「成功」之道上走，否則就沒有「男子氣慨」，因此，其讀物之導向變爲「積極的」、「動態的」，舉凡戰爭，探險之童話與小說，進而世界名著與武俠小說，同時對於科技知識之喜好亦逐年增高。

(三) 智力發展

智力的發展，隨著生理與心理成熟循序成長，因而直接影響了兒童與青少年的瞭解能力與閱讀速度，易言之，學前與低年級，文字瞭解與認識較少，故對「圖畫書」較感興趣，他們的讀物必是「圖」多於「文」，最好是「彩色」的，甚至「立體的」，中高年級與國中，則依次「圖」漸少，而「文」漸多，內容上，學前與低年級，以「神話」、「擬人化」之「童話」爲主，中高年級與國中生則以「科學」、「歷史」、「傳記」、「遊記」、「戲劇」而「愛情小說」、「武俠小說」、「偵探小說」。

㈣讀物本身：

讀物本身的變化，對讀者的興趣亦有莫大的影響，例如：

1.內容之結構嚴密，無法令讀者預知結局如何？使您不得不看下去。

2.以動物為主，尤其是兒童熟悉的動物，如小白兔、小羊、老虎、獅子……。

3.對話多的故事，由於對話的有趣而引起閱讀之興趣。

4.插圖多，變化多。

5.封面吸引人，看了就喜歡。

6.語詞「口語化」，程度適合，易於瞭解。

7.外型特殊，版面「立體化」，裝訂精美。

由此可知，不論是年齡、性別、智力、讀物的本身，或多或少對讀者閱讀興趣有所影響，所以，站在圖書館的立場，我們必須依據讀者的需求，在不同的階段，提供健康且合適的讀物，並指導良好的閱讀方法給這些兒童與青少年，使其童年飄滿書香，又能面對未來巨大衝擊的挑戰，有信心與毅力，走向光明的坦途。

附註

❶ 私立輔仁大學圖書館學會編印，輔仁大學學生利用圖書館狀況調查報告（台北縣新莊：編者，民國七十一年），一三二頁。

❷ 前引書，頁一六。

❸ 前引書，頁三五。

❹ 同❸。

❺ 同❸。

❻ 同❸。

❼ 藏書樓與藏書閣同，見吳興園林記：倪文節別墅，在視山之傍，取浮玉山，碧浪湖，合而爲名，中有藏書樓，極有野趣。

❽ 見謝冰瑩等編譯，新譯四書讀本（台北市：三民書局，民國七十四年），頁二三六。（論語，子張第十九）

❾ 見蘇國榮撰，「如何實施『兒童圖書館利用』教育」，台灣教育第三九〇期（民國七十二年六月），頁二九。

❿ 詳丘碧瑩、林淑琪合撰，「記吳黎耀華女士談美國教育近況」，社教系刊第十二期（民國七十三年五月），頁二六～二七。

⓫ 詳郭麗玲撰，「對我國小學圖書館的幾項建議」，台灣教育第三六三期（民國七十年三月），頁四七～五二。

⓬ 詳中國圖書館學會出版委員會編，圖書館學（台北市：台灣學生書局，民國六十九年），頁八〇～八一。

⓭ 詳吳瑠璃撰，「我國大學圖書館利用教育施行狀況調查研究」，社教系刊第十一期（民國七十二年六月），頁七一～七六。

⓮ 前引文。

⓯ 詳全國學校圖書館協會利用指導委員會編，學校圖書館の利用指導と計劃の方法（日本：編者，一九七九年），

頁一四。

⑯ 教育部國民教育司編，國民小學設備標準（台北市：正中書局，民國七十年），民國七十一年一月卅一日國字第三二八七號令頒佈。

⑰ 前引書，頁九一。

⑱ 詳中國圖書館學會第卅一屆會員大會提案第五案，見中國圖書館學會第卅一屆大會暨成立三十週年慶祝大會資料第三八頁。

⑲ 詳教育部七十三年四月九日台(73)國字第一二五三二號函。

⑳ 詳同⑯，頁九八。

㉑ 「大學及獨立學院圖書館標準（草案）」係教育部於民國六十四年三月七日召開大專圖書館標準擬定會議，委託中國圖書館學會辦理，惟該標準迄今未獲教育部核准公佈，故以「草案」稱之，標準全文刊中國圖書館學會會報第廿七期，民國六十四年十二月出版。

㉒ 目前國內有台大圖書館學系，師大社會教育學系圖書館教育組，輔大圖書館學系，淡江大學教育資料科學系，世界新專圖書資料科等五個系科以及台大圖書館學研究所和文大史學研究所圖書文物組等兩研究所，培育圖書館專業人才。

㉓ 根據高級中國各學科教師本科系相關科系及專門科目對照表「圖書館科」之專門科目及學分數如下：圖書館學2學分、資訊科學概論2學分、學校圖書館行政2學分、分類與編目4學分、資料管理或非書資料管理2學分、中文資料參考服務4學分、選擇與採訪2學分、圖書館自動化2學分。詳台北市教育局函各高級中學之北市教一字第六四二五〇號函（七十四年十一月廿五日）。

㉔ 中國圖書館學會教育委員會每年均於暑期舉辦「暑期圖書館工作人員研習會」爲期六週，每期均有中小學圖書館組，參加人員異常踴躍。

㉕ 特殊資料解釋甚多，據國立中央圖書館館長王教授振鵠的界定爲：叢刊（Serials）、官書（Goverment publications)、小冊子(Pamphlets)、剪輯(Clipping)、視聽資料(A-V Materials)、顯微複印資料(Micoreproductions)等。(詳見師大講義：王振鵠撰：圖書館學大綱，頁三，油印本)。

㉖ 依現況調查，目前台北市國民小學圖書館尚未完成編目者佔14.%。

㉗ 依現況調查，目前台北市國民小學圖書館圖書尚未分類者佔9.%。

㉘ 詳蘇國榮撰：「淺談國民小學圖書館的『參考服務』」，台灣教育輔導月刊第三十五卷七期(民國七十四年七月)，頁一七~一九。

㉙ 詳台北市國民教育輔導團國小圖書館輔導小組編，國民小學圖書館工作手冊(台北市：編者，民國七十四年)，頁四七~五二。又見尤保善撰：「兒童圖書館教育的借鏡和企盼」，國語日報(民國七十二年八月九日)，第三版。

㉚ 詳郭麗玲撰：「優良教學法的重要條件－資訊利用」，台灣教育第三九〇期(民國七十二年六月)，頁八~一六。

㉛ 詳林美和撰，小學圖書館的管理與利用(台北市：教育局，民國七十年)，頁一二七~一三一，又見全國(日本)學校圖書館協議會利用指導委員會編，學校圖書館の利用指導と計劃の方法(日本：編者，一九七九年)頁一八~一五九。又見Hart, Thomas L. ed. Instruction in School Media Center Use, American Library Association, 1978, 9-12p。

㉜ 詳中村明美撰：「兒童活動」ボけろ學校圖書館的活用」，初等教育資料第四五九期(一九八四年十月)，頁二〇~二三。

㉝ 詳㉛，林美和撰，小學圖書館的管理與使用，頁一二四。

㉞ Craver, Kathleen W. "The future of school library media centers : a look at the impact of technology upon library media program deve lopment" School Library Media Quarterly Vol. 12 No. 4 (Summer'84) 266-284p。

㉟ 詳蘇國榮撰：「淺釋『多媒體教學中心』」，台灣教育輔導月刊第卅三卷九期（民國七十二年九月），頁一八～二一。

㊱ 詳藍乾章撰，圖書館行政（台北市：五南圖書公司，民國七十一年），頁六。

㊲ 教育部民國七十一年七月七日台(71)參字第二三〇一一號令公佈，詳教育部公報第九十一期，頁四～八。

㊳ 詳Darling, Richard L.原著；陳和琴譯，「教師與圖書館員合力改善教育」，教育資料科學月刊第九卷第一期（民國六十五年一月），頁一七～二〇。

㊴ 詳同㊳。

㊵ 詳方炳林撰，教學原理（台北市：教育文物出版，社民國六十八年），頁五四。

㊶ 詳同㊵，頁六一。

㊷ 哈艾特（G. Highent）原著；嚴景珊、周叔昭同譯，教學的藝術（台北市：協志工業出版社，民國四十九年），序文第四頁。

㊸ 詳同㊵，頁九。

㊹ 社區文化機構包括：博物館、科學館、藝術館、音樂廳、動物園、植物園、圖書館……等。

㊺ 目前各國民小學圖書館普遍採用「中國圖書分類法」或「國民學校圖書暫行分類法」，均以十大類分之，如該校採他種分類法，則更改其所採分類法大類之數字可也。

㊻ 書碼又稱「索書號」，一般包括分類號、著者號、部冊號、作品號……等。

㊼ 年鑑有普通年鑑、專科年鑑以及各百科全書之補編亦稱年鑑。

㊽ 期刊的種類，依刊期分有週刊、旬刊半月刊、月刊、雙月刊、季刊、半年刊、年刊、雙年刊及不定期刊。依性質分有普通期刊、專科期刊。

㊾ 視聽器材係指專供視聽媒體使用之器材，如電影機、錄音機、唱機、錄放影機、投影機、攝影機、照相機……。

㊿ 詳蘇國榮撰：「如何實施閱讀指導」，國教月刊第三十二卷第四期（民國七十四年六月），頁二一～二七。

51 詳同29，台北市國民教育輔導團國小圖書館輔導小組編，國民小學圖書館工作手冊，頁四八。
52 中國圖書館學會訂定每年十二月第一週為全國圖書館週。
53 社教機構同44。
54 詳同9，頁二九。
55 詳國立台灣師範大學圖書館暨社會教育學系編印，台灣地區中小學圖書館（室）現況調查報告（台北市：編者，民國七十年），頁一二～一四。
56 目前各國小大部份由圖書室排定「圖書館時間」，以為集體教學之用。
57 詳同9。
58 詳Solomon, Eynn L., "Any one can tell stories" 張務昭譯，圖書館學報第九期（民國五十七年五月），頁四五七。
59 詳蘇國榮撰，「如何指導中小學生使用參考書」，國教月刊第三十卷第十一期（民國七十三年十一月），頁三七～五一。
60 台灣省政府教育廳兒童讀物編輯小組編，中華兒童百科全書（台北市：台灣書店，民國六十七～七十五年），共十四冊。

第六章　結論

第一節　國民中小學圖書館所擔負的教育使命

國民中小學圖書館是以蒐集豐富的教學媒體爲工具，透過各種方式的教學，提供閱讀指導，經由參考資料查檢、諮詢服務、試驗、實驗與各項圖書館活動爲手段，以發揮適應個別差異與有教無類之理想，以完成教育任務。因此，它擔負了重要的教育使命：

一、支援教學：現代國民中小學圖書館的設置，旨在蒐集準備各項媒體資料，用以充實教學資源，培養學生閱讀興趣，養成利用圖書館之習慣，藉以達我國民中小學之教育目標。因此，由於教學方法重在「因材施教」與適應「個別差異」，鼓勵學生「自動學習」、「個別研究」以啓發其思考能力，國民中小學圖書館已將圖書資料，視聽媒體合而爲一，甚至更名爲「教學媒體中心」（Teaching Material Centers）或「教學資源中心」，亦有稱之爲「學習中心」者，其主要目的在於「支援教學」。過去，一枝粉筆、一本教科書、一張嘴而講授一輩子的「舌耕」方式業已無法適應現今的時代潮流。因此，必須更新教學方法，以討論、研究、試驗、實習、操作……來充實教學，而教師本身課務繁忙，且學科背景有限，圖書館有專業人才，適時提供這項服務，以支援教學，務期「豐富教學內容」、「提昇教學效果」。

二、培養「發掘資料」的技能：曾經有位學者說過：「知識包括兩大類，一是追求一門學科的知識，如國語、數學、自然、社會……對這一門學科追求專精，高深的知識；二是懂得從什麼地方發掘資料、找尋資料，往往這一方面的知識被人忽視，但是，它却是個能讓人自動自發追求知識的本領，就是圖書館利用」❶，這方面的知識，我們中國學生領悟的比較少，主要是受升學壓力的影響，他們很少時間上圖書館，無形中喪失了利用圖書館的能力。所以，我們應該讓學生追求完整的知識，一方面追求一門專精的學科知識，另一方面也能獲得資料的創造，發展更新的知識，以造福社會，貢獻國家。

三、教育讀者：國民中小學圖書館是教育、訓練、指導所有圖書館讀者利用圖書館知識與技能的場所，不論中外，小學均設「圖書館時間」，以從事「圖書館利用」教學，這種從小培養圖書館利用的知能與正確的觀念。在日本，低年級的小朋友，首先矯正其閱讀姿勢❷；然後培養「尊重別人」的權利，利用圖書館一定要尊重別人，不可影響別人，如走路要輕聲慢步，交談詢問要小聲；看書之前要洗手，才不會把書弄髒；不在館內吃東西，以免果皮、碎食夾入書中，損毁圖書，引入蟲害……要培養正確的讀書習慣、方法、道德❸，同時也是一種很好的生活與倫理訓練。所以，國民中小學圖書館亦是很好的道德教育場所。

四、傳播知識訊息：教科書的編訂，往往經過數年的蒐集、試驗、審查而後定稿，提供教學之用。因此，對於新知訊息往往無法兼顧，而自二次大戰以後，科技的發展，學術的進步，出版與傳播事業的發達，促使人們對知識消息的需求與依賴，圖書館爲因應此趨勢，以最迅速的方法蒐集、整理，提供此一新知訊息的傳佈，以增師生之智能，並爲全校師生的「問訊中心」❹。

知識傳佈的方式很多，圖書館最常用的爲「參考諮詢」，協助讀者獲取新知所需資料，這項服務，包括解答讀者的諮問，並就館藏資料作適當有效的指引、介紹與運用，以發揮其功能，更透過「館際合作」使資料流通面更廣，更快速地解決讀者之需求，並經各種圖書館活動❺，激發師生尋求資料，促進閱讀，以增進知識傳佈之效能。

五、協助教師進修：時代一直在進步，資訊源源不斷地湧至，教師不可再據數十年前之老材料來教導學生，因此，適時的進修爲時勢所趨，圖書館蒐集了各種教學新知提供教師進修所需，以充實教師本身的教學知能，完成教學之任務。

六、倡導正當休閒活動：今天，我們的經濟成長已稱世界奇蹟，在此物質生活富足之時，我們更應培養「健康的精神生活」，卽健全心智與生活調適，鼓勵從事正當的休閒生活，爲調適生活的手段。

圖書館內除備有教學資料之外，更備有輕鬆之讀物，如文藝性著作、傳記、遊記及適合各種興趣嗜好之資料，提供師生閱讀，更利用既有設備，辦理各種圖書館活動，如音樂欣賞、電影欣賞、美術展覽、優良讀物展、演講會、研習活動，不但有助於增進生活情趣，培養優美情操，更可變化氣質，矯正不良風氣❻。

七、爲終身教育奠基：聯合國文教組織（United Nations Educational, Scientific, and Cultural Organization 簡稱 UNESCO）於一九六五年十二月的第三次成人

教育促進國際委員會中首次提出「終身教育」（Lifelong Education）爲論文主題而爲衆所注目[7]，因此，學者專家紛紛提論文討論，大家都公認，「圖書館」將是承擔此一重責大任的場所；所以美國華盛頓州的圖書館稱爲「民衆大學」，也就是說，人不分男女老幼，種族膚色，由於圖書館提供了各種資料媒體，予利用學習以教育自己、提昇自己，不斷的學習，但是這種「不斷的學習」，到「圖書館中擷取智識」，必有其一套本領，卽圖書館利用的知識與技能，倘若在國民中小學圖書館中已有熟練技能的訓練與豐富知識的學習。那麼，當他受畢國民義務教育之後，不論升學或就業，皆能利用各類型的圖書館，繼續教育自己，而達「終身教育」之目標。

爲了達成以上各種使命，必須有良好的人員訓練，充裕的經費、豐富的館藏蒐集與完善的整理組織，適用的館舍與充實的設備，更要各級教育行政人員與教師之配合，共同努力，其中尤其是培育學有專精且具圖書館專業知能的人員，同時具有敬業熱誠的服務態度爲第一要務。

第二節　國民中小學圖書館所面臨的困境與解決之道

雖然國民中小學圖書館業已先後陸續設置，且正朝着正確而理想的目標邁進，也有許多國民中小學圖書館業已成功地在營運中，我們不能不由衷地感佩，在這環境不理想，設備又欠缺，憑着一份「愛心」與「熱心」，本着「犧牲奉獻」的精神，不管物力維艱，總是埋頭奮鬥着，才有今日的成果。但是，不可諱言的，在這急遽變化的科技時代，我們將接受強大的衝擊、必須策劃萬全的應變措施，才不致被這「資訊的洪流」所淹沒。而國民中小學圖書館目前的情景，困難重重，茲將問卷調查與訪問所得的困境列述於後，並提出作者淺見，就教於先輩：

一　正確觀念的建立

師大林美和教授經常在各種研討會上提到：「如果沒有圖書館、學校的教學是否受影響」？這是一個非常貼切的問題，作者曾經是學生，也是在國小任教的教師，過去在未接受「圖書館學」洗禮之前，不認爲圖書館與教學有什麼相關；早年的國民學校，根本沒有「圖書館」的設置，當然也就沒有圖書館利用的教學。所以，對圖書館非常陌生，甚而尚有大學生不會利用圖書館之說❽。

現在已進入資訊時代，傳統的「演講式」教學飽受抨擊，代之而起的是「討論、實驗、實習、操作、觀察、實測……」，所以，不論老師抑是學生，必需於課前查檢，找尋各種相關資料，以供討論、實驗……的依據，圖書館正好能滿足其需求。所以，圖書館是教師的「教材中心」，是學生的「資料中心」，也是「教學中心」或「學習中心」。教師與學生若均有此正確的觀念，則圖書館將是一個生動活潑，生氣蓬勃的有機體。

行政單位，尤其是主管，如果有此正確的觀念，則各種行政措施必支持圖書館，當然不會有圖書預算出現「零預算」❾的情形了。相反的，在正式預算額度之外再找經費來支應呢！所以，學校的預算書也是學校圖書館經營的寒暑表，因爲預算書的數字可以明瞭該校行政對圖書館的重視與否。

就圖書教師來說，在諸多的訪問與輔導過程中，圖書教師最常說：「學校不重視圖書館」。作者常相勸曰：「我們要用經營的成效來引起他們的重視」，由於我們的努力經營，學生樂於來館閱讀利用，教師教學上的疑困均可到此獲得解決，由於教師、學生的重視與需求，行政單位自然而然的重視了。當然，最好是因我們的努力，發揮了圖書館的功能，使人人都感到「需要它」，這時想要不重視也不行了。

二　如何增進教師對圖書館利用的認知

過去，由於培養師資的師範院校，除師大社教系圖書館教育組外，均未將「圖書館學」之有關課程列入必修。因此，準老師對圖書館學的課程感到陌生，甚至一點印象都沒有，將來任教時就發生很大的困難，甚至導入錯誤的觀念，而影響了學生的學習。所以，如何增進教師對圖書館利用的理念，是當前重要的課題提出淺見如下，以供參考：

㈠　利用每星期三下午「教師活動」與「教師進修」時間⑩，約聘圖書館學之專家，或資深圖書館員前來演講，提供圖書館學的知識與最新之資訊，並解答教師之疑難。

㈡　圖書館於圖書採選之時，對圖書館學之理論與實務，工作手冊等相關書籍，適當選購補充，並適時提出介紹，以提醒教師閱讀。

㈢利用台北市立圖書館，中國圖書館學會，台北市教育輔導團國小圖書館輔導小組等單位所拍攝有關圖書館利用教育之錄影帶、幻燈片⓫，利用適當時間放映，以充實師生圖書館利用之知能。

㈣圖書館經常舉辦「圖書館活動」，一則教育學生，一則喚起教師的注意，如查字典比賽，查百科全書比賽、傳記資料檢索比賽，特殊資料檢索比賽，查目錄比賽……。

㈤充實館藏，提供教師休閒與進修資料，蔚成教師的進館慾望，進而變成他的「需要」，乃能因接觸圖書館，而瞭解圖書館，利用機會施予教育。

㈥師範院校應將「圖書館利用」課程列入必修，如分類與編目，參考服務與參考資料、圖書選擇與採訪……使教師本身具備圖書館學之背景，教學卽可得心應手。

㈦師範院校開設有關「圖書館學」課程，供在職教師返校選修，以提高教師之圖書館利用知能⓬。

㈧教育行政機關如台灣省板橋教師研習會、台北市陽明山教師研習中心等，經常舉辦「圖書館利用研習」，並責令每一教師均應參加研習，以增進其對圖書館利用之認知，而利於教學。

三，如何充實館藏，以利教學

國民中小學圖書館的經費正式見於預算書是近幾年的事⓭，然所編列的數額卻微乎其微，以經費充裕的台北市情況，平均每年每班僅列八百五十元。但是，如果碰到不太重視的學校，則一塊錢也未列[14]，因此在這微薄的經費下，圖書館該如何來充實館藏，以支援教學呢，拙見略述於後，提供參考：

㈠ 如果學校已列專款預算，首先把握是項經費，盡可能購置「參考工具書」，以供參考查檢之用。

㈡ 學生活動費之提撥，依據學生活動費支用辦法中，已明列購置「兒童讀物」與「課外讀物」，此項經費宜充分購置「兒童讀物」或「課外讀物」，這筆經費雖然不多。但是，這些讀物價格較低，可購數量較多，學生亦喜歡閱讀。

㈢ 家長會費之支援：在學生家長會費中請家長會撥出固定比例，供購置圖書，充實館藏，這筆經費可用之於教師進修與休閒之參考資料，以提升教學內容。

㈣ 爭取獅子會、扶輪社、各種基金會及校友會的社會資源，這些單位如已洽妥捐贈，最好由學校圖書館列妥所需或適用之書單，交由捐贈單位價購，才不致於捐來之書籍資料不適用，徒生困擾，同時受贈之後，不論數額多寡，均應發謝函，以表謝意，如金額超過某一基數，則酌發感謝狀或紀念盾牌，以致謝忱。

㈤ 索贈：教育及學術機構經常編印極具學術價值之參考資料，如研究報告、研討會實錄、學術會議紀錄、學報、公報、書刊，甚至於小册子，均爲教學參考之良好資料，這些索贈之單位，可以根據「中華民國出版年鑑」及「國立中央圖書館藏中華民國政府出版品目錄」和「中華民國政府出版品目錄」……等卽可查得，發公函索取，別忘了，受贈之後，應卽發謝函，表謝意。

㈥剪輯資料：每日閱報、雜誌，將可資參考者，以紅筆勾出，再予剪貼，分類編輯成册，裝訂加封面，卽成美麗而實用之教學參考資料，亦可委由小小圖書館員剪貼，選材由圖書教師選勾，分類亦由圖書教師執行，裝訂之後視同「書」處理，亦可複印成複本，以備損毀補充之需。

㈦自製幻燈片、錄影帶、錄音帶⑮及其他媒體，各種之媒體視教材之需要自行製作，然後提存圖書室，各教師均可參考利用。非但一舉兩得，且一勞永逸。

㈧借用：社區圖書館、文化中心、教育資料館、科學館及學術機構均可以公函商請借用，以補館藏之不足，若借用不便，則商請影印或複印亦可。

四　沒有法定編制專人，如何推展館務

人員是經營圖書館的主要條件之一，倘若館中沒有人，圖書資料則無法整理，沒有整理就難以利用了，所以必須要有人才能推行館務。因此筆者於國小圖書館作如下的試驗，結果良好：

㈠館長由設備組長兼：在國民中小學圖書館中雖沒有「館長」這個職稱，但爲負責人、執行、策劃全館之業務，他非但應受過教育專業之教師，且必須具備圖書館專業訓練，否則，工作之策劃與執行時勢難得心應手，所以，如果沒有「圖書館學之專長」，必須參加圖書館學之有關研習或到大學圖書館學系選修圖書館學學分，以利工作之推展。

㈡依學校班級人數之大小設置「圖書教師」：教育部已通令各校應依規定指派教師兼任「圖書教師」⑯，（圖書教師之設置，人才遴選資格及職掌，詳第五章，第三節圖書教師）。

㈢組織圖書館委員會：圖書館委員會之人選，以各處主任，學年主任及各專科科任教師一人參加，另有職工學生代表，一則決定圖書館經營方針，二則提供採選書單之參考書目，三則可以協助解答參考諮詢之疑難問題，尤其解答疑難之參考諮詢問題，必須借重各科科任教師之專才⑰。

㈣設「小小圖書館員」：由於國民中小學圖書館編制上沒有任何人員，負責人自己本身尚有十數節之課務及其他行政工作，分身乏術勢所難免，所以許多工作均可借重於「小小圖書館員」⑱，例如，每日的「出納流通」工作，「目錄片的編寫」，「書標、書後袋卡」之書寫與黏貼，「排架整理」……這些事務性之工作交由「小小圖書館員」來處理，一則減輕我們的工作負荷，二則增進圖書館的功能，三來可以予學生「處理事務」訓練之機會，尚可培養其圖書館學的知能，爲將來圖書館工作者播種。而小小圖書館員的人選以「五、六年級或國中一、二年級混合」且各班級均有爲佳，人數十六人以上爲原則，以備工作之「輪流排班」，每人工作時間不宜太長，以免躭誤學生之休息與上課。

㈤請「幹事」協助：各校均設「幹事」若干人⑲，如果將各校幹事一人荐送參加圖書館業務研習，則各校將可解決專業人員欠缺之困難，至少許多事務性工作均能有專人負責處理，若無法由幹事「專任」，亦應請其協助辦理。

㈥配合技工友一人：館內有各種零星雜務，可由配合之技工友協助處理。

(七)徵求義工：義工之徵求對象可以爲退休之教師、教職員工之眷屬、學生家長、社區民衆，將義工依其學經歷，配合其時間，分配適當之工作（不論那一項工作，宜於事前先作短期的講習與訓練，方便使工作順利）。他們可因工作而有成就感，而喜利用其時間與精神服務於圖書館，減輕我們的工作負擔，發揮圖書館之功能，嘉惠學生之學習，提昇教師之教學。

五 如何解決「分類編目」的困難

分類編目在國民中小學圖書館中確實是件非常吃重的工作，如果有一專責機構編印卡片出售，那就方便多了，這是「合作編目」與「目錄控制」的良方，此法可節省許多的人力，因爲同樣一本書，不知道多少人在重複的編寫目錄卡片（至少每一館一人）。因此，一件工作卻重複做了數萬次，如果僅一人做了卽可嘉惠衆館，節省了數萬人的精神與時間，轉而用來作其他的服務，將更有利於圖書館的工作推行；目前，國民中小學的圖書館工作均由教師兼任，而教師所受的圖書館專業知能大都不足（除少數圖書館科系畢業者），分編概念未能完全掌握。因此，困難重重，爲此，作者曾作如下的努力：

(一)建議國立中央圖書館收編兒童讀物：自民國七十年以後出版的書籍，大部份均收編於國立中央圖書館的電子計算機目錄檔中，同時國立中央圖書館亦出售該卡片目錄⑳，但是，「兒童與青少年讀物」未收錄其中，作者雖曾三番五次前往中央圖書館洽商，終以「人力不足」無法負擔爲由而拒兒童與青少年讀物於檔外，若中央圖書館能解決人力之困難，輸入該項資料，則全國數以萬計的國民中小學圖書館均可受其惠。

(二) 建議國立中央圖書館台灣分館將其兒童閱覽室之目錄卡片影印出售，因爲台灣分館之兒童與青少年讀物蒐藏之豐，可謂全國之冠，各校之採選無出其右。因此，如該館同意影印出售，則各校購書時，可責成書商連同目錄卡片一併列入書單內計價，則，書與卡片同時到館，館方則僅作書標，書後袋卡及登錄工作而已，可減少許多時間、人力之浪費。

(三) 出版品編目計劃：所謂出版品編目計劃（Cataloging in publication，簡稱CIP）就是各種出版品於出版之前，先將出版品之毛本，送國立中央圖書館編目組先行編目，然後將「書目資料」刷印於版權頁或最末頁，而後正式出版，也就是有關「編目資料」均印妥於出版品之末頁或固定之地方，圖書館編目員只要照錄卽可，可以省去三分之二的時間提早圖書資料的上架流通，也節省了人力，目前國內已有五南、正中、臺灣學生、聯經、三民、商務等書局與出版社接受此一方法與計劃，出版兒童讀物最多的「國語日報出版部」曾數度前往洽談，未爲接受，如果各出版社與書局均能接受這一計劃，則各圖書館之編目員只要「照錄」卽可，省下時間移作讀者服務，更能發揮圖書館功能，這是圖書館界與出版界應努力的目標。

(四) 利用各館之圖書目錄：目前教師用書可購中央圖書館之機讀目錄卡片㉑，兒童圖書則可利用中央圖書館台灣分館編的「全國兒童圖書目錄及續編」㉒、台北市立圖書館編的「兒童圖書目錄第一、二輯」㉓，這兩種兒童圖書目錄均以「卡片目錄」方式刋印，我們採選時如係參考這兩種目錄時，卽可於採選之介購卡抄錄成爲目錄卡片，書購回卡片亦已製妥，方便異常。

(五) 小小圖書館員編目，圖書教師分類：編目乃依照固定格式抄錄固定之款目，較爲「機械化」，可訓練小小圖書館員編寫，經圖書教師查核，分類則由圖書教師擔任，其餘均可由小小圖書館員代勞，但圖書教師應作最後之查核，以免錯誤發生，如圖書教師對某一書籍資料分類發生困惑時，可電話洽詢「公共圖書館」或「學術圖書館」之編目室，當可獲得滿意之解決。

㈥與圖書館科系學校建教合作：圖書館科系之學生需要「實習」之場所，我們提供實習之場所與材料，我們缺少「分類編目人才」，圖書館科系具有此專長之學生，彼此合作互蒙其利，學生獲得了實習的經驗與理論相印證，而我們又解決了技術困難，不是兩獲其利嗎？

六　國民中小學圖書館如何協助班級文庫之發展

目前鄰近都市之大型學校，學生動輒萬餘人，如果僅設一圖書館，確實無法服務全體師生，於是「班級文庫」應運而生，然而班級文庫並非找一些書放在班級就算了，應該使班級文庫成爲學校圖書館的分館，才能獲得實際上的效果，所以，學校圖書館應如何來協助各班級成立班級文庫呢？作者提供下列意見供參考：

㈠提供分編之材料及技術：如果班級文庫的書來自各同學的捐贈或借用，應予以分類編目。因此，所需之分編材料與技術，圖書館應無條件提供協助，以促成其事，否則各班分別購置，耗時費事，浪費金錢與時間，且生困擾，因而影響了其發展意願。

㈡提供「複本書」支援：班級文庫成立之初，資料必缺乏，圖書館可提撥部份「複本書」借予班級文庫，以供流通，充實其館藏，定時歸還輪換，一則達到圖書之流通，而且又可供學生閱讀，方便教師指導。

㈢爭取贈書，轉交班級文庫：爲求圖書館館藏之充實，對外爭取贈書，在諸多贈書之中，如有複本；可轉贈班級文庫，充實其館藏。

㈣指導「自製書刋」之技術：請各班級文庫之負責人及服務同學至圖書室、教導其「自製」書刋之技術「剪輯」之方法，待技術純熟，則轉指導班級同學自製，全體同學分別製作，集衆人之力，則數量必多，館藏自然充實矣！

七　各科教學應如何與圖書館利用相結合

國民中小學教育是國民義務教育，也是最普及的基礎教育，圖書館利用教育於國民中小學實施，則可最紮實地而有效地植基於每一國民，非但培養了各類型圖書館的讀者，更爲終身教育奠基。然而，圖書館利用教育的實施，必須與各科教學密切相結合㉔，同時以各種圖書館活動來誘導，不着痕跡地溶入圖書館利用的知能，使學生瞭解，教科書僅是提供我們知識的骨幹，我們必須透過各種圖書資料，把這骨幹加以美化發芽、生枝、長葉、開花、結果，才能獲致完整的知識。所以，除了該一學科知識之外，更應瞭解發掘這一學科知識相關資料的所在。因此，每一節課之課前預習，教師需提示一些問題或項目，請小朋友到圖書館去查檢，找尋相關資料，經過整理，於上課提出報告，並請其他小朋友補充，而教師再予補充歸納，作成結論，既可以使教學得到多向溝通，亦能非常投入而有參與感。上課必生動而活潑，效果必大爲提高。

八 圖書資料是否應列「財產」

圖書資料爲設置圖書館的三要素之一，空有館舍、人員沒有圖書資料則不能稱之爲圖書館，圖書資料蒐集之目的，在於供師生員工之利用參考。同時，要有效而充分地利用，才眞正發揮其價值。目前，各國小圖書館爲達到充分利用資源，普遍採用開架服務[25]方式。但是，由於兒童與青少年讀物之裝訂並不精良，且兒童的讀書習慣尙未養成。因此，破損率甚高，時而亦有遺失或失踪[26]之情形，而令圖書館負責的教師深感困擾。

如果圖書資料列入財產管理，則依現行法律應保存五年[27]，始得報廢銷毀，這些破爛不堪使用之書籍，累積保存造成「空間之浪費」，原本已不甚寬裕之館舍，尙需闢一處存放這些廢品。同時，圖書館負責人往往因深怕圖書之破損、遺失，造成賠償之困擾，而把圖書鎖於櫃中，不敢完全開放給學生流通閱覽，嚴重影響圖書功能之發揮。

作者曾於中國圖書館學會年會中提案，將「兒童讀物」於「財物分類標準」中改列於「非消耗品」[28]，業經大會通過，已由學會發文請教育部轉行政院修訂中，對這項問題之主要關鍵在於學校總務單位與主計單位之協調溝通問題，若主計單位可認同，只要管理人員不違法營私，這是容易處理的問題[29]。行政院主計處業已正式於民國七十六年十一月函復教育部轉中國圖書館學會：謂兒童讀物種類甚多，且有精裝、平裝之分，其耐用程度各有不同，請衡酌實際情形，分別列於雜項設備「圖書設備」及消耗用品「不定期刊物」項下。除參考用書外，均宜列為消耗品管理，才能使圖書資料充分流通利用，「參考書」大部份較昂貴，較具保存之價值，如情形良好，即使已逾五年期限，亦應保存繼續使用。普通書籍，則由「圖書教師」檢視，不堪使用即造册核廢，以便留出更多的空間，放置有用的資料。

九　圖書館利用明列課程標準中，並明令由圖書教師授課

在民國六十四年教育部公佈的「國民小學課程標準暨國民小學課程標準實施要點」㉚中，雖然於課程標準總綱的實施通則之教學實施中謂：「教學設備，圖書讀物，自然及社會資源，可以充實課程內容，提高教學效率，除由學校按照部頒標準之規定，置備充實外，並宜鼓勵師生蒐集製作，充分利用」㉛外，僅在三年級的社會教材中略提到㉜一點點而已，其他就難以找到了，所以在實施「圖書館利用教育」課程時，大都「借用」或「佔用」其他科目時間，無法「正常」地授課，僅屬「隨機教學」而已，功效不大，如果能於課程標準中明列「圖書館時間」如日本㉝一樣，則按表授課，各校就能「正常」教授了。

「圖書館時間」並不是把學生帶進圖書館，把書拿來給學生看就可以了。此一時間正是實施「圖書館利用」的時間，所以理應由「圖書教師」來擔任這一課程，從「書的認識、圖書的結構、讀書的衞生……參考書的認識與利用，視聽資料的認識與利用，筆記之撰寫，心得報告之撰述……等，均由「圖書教師」來教學，若能如此，則全國國民之圖書館利用知能必能落實，學術發展，研究均指日可期之事了。

十　如何蒐集較完整的書目資料

完整的書目資料對於採選圖書及參考服務均有重要的意義，但人手不足，無法廣泛蒐集書目，因此，各校常感困惑，甚至遇有社會人士捐贈一筆經費，有無法開列擬購資料之困擾，茲擬列下列各種蒐集書目資料，以作參考：

㈠營業書目之蒐集：自行政院新聞局編印之「中華民國出版事業機構一覽表」中可以查得全國圖書、雜誌，有聲出版品之出版機構之名稱、地址、電話，然後可以電話索取或函索其營業目錄（大都免費供應）。

㈡報紙雜誌上之新書預約與各種出版消息：一般出版社經常利用報紙或雜誌甚至電視刊登其「新書預約」之廣告及各種出版消息，以供讀者選購，藉以推銷其出版品。

㈢對於政府出版品可查行政院研考會出版之「中華民國政府機構出版品目錄」（分定期與不定期兩部分，正中書局代售），而對於民間團體之出版消息，可查中華民國民衆團體活動中心編印的手册，其中載有內政部登記有案的團體負責人，地址及其出版品，可函洽詢。

㈣各大學及學術機構之出版消息，可直接函洽給其教務處、圖書館與該單位索取。

㈤學術會議之會議紀錄與資料，可由報載開會消息，向主辦單位函洽索取。

㈥參閱台北市立圖書館、國立中央圖書館台灣分館及其他較具規模之圖書館圖書目錄（許多館已出圖書目錄，可免費函索）。

㈦ 參觀書展：目前國內經濟發展甚速，人民生活提高，精神生活受重視，所以，出版事業蓬勃，書展經常舉行，備有「展覽書目」可資蒐集，亦可查閱現書。

十一 本館舊有分類不合適，如需更換新分類表，應如何處理

圖書館在設館之初本應愼重，先行分析，確立本館之發展比較現行分類表之優缺點，再選定適合本館者，一經決定盡可能不隨意更換，因爲更換分類表是件大事，必須付出龐大的人力、物力與財力，尙有許多困難發生，如果非不得已而必須更換新分類表時，作者認爲：

㈠ 新資料一律用新表分類，排架亦與舊資料分開，對讀者利用資料可能會比較不便。但是，情非得已。

㈡ 舊資料之更換新表：舊資料以「類」爲單位更改「書標、書後袋卡及目錄卡片之索書號。爲期工作方便，最好使用「新表」時，所用的「書標」顏色亦隨同更換，這樣就不會新舊不分、混雜其間，難以分辨了。

第三節 國民中小學圖書館未來的展望與建議

一 未來展望

㈠圖書館自動化的實現：二十世紀的末期（目前這個時代）與二十一世紀的初期可以說是資訊科技的時代，生活中的一切將離不開資訊，這是不爭的事實，肩挑「教育」重任的我們，怎能不加把勁，讓我們的國民迎接這美麗而偉大的時代。

圖書館是蒐集、儲存、提供、利用、參考資訊的場所，國小圖書館則是訓練培養國民「圖書館利用智能」的基地，在此「知識爆炸」、「資訊潮湧」的時代，教導小朋友如何蒐集、利用、已有的資訊，以邁向如旭日的前程，是我們的榮耀與責任。

然而，鑑於客觀條件的限制，大部分國小圖書館的經營尚在起步階段，仔細探討他的原因，乃在於接受「圖書館專業訓練」的「圖書教師」普遍缺乏[34]，所以，對於圖書館的「技術服務」產生困難，至於「圖書館利用」配合各科教學更談不上了，如何突破這一瓶頸？成為當今重要課題。

近年來，資訊工業蓬勃發展，個人電腦的製造與輸出，已執世界之牛耳，在世界經濟奇蹟的我們來說，那是人人買得起的廉價工具，它那龐大的記憶容量與超人的運算能力，尤其是對於反覆的運算工作，正可以替圖書館工作者減輕許多工作負擔，尤其在國小圖書館，因為它沒有正式編制人員[35]，所以只有委請專家設計一套程式，提供各校使用，如果大家能分工，進而合作，那麼國小圖書館的發展，將是不可限量。

一個成功的實例——清江國小圖書館

位在臺北市北投區的清江國小，小學部三十六班，幼稚園四班，學生近二千人㊱，雖然學區背景並不優厚，學生以農工子弟居多，稍早他們還沒有穿鞋的習慣，時常可看到他們把鞋子掛在脖子上，光著腳丫仔來上學，看書的習慣，家中是否有充足的讀物？那是可想而知的了。但是，七、八年來，校長及全體老師的心血沒有白費，每當下課鈴聲響起，一群群的小朋友不約而同的往圖書館奔去，這幅美麗的畫面是多麼令人心醉！

幾年前，筆者經常這樣說：「『圖書館的顧客』如能比『合作社』多，我們就滿意了」㊲。今天「『圖書館』和『合作社』搶生意」已經成為各校「圖書館經營的銘言」了，尤其在清江，每節下課時，門庭若市的圖書館，借書、還書、看書、查資料、問問題的小朋友，熙來攘往，絕非合作社所能比擬的！

1. 魅力由何而來？

清江國小圖書館的經營有其得天獨厚的條件，天時地利與人和，樣樣俱備，就天時來說，臺北市教育局自民國七十年起開始注意國小圖書館教育㊳，正好筆者服務於該校且正在師大圖書館教育組進修；地利方面，則位於經費較寬裕的臺北市；人和方面，除筆者所學為圖書館專業外，校長重視圖書館教育而調派幹事一人專職於圖書館且派她先行接受圖書館專業研習，同時該校尚有一位精於電腦程式設計又熱心的王老師，犧牲無以算計的課餘時間，精心鑽研，家長會又及時給予經費上與精神上的支援，因而推展起來較為順利。

2.「設計程式」與「圖書館專業」

圖書館業務中，許多重複而繁雜的工作，在國小人員配置奇缺的情況下，只好求之於擅長重複運算且動作迅速的電腦了。

清江有「電腦天才」之譽的王繁森老師和筆者——集電腦程式設計與圖書館學於一堂，共同奮鬥，分析各家的優點與缺點，去蕪存菁，歷六十餘次的試驗，而奠定初稿，「清江圖書作業系統」正式誕生。除本校（清江國小）圖書館首先採用外，桃源國小、北一女中（該校目前已改用迷你型電腦而改用另一系統）、高雄師院附中、花蓮高中、花蓮女高……等八十餘所[39]中小學圖書館相繼採用，臺北市國民教育輔導團國小圖書館輔導小組認爲這一「操作簡單、效用廣闊」而且費用低廉的設計頗值得推廣，所以，特地舉辦全市國小圖書館負責人之研習，把這一資訊傳遞至各校，如今，備有電腦的各校，大部份已經採用了。

3. **系統簡介**

(1)編目作業：

這是圖書館建立所有資料檔案的資料庫，影響爾後全部作業的關鍵，因此，必需設計齊全完整[40]，所以，我們依需要設計了許多表格式的畫面，老師或小朋友只要按格子依畫面視窗所提示的方法鍵入各項資料就可以了。若某出版者出版一系列書籍，而本館也購置不少，則該批書籍資料大部份相同，爲加速工作之進行，本系統尚特備複製檔可資複製，複製後僅修改部份款目即可，方便又省時。

(2)增刪：

當您登錄完畢後，發現某些資料遺漏了，或是登錄時資料尚未完整，或是某些資料多餘的，需要補入(增)刪除(刪)時，利用此系統即可處理。

(3)查詢、印卡：

查詢館藏資料是圖書館的重要工作項目，如採選時查複本，出納或參考時查館藏是否已典藏這種資料，都需經查詢而得答案，所以，本系統特別著重這項功能之設計，因此，它可從登錄號、題(書)名、著者、出版者、特藏號、分類號等各種角度來查檢所需資料，例如知某書之書名想查本館已否典藏？只要鍵入書名的第一個字，所有藏書書名第一字相同的都迅速出現於銀幕㊶任由選擇，若輸入前二或三個字，或全名，則銀幕就出現前二或前三個字、或全名相同的資料，提供參考；若知著者時，輸入著者的姓或全名亦同書名一樣的在銀幕上出現同姓或同姓名的著者及其作品㊷供參考利用；想查特殊資料，可由特藏號得知，如想知本館有那些錄影帶、唱片、地圖、模型、標本或參考書等，若分類時在特藏號有所著錄，只要輸入特藏號即得；不知書名只知類別則鍵入分類號之首位數字或前二位或全部號碼㊸，都可查得，若書名、著者、分類號……甚麼都不知道時也可以查到，您只要由分類查，當畫面請您輸入「分類號」時，您因不知分類號只好按「Enter」鍵，銀幕即將全部館藏資料列印於銀幕㊹，任由選擇，對概念並不十分清楚的小朋友來說，這是特殊的設計。

印製卡片，過去一張草卡完成後，須經繕寫、複印、加添著者姓名，才可完成製卡工作，這套程式可省許多時間與精力，只要分編完成，立即可印出單元片和著者片，而且想印幾張就印幾張，毫無困難，字體又清晰美觀㊺，不因書寫者字體潦草而發生辨識上的困難，方便之至。

(4)列印書目：

今日圖書館的經營應該走上企業化管理而不是往昔姜太公釣魚的架式，因此，如何推薦自己，自我推銷是一門相當重要的課題，所以，怎樣把我們的館藏介紹給老師和小朋友，以引導他們自動上門，「新書介紹」、「精華展示」……就是這些活動之一，若能定期把新到圖書告訴老師和小朋友，而且以醒目的方式列印，更具吸引力，本系統可以依分類或依日期印出㊻，以提供最迅速的服務。

(5)列印登錄簿：

過去爲了圖書館財產管理而耗用教師寶貴的時間與精力，一一謄寫圖書資料的各項款目於登錄簿，如今，只要在電腦的鍵盤上依您的需要而鍵入適當的指令㊼，整齊美觀的登錄簿就呈現在您的眼前㊽，再也不要爲謄寫而傷神了。

(6)印製書標、書後袋、書後卡：

以往分編完成最後的包裝——繕寫與黏貼書標、書後袋、書後卡工作倍感繁雜，現在，只要在列表機上裝上所需列表紙，依指令操作即可將印妥之書標、與書後袋、書後卡條簽撕下㊾，貼於書後袋與書後卡，節省無數的時間與精力。

(7)出納作業系統：

借還書是一項瑣碎而繁雜的工作，尤其是要塡寫一堆文字，耽誤時間，爲讀者所垢病，因此簡化手續，增加功效是我們努力的目標，然而，出納工作除了借還記錄外，還需兼作逾期催還，逾期罰鍰，個人借書統計，單書被借統計，班級借書統計，這些等等如以人工處理，必需很多人力與時間，可能還做不好，如以電腦處理，僅彈指之間，隨即完成，且準確無比，但是，事前的準備工作可能要花一些時間，例如：每一本書的資料均需鍵入電腦，而且完成條碼轉換㊿，並黏貼於每一本書上，同學的借書證資料亦需輸入，且轉換成條碼，爲了這些，圖書館需備掃瞄用光筆，條碼印製機與轉換程式，倘若這些都完成，讀者借還書時，只要把光筆在書上與借書證上輕輕一畫，不需書寫任何資料，而且在數秒鐘之內即可完成，且一切統計資料皆已完成，快捷無比。

(8)合作編目：

編目是件耗神費時的事，而且一本書在不同的圖書館重複的在編，浪費寶貴的光陰，同時，各國小圖書館普遍缺乏分編人員，形成國小圖書館發展之瓶頸，所以，由具分編能力之館擔負主要分編工作，以爲書目中心，其他館透過網路連線即可取得書目資料㉛，這樣，非但解決了因分編人員不足所產生的困境，而且書籍提早上架與讀者見面，同時因不需重複分編可省下許多時間用以從事讀者服務工作之進行，如今這個書目中心業已在清江國小圖書館誕生㉜，業已展開服務中。

4. 評鑑

一件作品完成必需作一客觀之評鑑，一則給予作者精神的鼓勵，二來有點津之功，使之有再出發的方向與勇氣，因此，我們非常渴望得到大家賜予意見，以期更新再版時有更完美的作品以為回饋，在未獲大家的高見前，我們自我檢討，發現下列優劣點，略述於後，敬請賜正：

(1)優　點：

A操作簡單：國小四年級以上程度的學生或家長皆能操作，凡能運用注音符號拼音者就可以勝任，只要施予二十分鐘的說明，即可運用自如，因為每一階段輸入，均以「視窗說明」來引導，同時，「視窗」的設計生動活潑，引人注目。

B所需各種列印報表紙均可於市面購得，如目錄卡片、書標、書後袋、書後卡之黏貼紙等，而新書目錄、分類目錄、登錄簿、各種統計表及逾期催缺單等，一般報表紙即可運用。

C價格低廉：這是各校所最為關切者，因目前之電腦系統程式，大多動輒數萬元，國小無法負擔，這套系統所需硬體設備可視各校經費調整，一般學校業已配置電腦，如經費允許時，可全部系統與硬體設備買齊[53]，電腦與列表機除外，約五萬元即可，若經費不許可，則先備編目作業系統[54]，僅五千元而已，任一學校皆可辦到。

D若備有連線設備時，非但可以合作編目，尚可共享資訊之有無，且可解疑難[55]，延伸進修觸角，拮取無窮知識。

(2)缺　點：

A設計使用對象為中小學圖書館，對於藏書量大的大學與學術圖書館無法適用。

B因係以個人電腦為運用工具設計，所以對迷你級以上電腦不適用，亦無法連線。

5. 結語

圖書館自動化為各校所期待，資訊界費了千辛萬苦設計出程式與硬體設備，却因價格昂貴而迫使各校無力享用，尤其是國小更為可憐，別說以千萬元計，十萬元都十分困難，故若想使國小圖書館自動化，必需有廉價而有效且操作簡單之程式與硬體設備，清江圖書作業系統正符此條件，這也是八十餘所各級學校採用之原因，此一系統業經多數學校之驗證，更期望圖書館界與電腦界諸先進與前輩，惠賜寶貴意見，以期更完美而達服務之初衷。

(二)電腦輔助教學對於教學技術的改革：三國演義開頭曾說：「合久必分，分久必合」，對於教學來說，亦復如此，中國早年採取「個別」教學，歷二千餘年，於清末起，而自西洋傳入「大班級」教學，始有統一教材，統一進度之教學，而今日之趨勢，所謂重視個別發展，專長教育，所以又回歸於「個別」教學之道路。然而，今日學生人數衆多，而師資不足，於是有「教學機」、「編序教材」之出現，今日又有「電腦輔助教學」。所謂電腦輔助教學（Computer-Assisted Instruction 簡稱CAI）就是事先將一些愼密設計的課程及試題存入電腦，學生可以在終端機按照一定的步驟，以自己的進度或需要將某一些內容「叫出」，進行一連串的自我學習，這種學習活動不但可以隨時中止，自動記錄學習歷程和結果，評量學生的學習結果，並且師生亦可經由電腦的中介達到問答溝通。

電腦輔助教學並非可以代替教師教學的教學機，茲將其優缺點略述如下[56]。

1. 一般性的優點：

(1)個別化教學：學生一個人與電腦溝通，其進度、興趣、活動均不受他人干擾也不影響別人。

(2)不受時空限制：課程試題既然已設計置於電腦檔中，學生可隨時隨地從事學習活動，不受教室與上課時間表之限制。

(3)可與多媒體配合設計，教材生動有趣。

(4)品管控制良好：教材由良師設計，教學由電腦管理，沒有人爲因素，故教學效果必佳。

(5)成本經濟：一部電腦可儲存若干課程，如能充分利用，成本經濟。

2. 對教師之益處：

(1)提供最佳之教材，減少課前準備：由於課程教材均由專家設計提供學生最有俾益之活動，而教師自可減少個別準備，因一套教材，可供許多學生使用。

(2)立卽回饋，馬上交談：教師可由測驗中立卽得知學生之學習成果，如有疑難，教師可立卽將解答之指示儲存於電腦，而生交談解決疑難。

3. 對學生的優點：

(1)自己控制學習：學生依自己的能力、興趣、控制進度、安排時間，不受他人干擾。

(2)減少同學間之壓力，立卽回饋：因係個別學習，沒有彼此競爭之壓力。同時，立卽知道學習結果得到回饋，激發學習興趣。

4. 缺點：

電腦終究是一部機器，沒有情感，對於德育、體育與群育方面之學習，仍然未能照顧得到，所謂五育並重之教育未能均衡發展。同時，教材課程之軟體設計異常困難，必須由教育學者，教育心理專家、各學科專家與電腦軟體設計專家合作始能完成，倘若粗製濫造，則影響深遠，再者，電腦硬體之價格不低，唯以目前本省之經濟與工業發展，克服硬體設備之困難，將是近年之事。

㈢ 電子印刷技術[57]，帶來了革命性的衝擊：所謂電子印刷技術，就是利用電子技術，寫稿、排版、印刷一次完成，換句話說，過去一篇論文之撰述，自撰稿、刪改、繕稿、編輯、排版、印刷、裝訂而出版，最快的也要一、兩年[58]，這樣一項研究到達讀者之手中，也許已經過了二、三年，而論文出版後，才再被索引、撰摘要或列入書目等歷程通常又得一年，因而影響了資訊的流通與傳播。「電子印刷技術」之研究與開發縮短了知識傳播的時間與流程，加速了研究的脚步。同時，由於利用電腦記憶體或磁碟、磁帶，大量地減少紙張印刷，而增加空間之利用與時間之控制。因此，在圖書館中，傳統的「紙張書本」地位，將日形降低，在國民中小學圖書館中，「非書資料」之比重將日漸「搶走了」「傳統資料」之地位。最後，將可能，「終端機」又搶走了普通「非書資料」之地位。所以，紐約知識工業出版公司總編輯史密斯（Robert Frederick Smith）在其「未來圖書館道上的趣事（A Funny Thing is Happening to the Library on its Way to the Future）」一文中說道：「未來的幾年，圖書館員將逐漸地成爲資訊科學家，書本印在電腦的磁帶中，目錄卡片呈現於螢光幕，它將使圖書的愛好者眼花撩亂，明日的圖書館，將提供較以往更多，更有用的資訊，以服務人群」[59]。

㈣ 光碟[60]的出現，給予資訊界的震撼：知識的傳播自古代的結繩記事、畫符記號，而到文字之記錄，而有書本之形成，歷數千年，而今數十年間，卻突破數千年之往事，由書本印刷而有縮影微片的出現，如今更以光碟代替了縮影微片，試看，過去一片微片縮影，可容九百頁資料已是難能可貴的，而今一片光碟，却可容五萬五千頁的資料[61]，同時可在三、五秒鐘之內檢索利用，它的出現，幾乎只要小小的幾片，卽可將整個資料庫的資料容納。所以，只要買幾張「光碟」放在口袋，就可以把整個資料庫隨身攜帶，對讀者來說豈不是一最大的福音，對一位圖書館員來說，也是一項挑戰，如何有效地把資訊輸入，如何協助，輔導，教導讀者使用與利用，將是一重要的課題。

二 建 議

國民中小學圖書館對於整個圖書館事業之重要性已如前述，依目前之情形欲達之於理想，尚待努力之處甚多，茲對於最急需者，提供下列建議，以供教育行政措施之參考：

㈠ 圖書館在國民中小學中法定地位之確定：高中以上之學校，均明令設置圖書館，並設主任或館長爲校內一級主管，直接受命於校長[62]，其地位至爲明確，反觀國民中小學，僅於「國民小學設備標準」的「圖書設備標準」中見到「圖書館」，而於國民教育法及其施行細則中均未提及，因此，各校雖設「圖書館」，有置於教務處之設備組者或註册組者，甚至亦有置於總務處事務組者，更有委由技工友管理者，故難望發揮其功能，究其原因，乃源於沒有

「法定地位」，師出無名，而圖書館在國民中小學擔負起「教學中心」、「資料中心」與「學習中心」的重任，其重要性實不下於任何一個行政單位，如能仿高中以上學校，設置圖書館主任，且為學校一級主管單位，則必能發揮其應有之功能，否則亦應明定設置於教務處之下，以配合學校之各項教學活動與行政措施。

㈡ 師範學院初教系設置圖書館教育組，或設圖書館教育系，以充實「圖書教師」之來源：在設備標準中已明定各校應指派「教師」兼任「圖書教師」，以推展館務，且圖書教師必具「圖書館專業」訓練，師院為國民小學唯一之師資培育所在，只有在師院培育之時，給予「圖書館專業」訓練，否則任何「國小教師」均難具「圖書教師」之資格，因此，必須於師院設置「圖書館教育系」或於初等教育系中設「圖書館教育組」，方能為全台灣地區近三千所國民小學解決「圖書教師」之來源，否則，國小圖書館教育將落為空談。

㈢ 普設圖書館輔導團：自台北市國民教育輔導團於民國七十二年八月設置國小圖書館輔導小組以來63，由於其輔導成員均為優秀國小教師且係受圖書館學專業科班出身64之專才，身兼教育專業與圖書館學專長，再加上服務之熱心，在短短的三、五年間，他們走遍台北市每一角落，協助各校成立圖書館，更輔導、示範圖書館利用教育之教學，致使台北市國民小學之圖書館教育獨步全國，台北縣亦於民國七十四年八月成立，且積極展開工作，亦有豐富之成果，所以，在「圖書教師」未能普遍設置之前，全國各縣市應積極設置「圖書館輔導圖」，以協助、輔導、推展圖書館教育，而成為各縣市的圖書館教育諮詢中心、服務中心與支援中心。

㈣ 縣市文化中心圖書館與國民中小學圖書館相結合：由於文化建設政策之推行，每一縣市均有文化中心之設置，且以圖書館爲其主體，所以，它有充足的「專業人員」，更有「固定的預算」，爲了工作之紮根，應將輔導學校圖書館之發展列入工作要項，而提供國民中小學圖書館之「資料支援」與「技術協助」，以舒緩國民中小學圖書館「人員」與「經費」短缺之良策。

(五) 設置教學媒體供應中心：目前國民小學教科書採用「部定本」，全國一致。所以，主要教學媒體可以「統一製作」、「分區供應」，至於「因地制宜」之鄉土教材，則由各校蒐集、製作，這樣可以減少「重複」採選之困擾，節省人力、物力與時間之浪費，偏遠之小型學校，其人員、經費，均不足，無法購足應有之媒體以配合教學，若能以鄉鎮爲中心，設置媒體中心，則各校可逕往借用，非但節省購置經費與人力，更解決了編目分類之困擾，而教學亦有媒體可資利用，提高教學品質，充實教學內容而達教學之效果。亦可由中央或省市統一購置配發利用。

(六) 圖書編目卡片之發售：圖書編目分類之標準統一化爲達到自動化的手段之一，同時目前全國數千所國民小學圖書館中，眞正具備分類編目能力的「圖書教師」爲數極少。因此，分類編目工作常被視爲畏途，影響圖書館教育工作極大。因此，如果有一機構能夠提供「圖書編目卡片」之發售服務，則各校圖書館購置圖書資料時，只要於購置合約中載明，應附全套目錄卡片（含書名、著者、分類），則書商自然會備齊，這樣，書買回來，卡片也到了，不是非常方便嗎？只要把書標、書後袋卡製妥，登錄完畢，卽可上架流通，一則解決了「分類編目」的困擾，又達「分類編目的統一」，更加快了「上架流通」的速度，眞正受惠的還是全校師生。所以，如果「國立中央圖書館編目中心」能將「兒童讀物」列入編目製卡發售，則是最爲簡便的工作，因爲普通成人用書籍，只要是民國七十年以後出版的，均經中央圖書館編目建檔中，且發售目錄卡片，以其旣有的設備，加添少許人力卽可達成，將可使數以百萬計的兒童和教師受惠。如果中央圖書館強調以高級學術研究爲服務標的，則國立中央圖書館台灣分館應可勝任此項任務，目前有關兒童圖書之蒐集，首推該館，而其本身業已編妥目錄，若可開放，影印發售，則亦可使大衆受益，否則由台灣省立台中圖書館、台北市立圖書館或高雄市立圖書館來承擔亦可。

附註

❶王振鵠教授在台北市永樂國民小學圖書館利用觀摩教學檢討會上演講錄音，民國七十五年十一月二十六日，地點，永樂國小大禮堂。

❷詳全國（日本）學校圖書館協議會利用指導委員會編，學校圖書館の利用指導の計劃と方法（日本東京，編者，一九七九，改訂版），頁四二～四三。

❸詳同❷，頁九～八八。

❹詳第一章第二節，國民小學圖書館的意義。

❺詳第五章第四節，圖書館利用教育的課程設計與教學。

❻詳王振鵠撰：「文化建設與圖書館」，社會教育與文化建設研討會議實錄（台北市，國立台灣師範大學社會教育學系，民國七十一年六月二二日～二三日），頁五十～六四。

❼詳長澤雅男撰：「生涯學習時代の圖書館利用指導」，圖書館雜誌第七十九卷第四期（一九八五年四月），頁一九〇～一九二。

❽詳蘇國榮著：如何實施「兒童圖書館利用」教育，台灣教育第三九〇期（民國七十二年六月），頁二八～三四。

❾詳蘇國榮著：台北市國民教育輔導團國小圖書館輔導小組簡介，中國圖書館學會會報第三十六期（民國七十二年十二月），頁二一～二七及台北市教育局編：市立國民小學資本支出（教學設備）分析表（台北市，編者印行，民國七十五年）。

❿目前台北市各國民小學統一規定，星期三下午有二節甚至三節的教師活動，或教師進修時間。

⓫詳台北市立圖書館編：視聽教育資料目錄—錄影資料部份（台北市，編者，民國七十五年），國立中央圖書館

編，利用圖書館資料展覽目錄（台北市，編著，民國七十二年）：頁一五一～二二七，國立中央圖書館編，圖書館文獻目錄（民國六十九年至七十五年）（台北市，編者，民國七十五年），頁二三三～二四八。

⑫ 詳蘇國榮著：論國小「圖書館利用」教育，國立中央圖書館創刊第十八卷第一期（民國七十四年六月），頁一一六～一二三。

⑬ 台北市國民小學預算中，自民國七十二年度起將「圖書」列入專項預算，以前則偶列「圖書設備」之預算。

⑭ 詳同❾。

⑮ 詳蘇國榮著：學校教育廣播電台芻議，視聽教育雙月刊第二十三卷第五期（民國七十一年四月），頁二～三。

⑯ 詳教育部，七十三年四月九日台⑺國字第一二五三二號函。

⑰ 詳蘇國榮著：淺談國民小學圖書館的「參考服務」，台灣教育輔導月刊第35卷第七期(民國七十四年七月)，頁十七～十九。

⑱ 詳蘇國榮著：淺談國民小學圖書資料的「編目與分類」，教師之友第二十七卷第四期(民國七十五年十月)，頁十三～十九。

⑳ 該項目錄卡片函購辦法，可直接函洽國立中央圖書館電子計算機中心或目錄組。

㉑ 自民國七十年元月至七十三年二月所出版之書可查國立中央圖書館機讀式書名目錄，而七十三年三月以後之出版書籍，可見國立中央圖書館編之中華民國出版圖書目錄（月刊）。

㉒ 國立中央圖書館台灣分館編：全國兒童圖書目錄及續編（台北市，編者印行，民國六十六年，續編民國七十三年）。

㉓ 台北市立圖書館編：兒童圖書目錄（第一、二、三、四輯）（台北市，編者印行，第一輯民國七十三年，第二輯民國七十五年，第三輯，民國七十七年，第四輯，民國七十九年）。

㉔ 郭麗玲撰：小學各科教師如何利用圖書館，圖書館利用教育配合創意思考教育資料專輯（台北市永樂國小，民國七十五年）頁十五～二十六。

㉕ 詳蘇國榮：國民小學圖書館經營之研究（台北市，撰者，民國七十六年），頁六十一～六十二。

㉖ 所謂失踪，係圖書館資料因放置錯誤而未於其所應置之處，而使館員與讀者找尋不着，但該書仍於館內者，平常許多書因讀者喜愛，又恐他人拿去閱覽，而置藏於某處，事後連自己也忘了，因此造成失踪之情形，中外圖書館均有此現象，尤以開架服務者爲多。

㉗ 依行政院頒「財物分類標準」第五類第三項雜項設備圖書之規定，使用期限爲五年。

㉘ 詳中國圖書館學會第三十四屆會員大會資料，會員大會提案第四案，頁三十六（油印本）。

㉙ 詳鄭含光撰：「當前國民小學圖書館在經營上問題之探討」，教師之友第二十七卷第四期（民國七十五年十月），頁三～六。

㉚ 詳教育部國民教育司編，國民小學課程標準（台北市，正中書局，民國六十五年），課程標準修訂於民國六十四年八月七日以台(64)國字第二三一七四函公佈在案。

㉛ 詳同㉚，頁十一。

㉜ 詳同㉚，頁一六一。

㉝ 日本小學各年級圖書館時間爲一年級34節，二、三年級35節，四、五、六年級每週二節。詳見全國學校圖書館協議會利用指導委員會編，學校圖書館の利用指導の計劃と方法（日本東京，編者，一九七九），頁九十七。

㉞ 詳蘇國榮撰，國民小學圖書館經營之研究，撰者，民七十六，頁二十九。

㉟ 詳同㉞，頁二十七。

㊱ 這是民國七十九學年的編制。

㊲ 當時筆者服務於清江國小，擔任圖書館之行政職務。

㊳ 臺北市教育局自民七十年起編列專款發展國小圖書館教育其數額如下：

年度	金額	年度	金額	年度	金額
七十	八三八、五六〇	七十一	五、四五三、〇〇〇	七十二	四、六三七、〇〇〇
七十三	一〇、八八二、八〇〇	七十四	五、八二七、五三〇	七十五	五、二四七、〇〇〇
七十六	四、四九四、〇六〇	七年合計	三七、三七九、九五〇元		

㊴ 包括國小、國中、高中、高職及五專各級學校如：宜蘭農專、醒吾商專、明新工專、宜蘭女高、宜蘭高中、花蓮女高、花蓮高中、花蓮高工、新竹女高、新竹高中、復興高中、中山女高、高師大附中、頭城國中、南港國小、河堤國小、泉源國小、三民國小、溪口國小、東富國小、天母國小、士林國小、福星國小、雨農國小、臺南水產職校、中華佛教研究所、喬光佛教研究所、法光佛教研究所……等各校圖書館皆已相繼採用。

㊵ 如圖一，見三〇九頁。

㊶ 如書名爲「最新家事小秘訣」，只鍵入「最」、「最新」、「最新家」、「最新家事」均可。

㊷ 如「李振昌」的「走過自己」，只鍵入著者的姓「李」、或前兩字或三個字均可。

㊸ 如分類號爲021只鍵入0或02或021均可。

㊹ 如鍵入02則有關圖書館學之書即出現於螢幕供選擇。

㊺ 書名片、分類片、著者片及各室所需目錄片均可印出。

㊻ 新書介紹可用分類印出，也可一日期〔如二月十日至三月十日（即本月新書）〕印出，以告知師生。

㊼ 登錄簿可依日期或編號印出。

㊽ 如圖二，見三一〇頁。

㊾ 列印之書標及書後卡與書後袋所用標籤圖：

索書號：024.6/8856/78 ←------ 黏貼於書後卡之標籤
書　名：國民中小學圖書館之經營
著　者：蘇國榮著
登錄號：01643

索書號：024.6/8856/78 ←------ 黏貼於書後袋之標籤
登錄號：01643

黏貼於書脊之書標 → 024.6 8856 78

㊿ 以該書之登錄號為條碼之基本編號，經由電腦輸入，透過程式經條碼機印出條碼，黏貼於書籍之書名頁或版權頁；借書證亦可以學號為條碼之基本編號，經由電腦輸入，透過程式經條碼機印出條碼，黏貼於借書證上即可。

51 如某校已用清江國小圖書館作業系統，只要再備數據機乙具（Modem）與電話機線路即可連線，即BBC型使用。

52 清江國小圖書館已備妥各類圖書資料檔供使用學校連線運用。

53 該硬體設備應具十六位元（PC, XT, AT 均可）或三十二位元之個人電腦、一三六欄位列表機、光筆條碼製作機、數據機及電話各一，而電話及個人電腦與列表機各校已備，所以如再花費約六萬元預算即可完成。

54 備妥編目作業系統，館內技術服務即可自動化。

55 如已備妥註53所列設備，撥 02-892-1839 之電話即可進入該中心，該中心並提供各項諮詢服務。

56 詳李進寶等編著：電腦補助教學選集（台北市，師範大學電子計算機中心印行，民國七十二年），頁二十一～二十四。

57 Patrick Gibbins: Electronic Publishing: The future convergene of many disciplines,

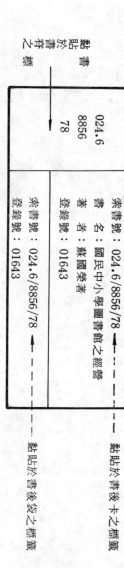

Journal of Information Science 8 (1984), pp. 123-129 及 Thomas Hickey: The Journal in the Year 2000, wilson Library Bulletin, Dec. pp. 256-260.

58 Arthur Herschman: The Prinary Journal: Past, Present Future. Journan of Chemical Documentation. Vol. 10. No. 1. February 1970. pp. 37-42.

59 譯 Frances Segraver & Sarah Warner Edited: The Futurist's Library. World Future Society, Maryland U. S. A. 1983. pp. 101-108.

60 光碟（Compact Disk-Read Only Memory 簡稱 CD ROM）何國光先生譯「唯讀記憶密集碟」

61 詳 John A. schaud: CD ROM for Public Access Catalogs. Library Hi Tech, Issue 11, pp. 7-14.

62 詳高級中學法第十二條及高級中學規程第三十條。

63 詳蘇國榮撰：台北市國民教育輔導團國小圖書館輔導小組簡介，中國圖書館學會會報第三十六期（民國七十三年十二月），頁二十一～二十七。

64 該團之成員均爲台北市國民小學優秀教師且畢業於國立台灣師範大學社會教育系圖書館教育組。

登 錄 簿 Accession Record

年月日：	登錄號數：	版次：
書名：		
著者：		
出版地：	出版者：	
出版年：　　　年	高廣：　　　公分	圖表：
特藏號：	分類號：　　/　　/	裝訂：
集叢項：		
面葉數：		價格：　　　元
追	I.	II.
尋	III.	IV.

附註項登錄

請將實價輸入於附註項 2. 國際標準書號輸入於附註項 3. 若無附註事項請按 Enter 跳過

1. ______________________________

____

2. 實價 ______________________________

____

3. ISBN ______________________________

____

〔F1〕放棄登錄　回目錄

圖 一

登 錄 簿 Accession Record

日期 DATE	登錄號數 Accession No.	索書號 Call No.	書名 Title	作者 Author	出版者 Publisher	出版年 Year	版次 E.d	高廣 Size	裝訂 D.C	價格 Cost	備註 Remake
800125	77002296	538/7543	生命禮俗研討會文集	陳奇祿	文化建會	民 75	再版		平	400	301
800125	77002297	541.32/0227	傳承與發揚		文化推絡		初版		平		302
800125	77002298	550.4/1032	經濟學百科全書 1	于宗先	聯經	民 75	初版		精	2400	303
800125	77002299	550.4/1032	經濟學百科全書 2	于宗先	聯經	民 75	初版		精	2400	304
800125	77002300	550.4/1032	經濟學百科全書 3	于宗先	聯經	民 75	初版		精	2400	305
800125	77002301	550.4/1032	經濟學百科全書 4	于宗先	聯經	民 75	初版		精	2400	306
800125	77002302	550.4/1032	經濟學百科全書 5	于宗先	聯經	民 75	初版		精	2400	307
800125	77002303	550.4/1032	經濟學百科全書 6	于宗先	聯經	民 75	初版		精	2400	308
800125	77002304	550.4/1032	經濟學百科全書 7	于宗先	聯經	民 75	初版		精	2400	309
800125	77002305	550.4/1032	經濟學百科全書 8	于宗先	聯經	民 75	初版		精	2400	310
800125	77002306	550.4/1032	經濟學百科全書 9	于宗先	聯經	民 75	初版		精	2400	311
800125	77002307	571/1100	共信共識與國家前途	張京育	幼獅	民 77	七版		平	1.56	312
800125	77002308	572.9/8880	行政管理論文選輯	銓敘部	銓敘部	民 77	初版		平	360	313
800125	77002309	573.4/8880	銓敘法規彙編	銓敘部	銓敘部	民 77	初版		精	550	314
800125	77002310	573.4/8880	銓敘法規釋例彙編	銓敘部	銓敘部	民 76	初版		精	500	315
800125	77002311	592.91/4064	中外戰爭全史	李則芬	黎明	民 74	初版		精	2845	316
800125	77002312	592.91/4064	中外戰爭全史	李則芬	黎明	民 74	初版		精	2845	317
800125	77002313	592.91/4064	中外戰爭全史	李則芬	黎明	民 74	初版		精	2845	318
800125	77002314	592.91/4064	中外戰爭全史	李則芬	黎明	民 74	初版		精	2845	319
800125	77002315	592.91/4064	中外戰爭全史	李則芬	黎明	民 74	初版		精	2845	320
800125	77002316	592.91/4064	中外戰爭全史	李則芬	黎明	民 74	初版		精	2845	321
800125	77002317	592.91/4064	中外戰爭全史	李則芬	黎明	民 74	初版		精	2845	322
800125	77002318	592.91/4064	中外戰爭全史	李則芬	黎明	民 74	初版		精	2845	323
800125	77002319	592.91/4064	中外戰爭全史	李則芬	黎明	民 74	初版		精	2845	324
800125	77002320	592.91/4064	中外戰爭全史	李則芬	黎明	民 74	初版		精	2845	325

合計：25 種　　51861.56 元

======本校圖書館編印======

圖 二

參考文獻

(一) 中日文書籍

丁致聘編：中國近七十年來教育記事（台北，商務，民五十九年影印）。

大衆書局編輯部編譯：小朋友偉人故事（高雄市，編者，民六十九年）。

方炳林撰：教學原理（台北市，教育文物出版社，民六十八年）。

王民信編：史記研究之資料與論文目錄（台北市，學海出版社，民六十五年）。

王家出版社編輯部編纂：頭腦小體操（台北市，編者，民七十一年）。

王振鵠編著：學校圖書館（台中，東海圖書館，民五十年）。

王靜芝撰：認識史書，認識子書，讀書選集第二輯（台北，中央日報，民六十九年）。

王靜芝撰：認識三本辭章選集，讀書選集第三集（台北，中央日報，民七十年）。

中央通訊社編譯：標準譯名錄（台北市，編譯者，民六十九年）。

中國圖書館學會出版委員會編：圖書館學（台北市，台灣學生書局，民六十九年）。

中國圖書館學會編：圖書館學參考書目及法規標準（台北，編者，民七十四年）。

中華民國圖書館基本圖書選目委員會編：中華民國圖書館基本圖書選目（台北，中國圖書館學會，民七十一年）。
中華民國雜誌事業協會，國立中央圖書館編印：紀念先總統 蔣公百年誕辰全國雜誌展覽目錄（台北，編者，民七十五年十一月八日）。
中華電視台企劃資料組編：錄影帶目錄合訂本（每月出刊）。
行政院文化建設委員會，國立中央圖書館編：紀念司馬光、王安石逝世九百週年展覽目錄（台北，編者，民七十五年）。
行政院主計室修訂：財務分類標準（台北，主計月刊社，民七十年）。
行政院研攷會編：中華民國行政機關出版品目錄（台北市，正中，民七十一年）。
行政院研攷會編：中華民國政府出版品展覽展出目錄（台北市，編者，民七十四年）。
行政院研攷會編：建立圖書館管理制度之研究（台北市，編者，民七十四年）。
行政院國家科學委員會科學資料中心編：全國西文科技圖書聯合目錄（台北，民六十二年）。
全國（日本）學校圖書館協議會利用指導委員會編：學校圖書館の利用指導の計劃と方法（日本，編者，一九七九年）。
多賀秋五郎著：近代中國教育史資料（台北，文海出版社，民六十五年）。
沈寶環編著：西文參考資料（台北，台灣學生書局，民七十四年）。
李文清著：小學圖書館之經營與利用（台北，台北市立師專，民六十六年）。
李建興主持林孟貞執筆：台北市國民中小學圖書館設置及作業規範計劃之研究（台北市，台北市政府研考會，民七十四年）。
李愛梅撰：李愛梅的日記（台北，國語日報社，民六十六年）。
李瓊貞：台北市學齡兒童使用兒童圖書館情形之調查研究，兒童福利學系畢業論文，指導教授高傳正，七十三年五月二十九日（油印本）。
杜定友著：學校圖書館學（上海，商務，民三十四年）。
吳哲夫、鄭恒雄、雷叔雲合著：圖書與圖書館利用法（台北，行政院文化建設委員會，民七十三年）。
私立輔仁大學圖書館學會編印：輔仁大學學生利用圖書館狀況調查報告（台北縣新莊，編者，民七十一年）。
林美和撰：小學圖書館的管理與利用（台北市，教育局，民七十年）。
卓玉聰撰：視聽資料室的功能與設計，視聽資料管理研究會論文集（台北，中國圖書館學會，民七十五年）。
哈艾特（G. Highent）原著：嚴景珊、周叔昭同譯，教學的藝術（台北市，協志工業出版社，民四十九年）。
教育部國民教育司編：國民小學課程標準（台北，正中，民六十五年）。
教育部國民教育司編：修訂國民小學設備標準（台北市，正中書局，民七十年）。
張錦郎編著：中文參考用書指引（台北，文史哲出版社，民七十一年，增訂本）。
陸毓興撰：多媒體圖書館的資源與經營（台北，書藝書局，民七十三年）。
陸靜山編，陶知行校：兒童圖書館（上海，兒童書局，民二十三年）。

國立中央圖書館編訂：國立中央圖書館中文圖書編目規則（台北，編者，民三十五年初版，四十八年增訂修正版，六十八年重印）。

國立中央圖書館編：中華民國圖書出版目錄（台北，編者，民四十五年起月刊）。

國立中央圖書館編：中華民國台灣區公藏中文社會科學官書聯合目錄（台北，編者，民五十九年）。

國立中央圖書館編：圖書館學文獻目錄（台北，編者，民七十五年）。

國立中央圖書館編：中華民國圖書聯合目錄（台北，編者，民六十六年）。

國立中央圖書館期刊股編：中華民國期刊論文索引（台北，編者，民五十九年起）。

國立中央圖書館台灣分館編：全國兒童圖書目錄及續編台北，編者，民六十六年、七十三年）。

國立政治大學社會科學資料中心編：中文報紙論文分類索引（台北，編者，民五十二年起）。

國立教育資料館之編：國民中小學教學資料聯合目錄（台北，編者，民七十三年）。

國立教育資料之編：視聽教育教材目錄（台北，編者，民七十四年）。

國立教育資料館之編：教育論文索引（台北，編者，民六十一年起）。

國立教育資料館教育廣播電台編：有聲資料目錄（台北，編者，民七十四年）。

國立台灣大學視聽教育館編：國立台灣大學視聽教育館館藏目錄（台北，編者，民七十四年）。

國立台灣工業技術學院視聽教學中心編：教育影片，錄影帶目錄（台北，編者，民六十九年）。

國立師範大學地理學系編：地理教學視聽資料第一輯（台北，編者，民七十一年）。

國立師範大學圖書館編：教育論文摘要（台北，編者，民六十七年起）。

國立師範大學圖書館暨社會教育學系編印：台灣地區中小學圖書館（室）現況調查報告，（台北，編者，民七十年）。

國立編譯館主編：師範專科學校視聽教育（台北，正中書局，民七十年）。

黃信傑撰：視聽資料徵集管理實務（台北市，緯揚文化公司，民七十四年）。

黃淵泉、張錦郎合著：中國近六十年圖書館事業大事記（台北市，商務，民六十三年）。

賈馥茗著：教育概論（台北市，五南圖書公司，民六十九年）。

塩見昇、間崎ルソ子共著：學校圖書館と兒童圖書館（日本東京部，雄山閣，一九七六年）。

圖書館自動化規劃委員會中國編目規則研討小組編：中國編目規則（台北，中國圖書館，民七十二年）。

台北市立社會教育館編：台北市立社會教育館影片目錄（台北，編者，民七十二年）。

台北市立圖書館編：視聽教育資料目錄（台北，編者，民七十二年）。

台北市立圖書館編：視聽教育資料目錄—錄影帶資料部份（台北，編者，民七十五年）。

台北市立圖書館編：兒童圖書目錄一、二輯，（台北，編者，民七十三年、七十五年）。

台北市研考會委託師大李建興教授主持，林孟眞教授執筆之台北市國民小學圖書館設置及作業規範設計之研究（台北市，委託者，民七十四年）。

台北市教育局編：台北市公私立國民小學學生人數班級數統計表（台北，編者，民七十六年）油印本（截止至七十五學年第一學期）。

台北市教育局編：市立國民小學，資本支出（教學設備）分析表（台北市，編者，民六十九年）。
台北市政府教育局編：台北市國民教育輔導團，七十二學年度工作報告國小組社會科（台北市，編者，民七十三年）。
台北市教師研習中心，台北市七十三、七十四、七十五學年度國小圖書分類編目研習班研習計劃（油印本）。
台北市國民教育輔導團國小圖書館輔導小組編：國民小學圖書館工作手册（台北市，編者，民七十四年）。
台灣省教育廳編：視聽教學媒體資料目錄（台中，編者，民七十五年）。
台灣省政府教育廳兒童讀物編輯小組編：中華兒童百科全書（台北市，台灣書店，民六十七—七十五年共十四册）。
台灣省電影製片廠編：台灣省電影製片廠影片目錄（台北，編者，民七十年）。
賴永祥編訂：中國圖書分類法（台北，編訂者印行，民七十年增訂六版）。
盧荷生著：圖書館行政（台北，著者，民七十一年）台灣學生書局經銷。
盧震京著：小學圖書館概論（台北，商務，民六十二年）。
薛文郎著：圖書館參考服務之理論與實務（台北，中央圖書館台灣分館，民六十四年）。
藍乾章撰：圖書館行政（台北市，五南圖書公司，民七十一年）。
鄭恒雄：中文參考資料（台北，學生書局，民七十一年）。

(二) 中日文期刊

尤保善：兒童圖書館教育的借鏡和企盼，國語日報（民七十二年八月九日）第三版。

子　敏：兒童讀物的選擇，國教世紀第十九卷第十期（民七十三年四月）頁一一～一二。

大越朝子：學校教育にすけら圖書館利用指導の現狀，圖書館雜誌第七九卷第四期（一九八五年四月）頁一九三～一九五。

山越カすリ：好評です圖書館クイズ：圖書室をより身近たさのにと，圖書館雜誌第七九卷第五期（一九八五年五月）頁六〇二。

丸本郁子：利用指導擔當者の育成：短大圖書館を例に，圖書館雜誌第七九卷第四期（一九八五年四月）頁一九六～一九八。

方同生：非印刷資料的編目原則，教育資料科學月刋第九卷第四、五、六期（民六十五年六月七月八月）。

方同生：現代工藝在圖書館中的使命，中國圖書館學會會報第二七期（民六十四年十二月）頁四三。

方同生：資料管理——制度化和經濟化，非書資料管理（台北市，弘道文化公司，民六十二年）頁一二。

方同生：圖書館特殊資料之整理，教育資料科學月刋第五卷第三期（民六十二年三月）頁八。

方同生：圖書館設計概念的轉變，教育資料科學月刊第四卷第四期（民六十一年十月）頁二三～二四。

王人路：兒童讀物的分類與選擇，教育雜誌第二一卷第一二期（民十八年十二月）頁七二～七九。

王化周：童話的研究，教育雜誌第一八卷第二期（民十五年二月）頁三～九。

王建華：如何發揮中小學圖書館的知能國民教育第二一卷第一期（民六十六年四月）頁一一～一三。

王建禮譯：美國第四屆圖書館建築設計得獎作品簡介，圖書館學報第十期（民五十八年一二月）頁。

王　征譯：小型公共圖書館之建築，教育資料科學月刊第八卷第一期至第九卷第九期（民六十四年七月至六十五年六月）。

王明生：讓書本伴着孩子長大，國教之聲第一七卷第五期（民七十三年六月）頁一～二。

王牧之：怎樣選擇優良讀物，大華晚報（民六十一年八月十四日）。

王省吾：中國近代圖書館發展史，圖書館學報第五期（民五十二年八月）頁九七～一一七。

王者寧：如何辦好中學圖書館，亦論「如何發揮圖書館輔導教學功能」，中國圖書館學會會報第三二期。

王振鵠：圖書館之發展趨勢，彰化縣發展圖書館事業研習資料專輯（彰化，彰化縣文化中心，民七十五年十月）頁一一～一四。

王振鵠：參考服務及其趨勢，國立中央圖書館館刊第一七卷第二期(民七十三年十二月)頁一～六。

王振鵠：圖書分類與管理，中央日報（民七十三年十月十四日）十二版。

王振鵠：圖書館的功能與方向，社會教育論叢（台北，私立潘氏圖書館，民七十三年九月）下冊頁五二～五七。

王振鵠：我國近代圖書館事業之發展，中華民國歷史與文化討論集——文化思想史（中華民國歷史與文化討論集編委會，民七十三年五月）頁一八八～二〇七。

王振鵠：也談圖書館功能，中央日報（民七十三年三月二十日）十二版。

王振鵠：文化建設與圖書館，社會教育與文化建設研討會實錄（台北市，師範大學社教系，民七十一年六月）頁五四。

王振鵠：現代圖書館的功能，幼獅月刊第四六卷第五期（民六十六年十一月）頁三八～四〇。

王振鵠：各國圖書館標準，教育資料科學月刊第五卷第一期（民六十二年一月）頁九～一一。

王振鵠：論全面發展圖書館事業之途徑，教育資料科學月刊第四卷第四期（民六十一年十月）頁三。

王振鵠：美國學校圖書館的經營標準，中等教育第二二卷第六期（民六十年十二月）頁一二～一五。

王振鵠：圖書館週的意義及其活動，中國圖書館學會會報第二二期（民五十九年十二月）。

王逢吉：國校教師怎樣指導兒童閱讀，國教輔導第四九期（民五十五年六月）頁一三二七～一三二九。
王　瑛：屏東師專附小兒童圖書館經營與管理，師友第一八七期（民七十二年一月）頁二六。
王集叢：書香處處，中央日報（民七十二年十二月三十一日）第十版。
王靜珠：國民學校圖書館的分類與編目，國教輔導第四九期（民五十五年六月）頁一三二四～一三二六。
王鴻益：美國中文目錄卡片編寫方法的演進，國立中央圖書館館刊第九卷第二期（民六十五年十二月）頁七。
尹玫君：大學圖書館建築的設計及原則，台灣教育第三五八期（民六十九年十月）頁三九～四二。
中山雄一：視聽教材在學校中的運用，台灣教育第四〇六期（民七十三年十月）頁二三。
中村明美：兒童活動にすけら學校圖書館の活用，初等教育資料月刊第四五九期（昭和六十年〔民七十四年〕十月）頁二〇～二三。
內山民憲：子供の自立的友學習態度を育エる學校經營，初等教育資料月刊（昭和六十年〔七十四年〕四月）頁一六～一九。
毛宗蔭：以書籍立方爲單位而定書庫廣袤之商榷，中央時事週報第四卷第七期（民二十四年三月）頁五十～五五。
広松邦子：學校圖書館法の理念と現實のはさまべ，圖書館雜誌第七九卷第八期（一九八五年八月）頁四四六～四四八。

古屋律子：公共圖書館における繪本，兒童圖書の分類と排架，圖書館雜誌第七十九卷第五期（一九八五年五月）頁二五八～二六〇。
世　清：買書的技巧，出版家雜誌第八期（民六十二年八月）頁三～四。
丘碧瑩、林淑琪合撰：記吳黎耀華女士談美國教育近況，社教系刊第一二期（民七十三年五月）頁二六～二七。
司　琦：兒童圖書館的重要及問題，國教輔導第四九期（五十五年六月）頁一三一八～一一九。
矢野明子：館內奉仕活動，圖書館雜誌第七九卷第五期（一九八五年五月）頁二五五～二五七。
江南發：教學媒體在教學革新中的地位，教育文粹第一三期（民七十三年六月）頁二三一～二九。
皮哲燕：對台灣圖書館教育之建議，圖書館學報第五期（民五十二年八月）頁二四一～二四六。
朱仁禋：圖書館學的理論與實際，圖書館學報第一一期（民六十年六月）頁三六三～三七五。
朱秀芳：視聽輔助工具與教學，國語日報（民七十三年一月三日）。
朱傳譽：甚麼叫童話？中央日報（民五十三年二月十日）副刊。
宋建成：圖書館的參考服務，國立中央圖書館館刊第一一卷第二期（民六十七年十二月）頁三二～三七。
宋豐雄：論如何擴展兒童圖書館的經營，台北市立圖書館館訊第一卷第三期（民七十二年十二月）頁一三～一七。
汪明琪：小學圖書館何去何從，中國論壇第十四卷第八期（民七十一年七月）頁四九～五二。

沈谷珍：發展學校圖書館的重要性，國立中央圖書館館刊第七卷第二期（民六十三年九月）頁一六〇～一六二。
辛武男：怎樣辦好小學圖書館，國教之友第三八四、三八五合刊。
李明珠：大學圖書館的建築，台灣教育第三四六期（民六十八年十月）頁四十～四七。
李淑淑：查字典的樂趣，國語日報（民七十三年一月十九日）第三版。
李荷曼：國際圖書館事業之趨勢，中國圖書館學會會報第二二期（民五十九年十二月）頁二～三。
李端芬：請推廣學校摺，變法自強奏議彙編卷三，頁一～三。
李琼貞：台北市學齡兒童使用圖書館情形之調查研究（台北市，文化大學兒童福利學系，民七十三年，油印本）學士畢業論文。
杜定友：兒童圖書館問題，教育雜誌第十八卷第四期（民十五年四月）頁一～十五。
杜定友：科學的圖書館建築法，東方雜誌第二十四卷第九期（民十六年五月）頁六十一～七十。
尾田眞知子：圖書館利用指導實施まで，圖書館雜誌第七十八卷第十期（一九八四年十月）頁六五四～六五五。
阮晶亮：參加全國兒童圖書館研討會有感，國語日報（民七十二年五月二十四日）。
吳玉芬：兒童也需要圖書館嗎？教師之友第二十一卷第一、二期（民六十九年一月）頁一二～一三。
吳明德：視聽資料的教學效果，書府第六期（民七十四年八月）頁五十八～六十。
吳明德：從編目自動化看「中國編目規則」，中國圖書館學會會報第三十三期（民七十年十二月）頁十七～二十三。
吳明德等：「如何利用圖書館」專欄，幼獅文藝第五十三卷第四期（民七十年四月）頁九十八～一一五。
吳茜茜：如何指導兒童利用學校圖書館，國民教育第二十四卷第四期（民七十一年八月）頁十五。
吳茜茜：國小圖書館如何指導兒童閱讀，國民教育第二卷第十一期（民六十五年十一月）頁七。
吳淑貞：怎樣提高孩童讀書的興趣，聯合報（民五十四年十月二十五日）第七版。
吳　寬、陳玉蘭：訪李德竹老師談圖書館發展趨勢，書府第三期（民七十年四月）頁六～九。
吳彩蓮：知識爆炸了——小學圖書館怎麼辦？教師之友第二十一卷第一、二期（民六十九年一月）頁二十一～二十二。
吳瑠璃：從圖書館利用指導談參考服務的教育功能，社教系刊第十三期（民七十三年六月）頁五十七～六十。
吳瑠璃：我國大學圖書館利用教育施行狀況調查研究，社教系刊第八期（民七十二年六月）頁七十一～七十六。
吳瑠璃：西文參考資料簡介，社教系刊第一期（民六十二年六月）頁四十九～五十二。
吳紹虞：大學圖書館之建築，圖書館學季刊第九卷第一期（民二十四年三月）頁七～五十六。
吳麗秋：妥善利用圖書館，大華晚報（民六十三年十二月四日）。

何光國：如何辦好一人圖書館，圖書館學刊第十二期（民七十二年九月）頁五十五～五十八。
何光國、密集碟：中央日報（七十五年八月十八日）。
何月嬋、高幼眉：圖書館問題知多少？書府第三期（民七十年四月）頁十三～十八。
余小曼：新式圖書館建築的優點與缺點，圖書館學報第七期（民五十四年七月）頁三一九～三二四。
余瑞霖：如何運用圖書館，台灣教育輔導月刊第二十六卷第三期（民六十五年三月）頁十一～十五。
林子勛：展望我國圖書館事業的發展，中國圖書館學會會報第十二期（民五十年七月）頁一～三。
林正文：如何蒐集與整理文獻資料，國教之友第三十六卷第三期（民七十三年四月）頁十七。
林　良：兒童文學的發展和近況，兒童圖書館研討會實錄（台北市，師大社教系，民七十二年四月）。
林志玲：小型國小如何經營兒童圖書室，國教之聲第十七卷第五期（民七十三年六月）頁三～四。
林武憲：兒童讀物分類的小探討，兒童圖書與教育第一卷第一期（民七十年七月）頁十二～十三。
林孟眞：兒童圖書館（室）分類系統之商榷，兒童圖書館研討會實錄（台北市，師大社教系，民七十二年四月）。

林來發：中華兒童百科全書編印旨趣，台灣教育第三九九期（民七十三年三月）頁十三～十四。

林祁祺：如何爲兒童辦理圖書館，台灣教育輔導月刊第七卷第一期（民四十六年一月）頁十～十二。

林美和：兒童圖書館的利用教育，社教系刊第十一期（民七十二年六月）頁八十五～九十三。

林美和：資料中心——學校圖書館的新型態，社教系刊第一期（民六十二年六月）頁五十三～五十四。

林美和：學校媒體方案與教學革新，台灣教育輔導月刊第二十二卷第八期（民六十一年八月）頁五。

林香葵：王振鵠教授爲國內圖書館把脈，大華晚報（民六十三年九月十二、十三日）第二版。

林　倩：怎樣指導兒童閱讀，中華日報（民五十四年十一月二十一日）第六版。

林蕙蓉：小學圖書館中的立式檔案管理，教師之友第二十七卷第四期（民七十五年十月）頁二十～二十一。

林蕙蓉：我國兒童圖書分類與編目之現況及改進之商榷，台南師專學報第十七期（民七十三年六月）頁一八七～二二〇。

林蕙蓉：略談國民小學圖書館之技術服務——分類與編目，國教之友第四八九—四九〇期（民七十三年二、三月）頁七～九。

林燕珠：怎樣辦好小學圖書館，教師之友第二十一卷第一期（民六十九年一月）頁七～八。

林　懋：如何加強兒童閱讀活動，台灣教育輔導月刊第七卷第一期（民四十六年一月）頁七～

九。
辰巳義辛：館外奉仕活動，圖書館雜誌第七十九卷第五期（一九八五年五月）頁二一。
長澤雅男：生涯學習時代の圖書館利用指導，圖書館雜誌第七十九卷第四期（一九八五年四月）頁一九〇～一九二。
周寧森：圖書館及其從業人員的時代使命，社教系刊第三期（民六十四年六月）頁一～二。
周駿富：圖書館發展的方向，幼獅月刊第四十六卷第五期（民六十六年十一月）頁四十一～四十六。
周麗娜：如何建立兒童知識寶庫，教師之友第二十一卷第一、二期（民六十九年一月）頁九～十一。
周嘯虹：基隆市圖書館興建艱辛，台灣日報（民六十年一月十三日）六版。
卓玉聰：視聽資料室的功能與設計，視聽資料管理研討會論文集（台北市，中國圖書館學會，民七十五年）頁一～十八。
金梅仙：讓書與孩子結合在一起——談如何拓展「國民小學圖書館利用」教育，台北市立圖書館館訊第二卷第二期（民七十三年十二月）頁十二～十六。
洪文琼：從兒童讀物功能談如何爲孩子選購兒童讀物，兒童圖書與教育第一卷第一期（民七十年七月）頁七～九。
洪文琼：如何引導兒童閱讀，兒童圖書與教育第一卷第二期（民七十年八月）頁三。
祁致賢：兒童讀物面面觀，台灣教育第三九九期（民七十三年三月）頁一～四。

茅聲燾：堅韌強固的國家圖書館建築，國立中央圖書館館刊第十一卷第二期（民六十七年十二月）頁十六～十七。

查介眉：現代兒童圖書館之建築，中央時事週報第二十三期（民二十四年六月二十二日）頁五十七～五十九。

胡叔異：兒童圖書館在小學教育上之地位，教育雜誌第十八卷第二期（民十五年二月）頁一～三。

胡家源：新創大學的圖書館建立時所涉及的問題，圖書館學報第九期（民五十七年五月）頁三五三～三六〇。

胡鍊輝：新竹市國小圖書設備與運用之調查研究，國教世紀第十九卷第三、四期（民七十二年九、十月）頁三～　。

胡懿琴：美國圖書館利用教育與指導工作之發展，教育資料科學月刊第二十二卷第四期（民七十四年度）頁三六七～三七五。

柯秋蓮：如果我是貧民區的圖書館館長，國教之友第三八四～三八五期（民六十二年九月）頁二十六～二十七。

姚家媛：我國小學圖書館行政問題之探討，書府第五期（民七十三年六月）頁一三二～一四〇。

高敬文：發揮圖書館的教學功能，師友第一八七期（民七十二年一月）頁十二～十四。

高敬文：我們需要兒童圖書館嗎？兒童圖書與教育第一卷第六期（民七十年十二月）頁二十四。

高錦雪：關於兒童圖書室的幾個問題，台北市立圖書館館訊第一卷第三期（民七十二年十二月）頁四～六。

高錦雪：小學圖書館的利用，兒童圖書與教育第一卷第六期（民七十年十二月）頁五。
高錦雪：兒童圖書資料的選擇徵集等問題舉隅，圖書館學刊第九期（民六十九年十一月）頁三十六～四十四。
高錦雪：圖書選擇與書評，圖書館學刊第十期（民七十年十一月）頁四十～四十三。
高錦雪：兒童文學的教育功能及其運用，國立中央圖書館館刊第十二卷第一期（民六十八年六月）頁三十三～三十九。
高錦雪：淺誌兒童圖書館的利用教育，兒童圖書館研討會實錄（台北市，師大社教系，民七十二年）。
唐潤鈿：參考書與參考服務，參考服務研討會參考資料（台北，國立中央圖書館編，民七十三年）。
浙江圖書館編：學校圖書館與民衆圖書館之經費問題，浙江圖書館館刊第二卷第四期（民二十二年八月）頁十～十一。
耿秀雲：美國小學圖書館，中國時報（民六十二年六月八日）十二版。
馬景賢：從一項調查談兒童圖書館之發展，兒童圖書與教育第一卷第六期（民七十年十二月）頁三～四。
馬景賢：談學前圖書，兒童圖書與教育第一卷第二期（民七十年八月）頁七。
孫自強：兒童圖書選擇之研究，圖書館學季刊第十卷第一期（民二十五年三月）頁一四九～一五二。

孫邦正：兒童的閱讀與興趣問題，兒童讀物研究（台北市，遠東，民六十一年）頁九十六。

孫　澈：畫片在社會科的教學運用，國教天地第五十八期（民七十三年九月）頁三十七。

翁春派：推展國民小學圖書館教育之理想，國教輔導第二十四卷第九、十期（民七十四年七月）頁十～十一。

翁玲玲：我國兒童讀物現況初探，書評書目第七十二期（民六十八年四月）頁四～十二。

徐克昉：發展圖書館事業，中央日報（民六十三年二月二十七日）四版。

師友社：視聽教材何處覓——視聽圖書館巡禮，師友第二〇九期（民七十三年十一月）頁十一～十四。

章以鼎：兒童讀物的認識與選擇，國立中央圖書館館刊第十一卷第一期（民六十七年六月）頁六十四～七十一。

章以鼎：談圖書館展覽與展覽計劃的擬訂，中國圖書館學會會報第三十五期（民七十二年十二月）頁一二九～一四四。

許義宗：我國兒童讀物的現況及改進，兒童圖書館研討會實錄（台北市，師大社教系，民七十二年）。

梁奮平：指導學生利用圖書館，大華晚報（民六十二年二月二十五日）。

郭美蘭：圖書館事業對開發中國家的重要性，社教系刊第四期（民六十五年六月）頁四十五～四十六。

郭淑惠：我怎樣利用圖書館，中華日報（民七十二年十二月五日）十版。

郭展仁：學校圖書館的目的與功能，教育文摘第六卷第六期（民六十年六月）頁二十一～二十四。

郭麗玲：國小圖書館經營的方向，社教系刊第十三期（民七十三年六月）頁六十一～六十七。

郭麗玲：優良教學法的重要條件——資訊利用，台灣教育第三九〇期（民七十二年六月）頁八～十六。

郭麗玲：兒童圖書館技術服務的困境，兒童圖書館研討會實錄（台北市，師大社教系，民七十二年四月）。

郭麗玲：中等學校班級圖書室的設置，中等教育第三十五卷第一期（民七十三年二月）頁四十～四十七。

郭麗玲：談小學圖書館的選擇與採訪工作，社教系刊第十期（民七十一年六月）頁一〇五～一一七。

郭麗玲：對我國小學圖書館的幾項建議，台灣教育第三六三期（民七十年三月）頁四十七～五十二。

莊以德：圖書資料的淘汰工作，教育資料科學月刊，第十六卷第一期（民六十八年九月）頁五～六。

莊芳榮：如何突破圖書館事業的瓶頸，中央日報（民七十二年十二月三十一日）晨鐘。

張兆年：國語日報和兒童讀物，台灣教育第三九九期（民七十三年三月）頁十五。

張東哲：學校圖書館的教育功能，中國圖書館學會會報第二十二期（民五十九年十二月）頁七八。

張建邦：圖書資料管理的新觀念，教育資料科學月刊第九卷第四、五、六期（民六十五年六、七、八月）。

張祚倫：國民學校圖書館的閱讀指導，國教輔導第四十九期（民五十五年六月）頁一三〇～一三三。

張素珠：小學圖書館與小學教育，教師之友第二十一卷第一、二期（民六十九年一月）頁十四～十六。

張雪門：怎樣閱讀教育書籍，國教輔導第四十九期（民五十五年六月）頁一三三二。

張鼎鐘：兒童圖書館的發展與文化建設，社教系刊第七期（民六十八年六月）頁八十七～九十五。

張鼎鐘：改進圖書館服務應循之途徑，幼獅月刊第四十六卷第五期（民六十六年十一月）頁五十七～六十一。

張鼎鐘：公共圖書館與自學進修，社教系刊第三期（民六十四年六月）頁四四～ 。

張渝役：理想的圖書館，中央日報（民六十七年十二月二十六、二十七日）十版。

張錦郎：中學圖書館期刊選目，中等教育第二十二卷第六期（民六十年十二月）頁十六～十九。

陳世規：重視重要工具書之重點典藏及應用，教育資料科學月刊第十五卷第一期（民六十八年三月）頁四十。

陳正萱：賓至如歸的安格吾兒童圖書館，兒童圖書與教育第一卷第六期（民七十年十二月）頁十四～十六。

陳秀美：談資訊爆炸與圖書館，社教系刊第五期（民六十六年六月）頁五十二～五十四。

陳和琴譯：何謂CIP計劃，教育資料科學月刊第九卷第二期（民六十五年三月）頁十六。

陳美娟：培養大衆讀書風氣的全國圖書館週，台灣新生報（民五十九年十二月六日）。

陳恩培：如何誘導兒童利用圖書館，台灣教育輔導月刊第十七卷第八期（民五十八年八月）頁十一～十三。

陳柏森：國立中央圖書館的新館設計，國立中央圖書館館刊第十六卷第一期（民七十二年四月）頁二十三～二十九。

陳海泓：兒童圖書館的選擇與採訪，國教之友第四八九、四九〇、四九一期（民七十三年二、三、四月）。

陳海泓：小學圖書館圖書選擇之探討，台南市專學報第十五期（民七十一年六月）頁一〇九～一三六。

陳海泓：兒童圖書館對兒童該有的服務，台灣教育輔導月刊第三十一卷第十二期（民七十年十二月）頁二十五～三十一。

陳海泓：教師、圖書館員如何指導學生利用圖書館，國教之友第四六七期（民七十年十一月）頁三～五。

陳淑芬：公共圖書館應如何配合文化建設，社教系刊第七期（民六十八年六月）頁八十一～八十六。

陳淑芬：近十年來台灣兒童讀物之分析，圖書館學刊第五期（民六十五年六月）頁四十一～五十二。

陳淑美：學校圖書館期刊的利用，教育資料科學月刊第六卷第二、三期（民六十九年九、十月）。

陳國成：科技圖書與資料的運用，幼獅月刊第四十六卷第五期（民六十六年十一月）。

陳道生：知識爆炸和中學圖書館經營，中等教育第二十二卷第六期（民六十年十二月）頁四～七。

陳　祺：圖書館利用方法之成見，台北市立圖書館館訊第二卷第二期（民七十三年十二月）頁二十六～二十七。

陳榮宗：怎樣到圖書館找自己喜歡的書，國教之友第三八四、三八五期（民六十二年九月）頁十九～二十。

陳　濯：圖書館之建築設計，教育與文化第十三卷第七期（民四十五年九月）。

陳麗珠：我對國小圖書館的認識，教師之友第二十一卷第一、二期（民六十九年一月）頁二十七～二十八。

陳麗英：怎樣經營小學圖書館，教師之友第二十一卷第一、二期（民六十九年一月）頁十八。

陸毓興：談圖書館的宣傳工作：別人能，我們爲什麼不能，中國圖書館學會會報第三十五期（民七十二年十二月）頁一五七～一六〇。

曹俊彥：挿畫在兒童讀物中的地位，台灣教育第三九九期（民七十三年三月）頁十～十二。

童尙經：新型童話，中央日報（民五十三年四月四日）副刊。

溫士敦：美加日兒童圖書分類簡介，兒童圖書與教育第一卷第三期（民七十年九月）頁三十六～四十。

曾萃芳：談國民小學圖書館分類與編目，教師研習簡訊第七期（民七十三年一月）頁十六～十八。

黃永春：兒童圖書館與兒童讀物——兼介紹台北市立圖書館民生分館，台灣教育第三九九期（民七十三年三月）頁二十二～二十六。

黃文庸：怎樣辦好小學圖書館，國教輔導第二十四卷第九、十期（民七十四年七月）頁十二。

黃世雄：我國圖書館事業未來三十年的展望，中央日報（民七十一年十二月十九日）二版。

黃秀卿：小學圖書館的功能，國教輔導第二十四卷第九、十期（民七十四年七月）頁十一～十二。

黃鴻珠：中西百科全書的比較研究，教育資料科學月刊第六卷第四、五期（民六十二年十月）。

彭　歌：圖書館與文化建設、幼獅月刊第四十六卷第五期（民六十六年十一月）頁四十七～四十九。

彭桂芳：記憶力不好該怎麼辦——諸家駿館長說要多利用圖書館，青年戰士報（民六十二年七月九日）。

賀玉波：兒童的文學教育，教育雜誌第二十一卷第十二期（民十八年十二月）頁六十七～七十二。

賀陳詞：大學圖書館的運作與建築，教育資料科學月刊第五卷第一期（民六十二年一月）頁三八。
賀陳詞：圖書館事業必須受到重視，教育資料科學月刊第五卷第五、六期（民六十二年六月）頁三～四。
喻肇川：建築師與新圖書館的誕生，國立中央圖書館館刊第十一卷第二期（民六十七年十二月）頁十四～十五。
傅錫壬：如何利用圖書館，教育資料科學月刊第十三卷第三期（民六十七年五月）頁二～三。
葉公樸：論兒童圖書館與兒童文學，教育雜誌第二十卷第六期（民十七年六月）頁三～六。
楊鼎鴻：兒童圖書館在教育上之價值，教育雜誌第十八卷第三期（民十五年三月）頁一～二。
楊靜齡：認識「兒童圖書館」活動，兒童圖書與教育第一卷第六期（民七十年十二月）頁十一～十三。
植田喜久次：兒童奉仕とマンピマータ利用，圖書館雜誌第七九卷第五期（一九八五年五月）頁二四六～二六五。
虞　奇：讀者利用圖書館情形，第一次全國圖書館會議要（台北，中國圖書館學會，民六十一年）頁一五〇。
廖水隆：怎樣指導兒童課外閱讀，台灣教育第一五五期（民五十二年十一月）頁六。
廖炎輝：如何以學校為中心推展書香社會，國教輔導第二十四卷第九、十期（民七十四年七月）頁八～九。
廖櫻花：小學圖書館管理要點，教師之友第二十一卷第一、二期（民六十九年一月）頁十九。

趙維新：圖書館利用教育之實例簡介，教師研習簡訊第七期（民七十三年一月）頁十三～十五。
趙凌彰：如何推展國民中學圖書館的教育功能，師友第一八七期（民七十二年一月）頁二十一～二十三。
潘振球：圖書館事業之時代任務與發展方向，台灣新生報（民五十九年十二月一日）。
鄭含光：當前我國小學圖書館在經營上問題之探討，教師之友第二十七卷第四期（民七十五年十月）頁三～六。
鄭含光：從國小教育的革新談國小圖書館的發展，教師之友第二十一卷第一、二期（民六十九年一月）頁五～六。
鄭含光：如何發展國民小學圖書館，圖書與圖書館第一輯（民六十五年）頁二十九～三十五。
鄭吉男：論圖書館行政發展趨勢——兼談當前我國圖書館行政工作重點，台北市圖書館訊第三卷第一期（民七十五年九月）。
鄭吉男：談圖書推廣服務，社教第七期（民七十四年五月）頁二十一～二十五。
鄭良宗：國小圖書館利用規程，中華日報（民六十一年一月十七日）。
鄭宗良：如何培養兒童閱讀興趣，國教之友第十二卷第十二期（民五十一年九月）。
鄭恒雄：我國的索引，圖書館與資訊科學系，第八卷第一期（民七十一年四月）頁七十七～九十五。
鄭恒雄：類書——查考古文獻的資料庫，台北市立圖書館訊第一卷第五期（民七十三年六月）頁十五～十八。

鄭恒雄：我國的類書，輔仁學誌第十一期（民七十一年六月）頁三九四～四〇九。

鄭恒雄：傳統參考資料的利用，中國圖書館學會會報第三十一期（民六十八年十二月）頁三十二～三十五。

鄭雪玫：兒童室之設計與佈置，圖書館學刊（輔大）第十期（民七十年十一月）頁三十六～三十九。

鄭雪玫：圖書館員的專業道德，慶祝藍乾章教授七秩學慶論文集（台北市，文史哲，民七十三年）頁三十九～四十三。

鄭雪玫：孩子與閱讀，書府第六期（民七十四年八月）頁六十～六十三。

鄭雪玫：一年來的中小學及兒童圖書館，國立中央圖書館館訊第八卷第四期（民七十五年二月）頁三九八～三九九。

鄭雪玫：兒童圖書館的經營管理，台北縣國民小學圖書館實務研習會研習手冊（台北縣板橋，後埔國小，民七十三年）頁五～七。

鄭雪玫：兒童圖書館的公衆服務，兒童圖書館研討會實錄（台北市，師大社教系，民七十年）。

鄭雪玫：兒童圖書館員是什麼？兒童圖書教育第一卷第六期（民七十年十二月）頁六～八。

鄭雪玫：中美兒童圖書館的比較，書府第三期（民七十年四月）頁九～十二。

蔡文森：設立兒童圖書館辦法，教育雜誌第一卷第八期（清宣統元年七月）頁四十九～五十。

蔡志展：國民小學圖書館經營之我見，國教輔導第二十四卷第九、十期（民七十五年七月）頁七～八。

蔡東和：談圖書館，國教之友第三八四、三八五期（民六十二年九月）頁二十一～二十三。
增田信一：讀書教育今日的課題，圖書館雜誌第十八卷第十期（一九八四年十月）頁六五六～六五七。
劉兆祐：資料常新的工具書指南，中央日報（民七十二年十二月三十日）十版。
劉昌博：當前圖書館的任務和做法，中外雜誌第二十三卷第六期（民六十七年六月）頁一一七～一二二。
劉春銀：圖書館從業人員 The Library Staff. 社教系刊第五期（民六十六年六月）頁五十五。
劉效騫：漫談小學圖書館，教師之友第二十一卷第一、二期（民六十九年一月）頁四。
劉崇仁：圖書館讀者服務——資料的利用，圖書館學（台北市，台灣學生書局，民六十三年）頁三七九～四一四。
劉賽華：辦好小學圖書館的淺見，教師之友第二十一卷第一、二期（民六十九年一月）頁二十五～二十六。
劉繼漢：教與學的結合——台北市立建國中學七十一學年度圖書館輔助教學及推廣服務工作實施計劃，台灣教育輔導月刊第三十三卷第四期（民七十二年四月）頁二十二～二十五。
劉廉容：兒童圖書館員甘苦談，兒童圖書與教育第一卷第六期（民七十年十二月）頁九～十。
劉靄華：怎樣講故事，中國圖書館學會會報第二十七期（民六十四年十二月）頁四十～四十一。
盧荷生：論當前中學圖書館之經營，中國圖書館學會會報第三十六期（民七十三年十二月）頁一～八。
盧荷生：學校圖書館的回顧與前瞻，中國圖書館學會會報第三十五期（民七十二年十二月）頁五十二～五十五。
盧荷生：我所瞭解的「中國編目規則」，中國圖書館學會會報第三十三期（民七十年十二月）頁十三～十六。
盧荷生：對小學圖書館經營的一個構想，圖書與圖書館第一輯（民六十五年）頁二十三～二十八。
盧荷生：學校圖書館，中國圖書館學會會報第二十七期（民六十四年十二月）頁三十七～三十九。
盧荷生：二十年來的學校圖書館，中國圖書館學會會報第二十四期（民六十一年十二月）頁二十二～二十四。
盧荷生：中學圖書館的一些行政問題，中學教育第二十二卷第六期（民六十年十二月）頁九～十一。
鮑洪生：國小圖書館中文圖書資料分類之探討，國教輔導第二十四卷第九、十期（民七十四年七月）頁一～六。
鮑洪生：美國學校圖書館的標準與服務，國教輔導第四十九期（民五十五年六月）頁一三三〇～一三三一。
謝武彰：攀登沒有高點的頂峯─幼兒讀物隨想，兒童圖書與教育第一卷第二期（民七十年八月頁七。

謝淑美：高雄市左營區舊城國小中達紀念兒童圖書館，兒童圖書與教育第一卷第六期（民七十年十二月）頁二十一。

薛六秀：小學圖書館書目提要及論文索引，圖書與圖書館第一輯（民六十五）頁六十一。

戴志騫：圖書館之建築，教育叢刊第八卷第六期（民十一年二月）。

繆慈玲：兒童圖書館利用教育的問題探討及實施，書府第六期（民七十四年）頁一一七～一二一。

鍾秀雪：現代小學教育與圖書館，教師之友第二十一卷第一、二期（民六十九年一月）頁二十九～三十。

藍乾章：中國分類法中幾個具有中國文化特質的部類及其分類系統的重整，圖書館事業合作發展研討會會議資料（台北市，國立中央圖書館，民七十五年八月）。

藍乾章：中國編目規則簡編的編訂原則及其應用，中國圖書館學會會報第三十七期（民七十四年十二月）頁二十一～二十四。

藍乾章：兒童圖書館經營法，書藝第二十一期（民七十四年一月）頁四～六。

藍乾章：圖書及其功用新譯，輔仁學誌第十四期（民七十四年六月）頁六十七～七十六。

藍乾章：中華民國圖書資訊技術服務之準則，圖書館學與資訊科學第十卷第一期（民七十三年四月）頁六十三～八十二。

藍乾章：中國編目規則研討經過及其預期效果，國立中央圖書館館刊第十五卷第一、二期（民七十一年）頁三十六～四十一。
藍乾章：當前圖書館的重大問題，中國圖書館學會會報第三十二期（民六十九年十二月）頁一～九。
蘇友泉：使小學圖書室成爲兒童的樂園，國敎之友第四八九、四九〇期（民七十三年二、三月）頁十一～十二。
蘇振明：兒童與圖書館，國敎之友第三八四、三八五期（民六十二年九月）頁十七～十八。
蘇淑娟：如何開發精神資源—小學圖書館，敎師之友第二十一卷第一、二期（民六十九年一月）頁二十三～二十四。
蘇國榮：從各國敎師進修制度談我國敎師在職進修，國敎世紀第二十二卷第四期（民七十六年二月）頁二～十。
蘇國榮：淺談國民小學圖書資料的「編目與分類」，敎師之友第二十七卷第四期（民七十五年十月）頁十三～十九。
蘇國榮：淺談「學校媒體中心」的館藏，台灣敎育輔導月刊第三十六卷第七期（民七十五年七月）頁十六～十七。
蘇國榮：淺論「分、編」二三事，台灣敎育輔導月刊第三十六卷第五期（民七十五年五月）頁十八～二十一。
蘇國榮：論國小「圖書館利用」敎育，圖書館利用敎育研討會論文（台北市，國立中央圖書館，民七十四年九月）。
蘇國榮：如何實施閱讀指導，國敎月刊第三十二卷第四期（民七十四年六月）頁二十一～二十七。

蘇國榮：淺談「圖書的選擇與採訪」，國教月刊第三十二卷第五期（民七十四年六月）頁二十八～三十四。

蘇國榮：淺論國民小學圖書館的「參考服務」，台灣教育輔導月刊第三十五卷七期（民七十四年七月）頁十七～十九。

蘇國榮：台北市國民教育輔導國小圖書館輔導小組簡介，中國圖書館學會會報第三十六期（民七十三年十二月）頁二十一～二十七。

蘇國榮：圖書教師應有的認識，台灣教育輔導月刊第三十四卷十一期（民七十三年十一月）頁五～九。

蘇國榮：如何指導中小學生使用參考書，國教月刊第三十一卷第十一期（民七十三年十一月）頁三十七～五十一。

蘇國榮：教學資源中心的誕生——合圖書館、視聽室、教具室為一，國教月刊第三十一卷第七、八期（民七十三年八月）頁三十三～三十八。

蘇國榮：淺談「多媒體教學中心」台灣教育輔導月刊第三十三卷九期（民七十二年九月）頁十八～二十一。

蘇國榮：如何實施「兒童圖書館利用」教育，台灣教育第三九〇期（民七十二年六月）頁二十九。

蘇國榮：如何實施圖書館利用教育，台灣教育輔導月刊第三十三卷第五期（民七十二年五月）頁二十八～三十三。

蘇國榮：學校教學廣播電台芻議，視聽教育雙月刊第二十三卷第五期（民七十一年四月）頁二～三。
嚴文郁：北京大學圖書館新建築概要，圖書館學季刊第九卷第三、四期（民二十四年十二月）頁三三一～三三四。

(三) 英文期刊

1. Carol A. Emens: *Video collections: how to build them*. Sch. Libr. Journal V. 33 No. 1 Sep. '86. pp. 43-45.
2. Craver, Kathleen W.: *The Future of school library media centers: a look at the impact of technology upon library media program development*. Sch. Libr. Media Q. V. 12 No. 4 Summer '84 pp. 266-284.
3. Crig, R.: *Information skills and curriculum development*. Libr. Rev. 31, Aug. '82 pp. 187-188.
4. Deacham, M.: *Development of school libraries around the world*. Int. Libr. Rev. V. 8 No. 4 Oct. '76 pp. 453-459.
5. Doerken, E. William Jr.: *Media center orientation: look, listen, and do*. Audiovisual Instruction No. 17 Dec. '72 p. 62.

6. Forsythe, R. A. & Hateh, L.: *Upgrading performance through PPBS in school media centers*. Library Trends V. 23 No. 4 Apr. 75 pp. 617-630.
7. Galvin, Thomas J.: *Managing your future: career planning and development for the school library media professional*. Sch. Media Q. V. 9 No. 1 Fall 80 pp. 25-30.
8. Hamilton, Linda.: *Suggestions for secondary school library lessons*. Sch. Libr. No. 25 Sep. 77 pp. 217-220.
9. Heitert, Syivia.: *Card catalog teaching aids*. Libr. Journal No. 98 Sep. 73 pp.262-266.
10. Herring, J. E.: *User education in school: purposes, problem, potentials*. Sch. Librarian No. 28 Dec. 80 pp. 341-345.
11. Hicks, Doric A.: *Management of non-print school library materials from selection to ciraulation*. Cath. Libr. Wld. V. 49 No. 9 Apr. 78 pp. 386-388.
12. Humes, Barbara and felder, Starla J.: *Elementary students write research papers*. Audiovisual Instrction No. 22 Dec. 77 pp. 28-29.
13. Jones, A.: *User education in secondary school libraries*. School Librarian No. 30 Mar. 82 pp. 15-18.
14. Kaye, David & Good, David.: *Teaching school library mangement: a case study approach*. Education Libraries Bulletin V. 27 No. 2 Summer 84 pp. 43-48.
15. Kingsbury, Mary E.: *Future of school media centers*. Sch. Media Q. V. 4 No. 1 Fall 75 pp. 19-26.

16. Lander, F. A.: *Aids acquire marketable skills*. Sch. Libr. Journal No. 29 Aug. 83 p. 34.

17. McCall, Sandra.: *A special collection in the elementary school*. Sch. Libr. Journal V. 32 No. 10 Aug. 86 pp. 41-42.

18. Meacham, M.: *Development of school libraries around the world*. Int. Libr. Re. V. 8 No. 4 Oct. 76 pp. 453-459.

19. Miller, L.: *Planning media skills instrction to correlate with classroom instrction*. Sch. Media Q. No. 8 Winter 80 p. 120.

20. Miller, Marilyn J.: *Connecticut school libyarians resources for teaching library skills*. Wilson Library Bulletin No. 46 Feb. 72 p. 539.

21. Miller, Rosalind.: *Why I can't create a learning center*. Sch. Media Q. No. 3 Spring 75 pp. 215-218.

22. Minnella, Vincent C.: *Film library information management system*. ERIC Report, ED-179194.

23. Pender, K.: *User orientation in the secondary school library resources center*. Sch. Librarian No. 30 June 82 pp. 100-106.

24. Pfister, Fred C. & Towle, Nelson.: *A practical model for a development appraisal program for school library media specialists*. Sch. Libr. Media Q. V. 11 No. 2 Winter 83 pp. 111-121.

25. Punke, Harold H. & Cantrell, Clyde H.: *Libraries and education*. Education Digest

No. 36 Dec. 70 pp. 8-10.

26. Robbins, W. H.: *Library instrction: A partnership between teacher and librarian*. Catholic Library World No. 55 Apr. 84 pp. 384-387.
27. Sutton, Rogger.: *Hear, hear, books on cassette*. Sch. Libr. Journal V. 32 No. 10 Aug. 86 pp. 21-24.
28. Tenopir, Carol.: *Online databases: CD-ROM database update*. Libr. Journal V. 111 No. 20 Dec. 86 pp. 70-73.
29. Toifel. R. C. & Davis. W. D.: *Investigating library study skills of children in the public schools*. Journal of Academic Librarianship No. 9 Sep. 83 pp. 211-215.
30. Trigg, S.: *Use of the library*. Sch. Librarian No. 29 Dec. 81 pp. 302-306.
31. Vandergrift, Kay E. & Hannigan, Jane Anne.: *Elementary school library media centers as essential components in the schooling process*. Sch. Libr. Media Q. V. 14 No. 4 Summer 86 pp. 171-173.
32. Vollano, N.: *Using book jackets to teach library skills*. Sch. Librarian Journal No. 27 Oct. 80 p. 123.
33. Watt, Beverly & Sehon, Isabel.: *The effects of budget cuts on elementary school library media centers*. Sch. Libr. Media Q. V. 11 No. 1 Fall 82 pp. 58-62.
34. Williams, Robert V. & Zachert, Martha Jane K.: *Specialization in library education: a review of trends and issues*. Journal of Education for Library and Information Science V. 26 No. 4 Spring 86 pp. 215-232.

35. Willmer, K. G.: *Mystery at the library*. Sch. Libr. Journal No. 28 May 82 pp. 24-26.
36. Woods, L. B. & Salvatore, Lucy.: *Self-censorship in collection development by high school library media specialists*. Sch. Media Q. V. 9 No. 2 Winter 81 pp. 102-108.

附錄一　感謝狀樣本

北市清國他字第　號

感謝狀

捐贈本校

嘉惠學子依

本校捐贈辦法特頒此

狀以表謝忱

台北市北投區清江國民小學

校長

中華民國　年　月　日

附錄二　捐款收據樣本

收據

存根編號：

茲收到　　先生捐贈本校七十三學年度家長

委員會基金新台幣　萬　仟元整

此據

台北市
北投區　清江國民小學家長委員會　會　長

經手人

中華民國七十四年　月　日

附錄三 清江國小個人借書證

＿＿＿＿年＿＿＿＿＿＿班

學生姓名：＿＿＿＿＿＿＿＿＿＿

家長姓名：＿＿＿＿＿＿＿＿＿＿

住　　址：＿＿＿＿＿＿＿＿＿＿

電　　話：＿＿＿＿＿＿＿＿＿＿

清江國小借書證

注意事項

1. 出借圖書每次以一册為限，借期一週，期滿應即歸還。
2. 借書期滿，如無他人預約，可續借一次。
3. 借出之圖書如有遺失，撕毀、污損等情事，須賠償原書或依定價賠償。
4. 借書證失落時，應向本館辦理補領手續。
5. 每次須照規定時間辦理借書或還書。

書名	借期	還期	備註

書名	借期	還期	備註

附錄四　桃園市立中山國小閱讀圖書績優獎狀

閱讀圖書績優獎

年　班　同學，恭喜你閱讀圖書滿　本，榮獲　獎。希望你百尺竿頭，繼續努力。

中華民族偉大而充滿智慧，你熱愛求知，貢獻所學將使國家更加強大。

桃園縣立中山國小　校長　劉邦楙

中華民國　年　月　日

附錄五　「書的自述」教學活動設計（圖書館利用）

臺北市　圖書館利用教育教學單元活動設計

單元名稱	書的自述	班　級	四年級	人數	人
教材來源	自　編	指導老師		時間	一二〇分
教材研究	1.本教學活動藉著自編的「書的自述」，由兒童表演介紹出一本書各部份的結構。 2.本單元以「中國智慧的薪傳」爲示範本，將書籍的結構分爲封面、飛頁、序文、目次、正文、版權頁、封底、書背等部份。 3.旨在介紹書籍的序文、目次、版權頁之位置及意義、功用。 4.內容上，強調「目次」的正確名稱，而非「目錄」。				
學	1.學生已有圖書結構的基本認識：計有 (1)認識書籍的封面、書背、封底、書名頁、正文等部份之位置及其上的各項資料。				

學生學習條件之分析	教學資源
(2)認識書名頁的各項資料。 (3)瞭解正文的意義。 2.學生至少閱讀過十種課外讀物以上。 3.學生對於發表式的教學活動，具有濃厚的興趣。 4.選擇語言能力較佳的兒童八名，擔任「書的自述」的發表活動，因此在上課前，兒童必須熟悉自己的臺詞，並能配合其教具、進行表演。兒童可以看著臺詞講說，唯老師要事先注意其語調上的抑揚頓挫，並強調其詼諧性。	1.教師自編臺詞，其內容是書籍本身、封面（包括封底、書背）飛頁、書名頁、序文、目次、正文、版權頁各部份的自我介紹。（見附錄） 2.圖片數張、內容是：如下。（以中國智慧的薪傳3爲範本） 3.放大的自繪圖：封面（包含封底、書背）、序文（自序、他序二張）版權頁 飛頁　目次 書名頁　正文 4.書籍各部份的名詞卡。 5.問題卡。 6.兒童準備課外讀物數本，由老師挑選出結構完整的書籍數十本（至少和學生

人數相同，以求人手一冊）。
7.磁鐵板、磁鐵。

教學方法

發表教學法
啓發式問答法
討論法。

時間分配

節次	月	日	教學重點
1			表演「書的自述」
2			序文、目次的意義和功用。
3			版權頁的意義和功用及選擇合適書籍之指導。

書目資料

中國智慧的薪傳 洪建全教育文化基金會 林文義編 再版 書評書目出版社 民國72.4。
老賴的天鵝 謝新福著 長流出版社 民國68.8。

單元目標	具體目標
一、認知方面： 1.瞭解一本書的結構	一－一 能說出一本書是由封面、扉頁、

教學目標

2. 認識封面、書背、書名頁的意義
3. 認識書籍中序文、目次、版權頁之意義、功用

書名頁、序文、目次、正文、版權頁、封底、書背等部份編排而成的。

一—二 能說出書籍各部分的正確名稱。

一—三 能指出書籍各部分的位置。

二—一 能說出封面設計與正文內容的關係。

二—二 能指出並說出封面上的書名、作者名。

二—三 能指出並說出書背上的書名、作者名、出版者。

二—四 能說出書名頁上記載的各項資料。

三—一 能說出序文的意義和功用。

三—二 能分辨「自序」與「代序」的不同。

三—三 能說出目次的意義和功用。

三—四 能說出版權頁的意義和功用。

教學目標

二、技能方面：

4.訓練應用目次、序文的能力

5.增進治學的能力

三、情意部份：

6.培養閱讀的習慣

三—五　能指出版權頁上出版者、出版時間的位置。

三—六　能說出「版權所有」的意義。

四—一　能主動地閱讀目次、序文。

四—二　能說出一書序文的內容。

四—三　能從目次中說出全書的大概內涵。

四—四　能很快地知道一本書是否適合自己閱讀。

五—一　能從書背上很快認識一本書。

五—二　能利用目次迅速翻開所欲閱讀的部份。

五—三　能判斷一本書是否完整。

五—四　能說出一本書的有版權及結構完整性、裝訂技術可以判斷書籍的好壞。

六—一　能表現出喜歡閱讀的態度。

六—二　能積極參與學習活動。

7.養成尊重「版權」的情操。

六—三 能保持書籍的整潔及完整性。

六—四 能主動地閱讀目次、序文（在日常生活中）。

七—一 能不購買盜印書籍。

教學目標	教學活動	教具	時間	評鑑	備註
六—一 六—二	壹、準備活動 一、教師方面： 1.自擬「書的自述」內容。 2.挑選兒童準備的讀物中結構完整的書本。 3.指導發表「書的自述」介紹的兒童之語言、語調、動作、及教具的製作。 4.製作問題卡。 二、學生方面： 1.準備讀物數本。	自編臺詞 兒童讀物 自繪圖片 問題卡 兒童讀物		結構若非十分完整，缺一、二部份即可 主動、積極參予	

六—三	2.練習表演，並製作教具（道具）				
	三、引起動機		二分		注視聆聽
	老師由「書香社會」之主題說起。				
	四、決定目的，呈現本單元的名稱。				
	貳、發展活動：				
	一、兒童發表活動：		二十分		
一—一	1.兒童上臺介紹書籍的「自述」，其次序是「完整的書」、「飛頁」、「書名頁」、「序文」、「目次」、「正文」、「版權頁」。	放大的自繪圖片名詞磁鐵板磁鐵	二十分		
	2.兒童發表配合臺詞，展示其教具。	磁鐵		偶而會有言語不流暢	
	3.說到自己的名稱時，在黑板上貼上名詞卡。				

一－一	4.發表完畢，並將教具（卽圖片）貼在相同名詞卡的下面。				
	5.最後，老師做一歸納，並予鼓勵。		五分		
六－二	二、啓發問題活動：				
九－一	1.老師發下每一兒童一本結構完整的讀物。				缺少一、二部份之書籍卽可
九－二					
九－三	2.進行搶答討論：老師酌情請1～2位兒童回答，題目如下：並隨時補充、指導、糾正。	問題卡			
～					
二－二	(1)你的書籍，其書名是什麼？	名詞卡	十三分	可達成	兒童踴躍搶答
～	(2)你的書籍的封面在那裏？	數十本讀物			
	(3)你的書籍封面上畫些什麼？	封面圖片			
一－二	(4)你的書籍的作者是誰？				
一－三	(5)你的書籍的封底在那裏？	封底圖片			

一-二 一-三	(6)你的書籍的書背在那裏？	書背圖片			
五-一 二-三	(7)你的書籍書背上有那些資料？				
一-二 一-三	(8)你的書籍的飛頁在那裏？	飛頁圖片			
～	(9)你的書籍的書名頁在那裏？	書名頁圖片			
二-四	(10)你的書名頁上有那些資料？				第一節結束
一-二 一-三	(11)你的書籍中，序文在那裏？	序文圖片	二十分	可達成	
三-二 ～	(12)你的序文是「自序」，還是「他序」（代）呢？				
～	(13)請說出「自序」和「代序」不同的地方？				
三-一 四-一 四-二 四-四 六-一	(14)請兒童閱讀序文後，說出序文的主要內容。			大部份兒童可說出	

	⒂請說出序文的意義 可以酌 ⒃請說出序文的功用 情合併 △從序文中，你覺得本書合適你閱讀嗎？爲什麼？			半數以上兒童可決定	老師應漸進引導、歸納
一—二 一—三 四—三	⒄請找出書籍中目次的位置。	目次圖片	二十分	可達成	
	閱讀後，說一說全書的大概內容。	正文圖片		部份兒童可說出	
	⒅請說出正文的第一頁是全書中的第幾頁？	正文圖片			
三—三 四—一	⒆請說出目次的意義和功用。 老師強調名稱「目次」，非「目錄」。			大部份可說出 可達成	
五—二	⒇找出你的書正文是那一頁開始到那一頁結束的？	正文圖片			
二—一 五	㉑正文內容和封面設計有什麼關係？	封面圖片			第三節結束

三—五	⑵2請找出你的書籍中，版權頁的位置？	版權頁圖片	十二分	可達成	
	⑵3請就你的版權頁，說出出版者及出版時間？				
三—六	⑵4請說一說「版權所有」的意義。	名詞卡			老師宜舉例說明
三—四	⑵5請說出版權頁的意義和功用。	版權頁圖片		可達成	
七—一	⑵6我們應該尊重作家的權益呢？			能舉例說明，部份能採具體行動	發表
五—四 七—一	⑵7對於盜印書，我們應該採取什麼態度呢？		六分	在觀念可認同	發表
一—一 一—二	⑵8你能夠說出一本完整的書籍是由那些部份編排而成的？他們的位置如何呢？	名詞卡	八分	可達成	
五—三 五—四	⑵9你手上的這一本書結構完整嗎？如果不完整，它缺	兒童讀物		能判斷	

六－三	少了那一部份呢？				
五－四	(30)我們如何判斷一本書的好壞呢？		十分	能列舉	可指出重點
六－四	(31)爲了迅速選擇合適自已閱讀的書，你應該如何利用書籍呢？				
	叁、綜合活動： 教師做總結，鼓勵兒童多多利用目次、序言來選擇書籍，並鼓勵多讀書，讀好書。——本單元結束——		四分	七四、一、十九、P.M.	一〇：三〇完成。

附錄六 「索引的認識與利用」教學活動設計

臺北市 國民小學圖書館利用教育教學活動設計			
教學科目	國語科（閱讀指導）	教學方法	發現教學法、問題教學法、資料查尋法
教學單元	索引的認識與利用	教學時間	四十分鐘
教材來源	自編	教學年級	
教學資源	錄影機、錄影帶、電視機、字典、辭典、百科全書、長條板、色粉筆、問題卡、書面紙、獎品。	教學設計者	圖書館輔導小組

教材研究：1.本教材爲培養兒童利用圖書館之能力，而設計之系列活動之教材。

2.索引是查尋資料重要且便利之工具之一，是圖書館利用教育實施過程中，必須特別重視，加強指導使用之教材。

3.本教材主要參考資料「當代國語大辭典」，係民國七十三年十一月百科文化事業股份有限公司出版，其內容有八萬餘條目，七千餘幅插圖，每頁有彩色的大型中文辭典（有一七〇三面），含一般國語語詞及各科知識辭條，收錄有最新現代科技、自然、人文用語，並附世界各國地圖，中國各省地圖及最新人文、政經資料，精細的中外歷史年表，是國語辭典和百科全書結合為一，查檢簡單方便，閱讀清晰瞭然的好工具書，亦是指導的好教材。

4. 做為主教材之引導配合用之教學錄影帶「一個好地方」是本校為推廣圖書館利用教育而錄製的教學用帶，教材之編撰是本班（夜社五）陳美羿同學，指導是林孟貞老師，策劃執行是謝石龍主任、沈阿綢主任、楊麗華老師和本校學生，製作群對本教材之錄製雖缺乎豐富之經驗，但每個工作人員均極富工作熱忱，及負責認眞之態度，故作品確具參考利用價值。

學生學習：1. 學生在日常習學經驗中，已熟知字典、辭典的查檢方法。

2. 對本校圖書館百科全書的藏書種類及其查檢運用方法，亦頗具經驗。

3. 對圖書館利用活動很感興趣，尤其在本校圖書館的「新書介紹」配合下，對本項主教材「當代國語大辭典」定能引起兒童學習之濃厚興趣。

教學準備：1. 圖書館利用教育之教學用錄影帶、錄影機、電視、放映機之檢視及放映準備工作。

2. 圖書館的新書介紹板之介紹資料蒐集、撰稿、繕寫、公佈。

3. 研究、設計並編寫教學設計案及問題卡。（適用對象為中年級）

4.設計並繪製教學活動用各項資料。

(1)長條小黑板（查檢資料後紀錄用）色粉筆、板擦。

(2)獎品若干份。

(3)問題卡：（用書面紙繪製）

ㄅ、請問「字典」的解釋是什麼？ㄆ、本校圖書館的字典有幾種？約多少冊？

ㄇ、請問「辭典」的解釋是什麼？ ㄈ、本校圖書館收藏的辭典有幾種？

ㄉ、請問你剛才用來查檢解釋的是那一本辭典？利用辭典中的那一部份查到的？

ㄊ、本校圖書館現有的辭典中，那一本是最近出版的？

ㄋ、請利用這本最新出版的大辭典，查出「索引」的解釋？

ㄌ、請問這本大辭典有「索引」嗎？在那裏？有幾種索引？

ㄍ、索引和目錄的功用一樣嗎？

ㄎ、請問索引的功用是什麼？

ㄏ、請在本校圖書館的藏書中，找出附有索引的書來。

ㄐ、請說出利用索引找資料的方法。

ㄑ、請說出利用索引找資料的好處有那些？

ㄒ、請利用本辭典的索引，找出臺灣省的資料在那一頁？有那些重要的內容？

單元目標	具體目標
一、認知方面： 1.正確認識「字典」「辭典」「索引」的詞意。 2.正確認識「當代國語大辭典」中索引編排位置，種類，功用。 3.明瞭一般資料中，索引的功用。 4.認識索引和目錄的區別。 二、技能方面： 5.能使用字典、辭典查檢所需資料。	一—一　能查檢字典和辭典。 一—二　能使用字典、辭典查出「字典」「辭典」「索引」的詞意。 一—三　能說出「字典」「辭典」「索引」的正確解釋。 二—一　能說出此辭典中索引所附的位置。 二—二　能說出此辭典中所附的索引種類。 二—三　能說出上述幾種索引的用途。 三—一　能說明一般資料中索引所附的位置。 三—二　能利用索引尋索資料。 四—一　能分辨目錄、索引的內容。 四—二　能說明目錄、索引各自的用途。 四—三　能說出目錄、索引的不同點。 五—一　能依據查得的資料，說出字典、辭典、

教學目標	教學活動	教學資源	時間分配	效果評量	備註
6.能正確使用當代國語大辭典的索引。 7.培養其利用索引尋索資料的能力。 三、情意方面： 8.培養愛書，用書的良好習慣。 9.激發利用圖書館的興趣。				索引的詞意。 五—二 能查出索引的位置。 五—三 能據查得的資料說出本書所附的索引名稱。 六—一 能利用索引逐題查檢並回答問題。 七—一 能辨別一般圖書館資料的索引編排方式和內容。 七—二 能說出利用一般索引查尋資料的方法。 七—三 能利用索引查出問題卡的問題。 八—一 喜歡常到圖書館看書，查資料。 八—二 能利用圖書館的藏書，查尋課本中的疑難問題，和日常生活中所發現的問題。 九—一 能自動自發利用圖書館。	

一、準備活動：	
(一)課前準備：	
1.教師方面：	
(1)研究教材及教學方法。	當代國語大辭典
(2)編擬教學設計案。	各科教學設計案例
(3)研訂問題卡內容，並繪製問題卡	書面紙、文具
(4)蒐集本單元有關之各種資料及教具。	錄影帶放映機 電視長條板
(5)教學情境佈置。	各種工具書、問題卡
2.學生方面：	
(1)參與教具的準備及情境佈置。	
(2)熟練字典、辭典的查檢方法。	
(二)課間準備：學生必需聚精會神注意每一教學活動作正確	

	的反應與回答。			
	㈢動機目的：			
五—一	1.利用熟悉的查檢字典的方法說明利用圖書館的好處	問題卡、長條牌。	一分	
八—一	2.放映教學用錄影帶，引導學生正確之觀念及學習興趣。	錄影機、錄影帶、電視機。	十二分	能欣賞錄影帶的教材。
	二、發展活動：			
八—一	㈠指導學生靜靜地欣賞錄影帶內容。		二分	能安靜欣賞
一—一	㈡請學生報告影帶的內容。			能說出內容概要
一—二 一—三 一—四 一—五	㈢教師指示問題卡，請兒童就卡內問題逐一查檢資料，並依說明之方式作口頭及文字的回答（問題卡內容如「教學準備」所附者共13張卡片）	問題卡、色粉筆、長條黑板，館內各種字典、辭典及其他附有索引的圖書資料。		能逐題查檢各種工具書
五—一	㈣教師依問題之類型及難易層			能將查得之

五—三 六—一 七—二 七—三	次，逐題呈現題卡，並說明作答方式後，請兒童回答之（13題）		二十分	答案以文字或口頭報告出來	
	三、綜合活動： ㈠從上列問題卡的查檢中，讓兒童發現「索引」的編排位置，內容及其功用。 ㈡以問題方式讓兒童報告有關索引的編排位置方式、內容、功用及與目錄之區別。 ㈢評鑑及獎勵 ㈣預告下次單元活動		五分	能從資料中查檢索引並利用索引	

附錄七 「圖書分類的介紹」教學活動設計

臺北市國民小學圖書館利用教育單元教學活動設計

單元名稱	圖書分類的介紹	教學年級	四年級	人數	
教材來源	自編	指導教授		教學時間	八十分
教材研究	1.認識本校圖書室所採用的中國圖書分類法。 2.0類～9類，類表的認識。 3.用分類號在書架上找書。	設計者			
學生學習的基礎之分析	1.學生已能認識圖書室環境。 2.學生能維護圖書室的安寧。 3.學生有愛惜書籍的習慣和認識。 4.學生已認識圖書的結構。	教學方法	講解、說明； 深入認識、練習熟悉 創造思考教學法		
	投影機、透明片（類表、簡表），八開書面紙10張，遊戲用印製好之紙張50張，				

教學資源	各類圖書若干：047中華兒童百科全書，097四書讀本，125朱子全書，192方向，241聖經，323宇宙，435園藝，447飛機，528三民主義教育，539中國民間傳說，681萬里長城，719馬可波羅遊記，859兒童三百字故事，889基度山恩仇記，889湯姆歷險記，947小亨利，943標準行書範本，989金龍太子（劇本）
參考資料	1.小學圖書館的管理與利用　林美和撰　北市教育局印行　民70 2.中國圖書分類法　賴永祥編訂　編訂者印行　民70 3.兒童圖書館　皮哲燕譯　民50

教學目標	
單元目標	1.認知方面： (1)認識圖書分類的意義 (2)認識圖書分成十大類。
具體目標	一－一　能瞭解圖書的學術性質的各有不同。 一－二　能說出中國圖書分類法是依學術性質而分的。 二－一　能說出十大類之內涵。 二－二　能分辨中國圖書分類法的十大類。 二－三　能說出十大類的類目。

教學目標	
(3)瞭解十大類類目性質和內容	三—一 能詮釋中國圖書分類法的十大類之意義。
(4)認識各類類碼及書碼	四—一 能說出十大類的類碼。 四—二 能在分類片左上角的書碼中分辨分類號及作者號。
2.技能方面： (5)利用書碼填寫借書單	五—一 會用目錄櫃中分類片的書碼填寫借書單。
(6)學習依書的內容，在分類片中尋找所要借閱的圖書。	六—一 能在目錄櫃中的分類片內，正確地找出圖書。
(7)增進在書架上尋找圖書的能力。	七—一 能很快的在書架上找到所要的圖書。 七—二 能將看完的還書，正確迅速歸架。
3.情意方面： (8)培養喜愛圖書館的興趣。	八—一 能自動自發的利用圖書館。
(9)增進利用圖書館的能力。	九—一 能利用圖書資料尋求答案。
(10)培養學生閱讀的興趣與習慣。	十—一 能體會讀書的樂趣。 十—二 能享受書香的氣息。

時間分配			
節次	年月日	星期	教學重點
1			認識中國圖書分類法
2			熟悉圖書分類法

教學目標	
十—一	

教學活動	教具	時間	評鑑	備註
壹、教學活動：				
一、課前準備：				
1.指導學生利用課餘時間，到本校圖書室的目錄櫃中翻看書碼（索書號）。	圖書室之目錄櫃、目錄片		能到圖書室翻看目錄櫃	
2.教師蒐集教學相關資料，並製作透明片，準備投影機。				
3.教師準備「教學資源」中之書籍。	圖書			
二、引起動機：				
拿出哲學類書籍、小說等圖書，說出其內容性質的不同。	圖書兩本	五分		

一—二 二—一	三、決定目的：闡述圖書內容的不同，可知其學術性質各有差別，所以要將圖書加以分門別類，以便於排架、整理，以求找書之方便迅速。		一分	
	貳、發展活動：			
	一、介紹中國圖書分類法		三分	
一—二	1.說明圖書內容的不同類別。			能說出一本書的學術內容
一—一	2.說明圖書分類的意義。		二分	
一—一	3.將知識分成十大類。	透明片、類表	三分	
二—二 四—一	4.將十大類用符號來代表。	投影機	二分	能了解知識的十大類。
三—一 五—一	5.說明各大類之後，尚有小類之分的必要性。		四分	
四—二 二—三	6.闡釋中國圖書分類表，用三碼來區分圖書。		五分	能知道三碼的使用

二-三	7.提出簡表	透明片（簡表）投影機	十五分	能了解簡表中的類目名詞
	—第一節完—			
五-一 六-一 三-一 四-二	二、分組討論： 1.將全班分成八組： 教師將所準備的書籍，擺放在教室中間的桌上，各組派1人，到桌子上拿一本書到各組討論再分類，歸好類後立刻放回原位，再拿下一本，直到18本全部分完為止，一只分大類。	18本書籍「教學資源」項目所列之書籍，書面紙8張，標準答案1張	十三分	
七-一	2.檢討、訂正 (1)各組將討論分類結果，張貼在黑板上。		三分	

書名	類號	類目
1.四書讀本	0	總類
2.		
3.		
4.		
5.		
6.		
⋮		
⋮		
⋮		
18.		

七—二	(2)教師將標準答案，張貼黑板、核對、評分。			提出答案
	叁、綜合活動： 一、綜合本單元，將各大類的特性提出。	類表透明片 投影機	二分	

八—一
九—一

二、遊戲

1. 教師將印製好的題目分發給每位同學。

10本書

書名	作者	類目	分類號
1.			
2.			
⋮			
9.			
10.			

印製好10本書名及作者之題目卷50張，標準答案1張

十分

能正確迅速分門歸類

八—一
九—一

2. 限時10分，時間到，由組長收齊、組長閱批。

3. 教師將標準答案貼出，由組長評分。

4. 將全答對的題目卷抽出，並統計各組張數，答對多者那一組為優勝。

準備獎品數份

五分

提出正確答案

十－二	三、創造思考問題： 如果由你來分類，你將如何將這衆多的圖書分類管理呢？	書面紙揭示題目	四分	
十－一 十－二	四、指定作業： 將創造思考問題之答案，寫在閱讀報告簿子上，下節課時提出發表。		一分	提出自己思考的答案
	—本單元結束—			

附錄八　「查尋辭典的樂趣」教學活動設計

臺北市　國民小學圖書館利用教育單元教學活動設計

單元名稱	查尋辭典的樂趣	班級	年　班	人數	
教材來源	自編	指導教授		時間	
教材研究	1.介紹辭典的意義、功能、及種類。2.學習利用辭典。3.指導選擇適合自己用的辭典。	任教教師			
學生學習條件之分析	學生已學過 1.認識圖書館環境。2.社會學習。3.圖書的結構。4.圖書的分類與排架。5.參考資料的查尋與利用。6.參觀臺灣分館、洪建全圖書館、師大附設兒童圖書館、恩主公廟附設圖書館。				
教學方法	1.講解說明。2.發表時，語詞流利、態度從容、有禮貌。3.用練習、比賽方法（查尋趣味性）。4.在遊戲中愉快地學習。				

教學資源

1.中華兒童叢書「書的家」。2.最新增訂本辭海。3.重編國語辭典。4.大漢和辭典。5.音樂辭典。6.東方國語辭典。7.上品彩色國語辭典。8.地理辭典。9.算術辭典。10.中國歷史辭典。11.圖書辭典。

教學目標

單元目標

1.認知方面：
(1)認識辭典的特性。
(2)瞭解辭典的種類。
(3)瞭解各種辭典的內容。

2.技能方面：
(4)增進查尋辭典資料的能力。
(5)學習各種辭典的使用方法。
(6)遇到生詞能藉助於辭典尋求答案。

3.情意方面：

具體目標

一—一能分辨出辭典與一般書籍的不同。
一—二能說出辭典在編排、閱讀、內容等方面的特性。
二—一能說出辭典的種類（包含各科辭典）。
三—一瞭解各種辭典的性質和內容。
三—二能說出各種辭典的性質和功用。
四—一能利用辭典尋查到所要的資料。
五—一能正確的使用辭典（用部首、注音、筆劃、或難字索引）。
六—一遇到問題能判斷用何種辭典？（如音樂問題、查尋音樂辭典）
七—一能自動自發隨時利用圖書館。

(7)激發學生利用圖書館的興趣。

(8)培養學生獨立學習與研究的能力。

(9)培養學生閱讀的興趣和習慣。

八一一能利用圖書館的圖書及各種型式的資料。

八一二能利用各種社會資源做學習及研究的工具。

九一一能享受讀書、閱讀的樂趣。

節次	月	日	教學重點
1			辭典的特性、種類及其性質與內容。
2			辭典的使用方法，做遊戲和比賽。

(時間分配)

教學目標
七一一

教學活動	教具	時間	評鑑	備註
壹、準備活動 一、課前準備 1.指導學生利用課餘時間，各自到圖書館去翻閱、字典、辭典。 2.教師蒐集資料，並製作透明片、圖片和準備各種辭典。 3.課前分發一張資料。			課餘時間能翻閱各科辭典 能仔細參觀圖書館及其各種辭典	

	4.利用週三、週六下午參觀三、四個圖書館之兒童室。			
六—一 九—一	二、引起動機： 提出國語課本第十二冊第一課梅花之生詞： 1.(1)天寒地凍 (2)凜列 2.(3)枯萎 (4)凋謝 3.(5)隆冬 (6)疏影 4.(7)犯寒開 (8)勁節	字典、辭典 閃示板 生字卡	五分	能從字典、辭典中找出須要利用的資料
一—二 三—一 三—二	三、決定目的： 認識辭典的特性、種類及其性質和內容。		二分	
一—二	貳、發展活動 一、說明辭典的特性。	投影卡	五分	能了解辭典的特性，及與一般書籍之不同處。
一—一	二、說明一般書籍與辭典不同之處。	投影機 一般書籍	三分	
二—一	三、介紹幾種辭典。	各種辭典（包	五分	能了解地理辭典音樂辭

六—一

	括彩色上品		典，圖畫辭
	辭典、音樂		典，算術辭
	辭典、地理		典，中國歷
	辭典、算術		史辭典等之
	辭典、中國		內容。
	歷史辭典、		
	圖書辭典等）		
四、提出問題，各組分頭去尋查答案	問題卡	二十分	
（音樂方面的問題）。			
五、教師再說明辭典之類別。	透明片	十分	
六、各種辭典之檢索方式。	實物（部首、		
七、辭典的用途。	注音、索引、		
	筆劃等）		
八、提出問題讓學生查尋。	實際操作		提出答案
九、由學生報告各人查尋的方法。	學生報告	五分	能報告查尋
參、綜合活動			方法
一、綜合本單元提出要點複問學生。		五分	

九—一				
	二、教師說明（從認知、技能、情意）確立學習的態度和方法。			
	三、從遊戲和比賽中愉快地學習。			
	1.遊戲：每人說一字加兩個重疊字（國語、臺語皆行）如：軟綿綿、白嫩嫩……等，全部講完再加一個（我是）如：我是軟綿綿、我是白嫩嫩等講不出或有錯誤時罰唱歌。		十分	能從辭典查尋出很多組的重疊字詞應用在遊戲中
	2.雙胞胎或四胞胎～比賽如：赫赫、白白、青青……等如：合合氣氣、高高興興……等，把它們寫在閃示板或紙條上，字多又沒有錯的取三名給獎。	獎品三份	五分	能從辭典中尋出很多的重疊字詞及雙重疊字詞用在比賽中。
	3.比賽：背辭典：每人說一組成語，分四組輪流，對的加五分，最後總分加起來比較，給獎品。	獎品乙份	五分	能從辭典中尋出多組成語應用在比賽中。
	—全單元完了—			

附錄九　「德國農民舞」教學活動設計（體育課）

臺北市　國民小學圖書館配合各科創造思考教學活動設計

教學科目	體育科	教學年級	五年十班
教學單元	德國農民舞	設計教學者	李元紅
教材來源	國民小學體育科教學指引（第五冊）教育部體育司土風舞選輯	指導者	圖書館輔導小組
教學日期	中華民國75年4月28日　時　分　時　分（本節爲第二節）		
教學時間	總時間	八〇分鐘	
	節次	共二節	
	各節重點	第一節：學會本舞蹈基本的舞步。 第二節：1.熟練團體舞隊形。 2.輔導學生利用圖書館資源深入探討舞蹈背景與精神。	
教學	一、學生學習條件之分析 具備基本舞步動作。 二、教學方法		

研究

圖示法、講述法、表演法、資料蒐集法。

三、教學資源

有關土風舞各種圖書、辭典、圖片、錄音機、錄音帶、教學指引、風景圖片、中華兒童百科全書……等。

教學目標

單元目標

1. 使兒童明瞭「德國農民舞」的隊形及跳法。
2. 培養兒童韻律感。
3. 培養兒童藝術欣賞與表情能力
4. 培養兒童對中外各國土風舞的興趣與喜愛。
5. 讓兒童學會充分利用圖書館，找尋有關土風舞的資料。
6. 培養兒童互助、合作、負責、守法的團隊精神。

具體目標

一—一能熟練土風舞基本步法。

一—二有正確的韻律感。

一—三能配合音樂的韻律，做出正確的舞姿。

一—四能欣賞別人表演。

一—五具有表達感情的能力。

一—六能發表德國之風土人情。

一—七利用從圖書館所蒐集之資料，進一步補充、印證本舞蹈之背景資料。

二—一能對土風舞產生興趣。

二—二能認眞練習，欣賞別人，並與人合作。

二—三能表現土風舞的精神——活潑、輕鬆、愉快。

目標號碼	教學活動	時間分配	教學資源	教學評量
	【第一節】			
	一、準備活動：			
二—二	1.場地佈置：①地面整潔。②教室通風良好。		國語日報辭典、康輔手冊、地球儀利用圖書館九〇〇類目蒐集	
一—七	2.輔導兒童利用圖書館資源，蒐集有關德國人文、社會方面的相關資料。			
二—二	3.教具——輔導學生於課前將應用的教具準備妥當，並置於適當地點。		錄音機、錄音帶圖片、土風舞選輯。	培養兒童合作、負責、守法之團隊精神。
	4.學生就定位——按事先分配之位置就位。			
一—一 二—三 一—二	5.準備運動：①複習所學過之基本步法。②放鬆運動。③介紹歌曲（對舞蹈之含意）。	七	錄音機、錄音帶	培養成熟的韻律感。

	二、發展活動：			
一-一	1.說明示範：老師說明「德國農民舞」的各段動作及示範。	五	教學指引第五冊 錄音機、錄音帶 自製圖片。	能熟練農民舞之舞步。
一-二 一-三	2.嘗試練習：①學生分爲十組，每組4人。 ②教師巡迴指導。			
一-四	3.糾正錯誤：集體說明錯處，並共同糾正。	六		
一-五	4.反覆練習。	二		
二-三	5.分組比賽。	十		
	三、綜合活動：			
二-四	1.藉各組表演，讓學生分別懂得評鑑別人的優劣。	二		能欣賞別人，自己也能融入感情表達出來。
	2.老師評論。			
	3.師生共同檢討學習得失。	二		
	4.生活指導：①服裝儀容。 ②保健常識—洗手、擦汗、加衣等。	二		

二-一-二	5.共同收拾教具。	三		
	6.鼓掌解散。	一		
	第一節完			
	【第二節】（本節）			
二-一-二	一、準備活動：			
	1.場地、教具與第一節同。	四	錄音機、錄音帶、	
一-一-一			圖片（影印自圖	
二-一-一	2.以學過的「七步舞」作為引起動		書館所蒐集之書	
	機，熱身運動。		籍圖片）	
	二、發展活動：		地球儀	
一-一-三	1.說明示範：複習上一節剛學會的	三		更熟練舞步。
	舞蹈動作，並加強本節之動作及			
	舞蹈內涵層次，並再作示範。			
一-一-一	2.再練習：			
	①找一、二組跳得較好的同學出	三		
	場表演。			

一—六	②老師要求學生將所蒐集的資料發表出來，並配合圖片略加說明。	七	月曆——學生蒐集。	懂得資料如何蒐集，並知道善加活用。
一—七	③要求學生將資料來源提出說明。	三	德國農產品資料——遠東百貨公司。	
二—一	④老師綜合學生收集之資料予以歸納分析，並比較各種資料之不同處。	三		
一—七	⑤將本舞蹈之精神，配合實際資料加以印證。	二		
	⑥鼓勵小朋友常利用圖書館充實自己。			
一—三 二—三	⑦要求小朋友以德國人、德國之民情，跳好這支「農民舞」。	三		瞭解德國、德國人，並感受與我們中國人不同之處。
一—四	三、綜合活動： 1.抽出兩組小朋友輪流表演比賽。	五	錄音帶、錄音機	希望達到人人喜

一—五	2.其餘小朋友在旁打拍子助興，並任裁判。			愛土風舞，並以之作為正當之休閒活動。
	3.師生共同評判，並予獎勵。			
	4.生活指導（同上節）。	二		
	5.收拾教具。	三		
一—七	6.預告下次舞蹈及應準備之資料。	二		
二—二	7.鼓掌解散。			
	第二節完			

附錄十　音樂科教學活動設計

圖書館利用配合音樂科單元教學活動設計

單元名稱	母親！您眞偉大	班級	五年級	人數	三十人
教材來源	自編	指導教師	李春芳老師	時間	一二〇分鐘
教材研究	1.本單元以培養查檢資料及使用視聽器材之能力爲主。 2.本單元歌曲柔美易學，故可由多方面資料之接觸及欣賞、體認母親的偉大及母愛的可貴。	教學者	曾萃芳老師		
學生學習條件之分析	1.「母親！您眞偉大」，是一首易學且通俗的曲子，兒童均已耳熟能詳，且能體認母親的偉大及重要性。 2.學生對各類型之資料之認識，已有初步了解，且亦有查檢的能力。				
教學方法	講述、問答、討論、發表、欣賞、視聽教學、自學輔導。				

教學資源	課本、圖書館各類型資料、錄放影機、錄音機、風琴。

教學目標	
單元目標	1.認知方面： (1)理解各種資料的類型。 (2)明瞭唱歌的基本方法。 2.技能方面： (3)熟練各種資料的查檢方法。 (4)增進使用各種視聽器材的能力。 (5)學會「母親！您眞偉大」的曲譜，並能背唱歌詞。
具體目標	一—一能正確說出各種資料的名稱。 一—二能解釋各種資料的用途。 一—三能討論各種資料的查檢方法，並說出其分類及排架位置。 二—一能說出換氣的位置及方法。 二—二能用頭聲輕唱，唱出高而和諧的音。 三—一能找到各種資料的位置，並正確的取閱。 三—二能比較各種資料並選擇有效的查檢方法。 三—三能利用目錄卡片查檢所需資料。 三—四能查到相關資料並正確記錄資料來源。 三—五能配合主題，報告正確內容。 四—一能熟練的操作視聽器材。 四—二能正確的播放所需資料。 五—一能視唱「母親！您眞偉大」的曲譜。 五—二能背唱「母親！您眞偉大」的歌詞。

教學目標

3.情意方面：

(6)增進對母親辛勞的體認，並激起對母親感恩的孝意。

(7)養成樂於利用圖書資料的興趣。

五－三能離琴唱準「母親！您眞偉大」的歌曲。

六－一能講述母親節的來源及意義。

六－二能報告母親工作的辛勞及對子女的期望。

六－三能討論祝福母親的話，及慶祝母親節的方法。

七－一能積極參與討論所要查檢的資料。

七－二能說出查檢資料的好處。

時間分配

節次	月	日	教學重點
1			正確習唱「母親！您眞偉大」之詞曲。
2			討論資料的類型，及查檢方法並整理報告。
3			
4			

教學目標	教學活動	教具	時間	評鑑	備註
	壹、準備活動： 一、課前準備：				

	1.教師方面：			
	①研閱並分析本單元內容			
	②蒐集補充教材。			
	③準備視聽器材。			
	2.學生方面：			
	①預習本單元歌曲及有關樂理。			
	二、引起動機：			
	由母親節的即將來臨，詢問節日之由來。		二分	能說出
	三、決定目的：			
	學習「母親！您眞偉大」歌曲。			
	貳、發展活動：			
	一、基本練習：	風琴	三分	已學會
二—一	1.發聲練習。	小黑板	三分	能做到
二—二	2.節奏練習。			

五—一

二、復習舊歌：唱本學期已學過的舊歌數首	課本、風琴	四分	大部份學生能做到
三、新歌教學：			
1.由欣賞「母親！您眞偉大」的錄音帶而引起學習興趣	錄音機及錄音帶	二分	能靜聽
2.介紹歌曲作者及作者的背景。	圖片	三分	
3.輔導學生視唱曲譜。			
①用「ㄌㄚ」音唱曲譜。	課本、風琴	二分	能唱出
②唱曲譜各音的唱名（不計拍子）		二分	
③輕聲隨琴視唱。		三分	
4.輔導學生習唱歌詞。			
①討論歌詞及生字。	課本、風琴	二分	能說出
②按節奏朗誦歌詞（注意歌詞咬字、發音要正確）		二分	
③教師範唱歌詞。		一分	

五－二	④學生試唱歌詞。		二分	能唱出
	⑤反覆練習歌詞至離琴背唱。		三分	能全體一起背唱，情緒熱烈。
五－三	四、綜合活動： 1.分組演唱「母親！您真偉大」這首歌並欣賞、批評	風琴	五分	大部份學生能演唱並發表意見。
	2.預示下一節課所要查檢之資料，並要求學生搜集有關「母親」之資料。		一分	
	—第一節完—			
	壹、準備活動： 一、課前準備： 1.老師方面： ①準備各類型資料置於圖書館。 ②製作教具。			

六—二

③準備視聽器材。			
2.學生方面：			
①準備應用文具至圖書館			
②將所查到有關「母親」的資料，佈置於圖書館中。			
二、引起動機：由學生查檢資料之有限，引起利用圖書館資料之興趣。	學生所蒐集之資料	三分	各組至少一件
三、決定目的：熟習並樂於查檢資料。			
貳、發展活動：			
一、資料查檢：			
1.提出查檢主題。			
①教師提出本單元所要查檢的資料題目如下：			
a.母親節的由來？日期	書面紙	二分	

是哪一天？

b.把「康乃馨」的形狀及特徵畫出來。

c.找幾首關於母親的歌或曲譜。

d.有沒有關於母親的書把它找出來。

e.有沒有關於母親的錄影帶、錄音帶、唱片……或其他視聽資料

f.歷史上曾出現那些偉大的母親，有哪些事蹟？

g.查「康乃馨」各字部首及音義。

②各組學生自行討論其他可查檢的主題。

能提出

一—一	③討論可用之資料類型有哪些？			二分	能討論	
一—二	3.記錄資料來源： ①各組在老師指導下，指定一名學生記錄已查到的資料。	黑板			能紀錄	
三—四	②記錄的學生繪製表格如下（老師應先繪在黑板上公布）：	記錄表				

題目	資料名稱	作者	出版者	出版日期	頁數

三—二	③學生將找到的資料依序記入表內。 ④整理記錄。			能整齊的記錄	
三—三	2.分組查檢資料： ①依學生所討論的資料類型，概括分為五組。 a.字典、辭典。 b.百科全書。 c.故事書（及目錄）。 d.錄影帶、錄音帶、唱片（目錄）。 e.傳記資料。	字典、辭典、百科全書、故事書、錄影帶、錄音帶、唱片、傳記資料。	十五分	能討論並能參與查資料活動。	安排各組之指導老師。
一—三	②各組討論其指定資料之分類及排架位置（由各組老師帶領）。				
三—一	③各組至資料所在位置，集中討論查檢方法。				

	④學生開始查檢，老師巡視指導。			
	二、討論報告結果：			
	1各組報告：			
三—五 七—一	①由各組派一名學生報告結果，並說出資料來源及查檢方法。			能報告
	a.第一組（字典、辭典）以簡短的答案，解釋意義。	字典、辭典	十二分	
	b.第二組（百科全書），就所查出之內容作簡要報告。	百科全書		能報告
	c.第三組（故事書）提出查檢到的書籍，介紹書名、作者。	故事書。		能提出書籍並報告
	d.第四組（錄影、錄音帶、	錄影帶、唱		能提出資料

七—二

唱片）提出主題、資料名稱，並保留若干以便下節課播放。	片、錄音帶		並報告
e.第五組（傳記資料）提舉查檢到的資料，簡要報告。	傳記資料		能說明
②師生共同訂正或補充內容。			
2.老師評鑑及歸納： ①老師評鑑各組查檢時的秩序、方法指導利用圖書資料須知。 ②歸納整理結果，並對查不到的資料加以說明或另指示途徑。		二分	能討論
叁、綜合活動： 1.整理圖書資料：			

①每組派一、二位同學，查看資料架的資料，是否歸位。	報告表及資料	三分	能將資料歸位
2.繳交各組查檢紀錄，並公佈展覽查到的資料。		一分	能參觀各組資料
3.預示下一節活動。 —第二節完— 壹、準備活動： 一、課前準備活動： 1.教師方面：準備視聽器材，如錄影帶、錄音帶、唱片等。 2.學生方面：背唱「母親！您眞偉大」歌詞，並知道視聽器材之名稱及操作方法。 二、引起動機：			

	由母親節的前夕，提醒學生體認母親的辛勞。		一分	
	三、決定目的：闡揚孝道。			
	貳、發展活動：			
	一、復習舊歌。			
五－三	1.復習「母親！您眞偉大」並能背唱。	風琴	二分	大部份同學能背唱。
	2.復習另一首有關母親的歌，「媽媽的眼睛」。		一分	
	二、歌曲欣賞：媽媽的眼睛			
	1.播放「媽媽的眼睛」歌曲		五分	
六－一	2.指名學生就舊經驗解說歌曲的內容。			
六－二	3.學生自由回答自己媽媽的眼中常有怎樣的表情。		二分	
	三、將「母親！您眞偉大」練習	錄音機	三分	能認眞、唱

	的成果，錄音、錄影。	錄音帶		出。	
	1.由體會母親的偉大，認眞而有感情的再唱一次，「母親！您眞偉大」，並注意表情，同時錄影。	錄影機 錄影帶 風琴			
	2.錄影人員選取適合的角度拍攝。				
四—一	四、視聽器材使用方法的介紹。				
	1.介紹本單元的使用的視聽器材。	錄音機 錄音帶	三分	能回答。	
	①指名學生回答視聽器材之名稱及配合之軟體。				
	②各組討論錄音機的使用方法。				
	2.進行使用：				
	①分散試錄有關母親的歌或祝福母親的話，做爲		五分	能討論。	

送母親的禮物，每組以四〇秒爲準。			
②教師巡視及指導，提醒學生控制音量，以免干擾他組。			
③試播錄音的成果，並倒帶以便馬上發表。			
3.欣賞及評鑑：			
①將各組錄音，由各組組員依次放出，大家欣賞		五分	能放音。
②評鑑效果及說明錄音須知。			
五、播放錄影帶。			
1.放映有關「母親」的錄影帶，供大家欣賞。	錄影機 錄影帶	五分	能靜心欣賞
2.欣賞自己所錄製的影片、齊唱「母親！您眞偉大」	銀幕。	五分	

	3.討論自己錄影時之缺失，老師加以講評。			能討論。	
六—三	參、綜合活動：				
	1.放其他有關「母親」的錄音帶、兒童靜想，用什麼方法慶祝母親節。	錄音機 錄音帶	三分	能傾聽。	
	2.兒童準備「自己的獻禮」於下一次上課時，報告他的方式及結果。				
	—本單元完—				

附錄十一 健康教育教學活動設計

臺北市 國民小學圖書館利用教育健康教育科教學活動設計

教學單元	營養和疾病	教學來源	國小健康教育第六冊、第三課
教學日期		教學時間	四〇分鐘
教學年級	六年級	教學者	
		設計者	國小圖書館輔導小組

教材分析
1.本單元屬於「營養的食物」系列教材。 2.銜接五年級「營養與生長發育」，更進一步探討營養與疾病之關係。 3.現代家庭、生活水準、孩子又少，常因愛子可能促成兒童偏食而導致營養不均讓兒童能由查檢有關資料，研討相關問題，了解營養與疾病，是健康教育教學的重要課程。 4.是適合以「利用圖書館」來展開學習，並配合教學需要完成「圖書館利用教育」的課程。

單元
1.認知方面： (1)明白營養素在食物中的分佈情形。

學目標	教學資源
(2)認識缺乏營養素，所引起的疾病。 2.技能方面： (1)能運用圖書館中參考書來查檢「營養與疾病」相關之資料。 (2)能歸納學習要點，提供家庭選擇食物之參考。 3.情意方面：養成不偏食之習慣。	1.相關的參考書。 2.各種營養與疾病有關之資料、實物、圖片。 3.五大營養素文字卡片。 4.五大營養素與食物對照表。 5.兒童饍食習慣調查表（按班級人數準備）。 6.營養與疾病資料查檢表（按班級人數準備）。

具體目標	教學活動	時間分配	備註
	一、準備活動： ㈠師生共同蒐集有關「健康、營養、疾病」相關之書籍、實物、圖片、表格、資料，陳列佈置於教室，以便查檢。		教學前一週進行。

能指出食物與營養素對應之關係
一—A—①

能背誦出五大營養素之名稱
一—A—②

認識營養素與疾病的關係

㈡教學前一週實施「兒童饍食習慣」之調查，並完成統計以便教學之參考。

二、教學活動：

㈠由復習舊教材開始：

1.四年級教材：

(1)「營養與健康」——均衡食物對生長發育有很大的幫助。

(2)「常吃的食物」——認識主食、副食、葷菜及素菜。

2.五年級教材：

(1)「食物的營養素」——營養素分那五大類。

(2)「營養午餐」——午餐的重要。

3.六年級教材：

(1)「怎樣選擇食物」——均衡食物的重要，及偏食的不良影響。

三分

一—B—① 能利用圖書館查檢資料 二—A 認識缺乏營養素引起的疾病 一—B—②	㈡檢討調查問卷統計表，決定學習目的。 ㈢查檢「營養與疾病」有關資料。 ㈣塡寫「營養和疾病」綜合資料表。 ㈤自由討論。	十五分 十分	教學若在圖書館進行，則可在圖書館參考員之輔導下完成。

國立中央圖書館出版品預行編目資料

國民中小學圖書館之經營 / 蘇國榮著.-- 修訂版.-- 臺北市：臺灣學生，民 80

13,416 面；21 公分 --（圖書館與資訊科學叢書；9）

參考書目：面 311-348

ISBN 957-15-0239-1（精裝）-- ISBN 957-15-0240-5（平裝）

1.學校圖書館

024.6　　80001914

國民中小學圖書館之經營 全一冊

著作者：蘇國榮
出版者：臺灣學生書局
發行人：丁文治
發行所：臺灣學生書局
台北市和平東路一段一九八號
郵政劃撥帳號○○○二四六六八號
電話：三六三四一五六
FAX：三六三六三三四
本書局登記證字號：行政院新聞局局版臺業字第一一○○號
印刷所：明國印製有限公司
地址：台北市桂林路242巷57號
電話：三○八九八二○
香港總經銷：藝文圖書公司
地址：九龍偉業街九十九號連順大厦五字樓及七字樓
電話：七九五九五九五
定價 精裝新臺幣三一○元 平裝新臺幣二五○元
中華民國七十八年元月初版
中華民國八十二年八月修訂二刷

02403

ISBN 957-15-0239-1 (精裝)
ISBN 957-15-0240-5 (平裝)

臺灣學生書局出版

圖書館學與資訊科學叢書

①中國圖書館事業論集	張 錦 郎 著
②圖書・圖書館・圖書館學	沈 寶 環 著
③圖書館學論叢	王 振 鵠 著
④西文參考資料	沈 寶 環 著
⑤圖書館學與圖書館事業	沈寶環編著
⑥國際重要圖書館的歷史和現況	黃 端 儀 著
⑦西洋圖書館史	Elmer D. Johnson著 尹 定 國 譯
⑧圖書館採訪學	顧 敏 著
⑨國民中小學圖書館之經營	蘇 國 榮 著
⑩醫學參考資料選粹	范 豪 英 著
⑪大學圖書館之經營理念	楊 美 華 著
⑫中文圖書分類編目學	黃 淵 泉 著
⑬參考資訊服務	胡 歐 蘭 著
⑭中文參考資料	鄭 恆 雄 著
⑮期刊管理及利用	戴 國 瑜 著
⑯兒童圖書館理論/實務	鄭 雪 玫 著
⑰現代圖書館系統綜論	黃 世 雄 著
⑱資訊時代的兒童圖書館	鄭 雪 玫 著
⑲現代圖書館學探討	顧 敏 著
⑳專門圖書館管理理論與實際	莊 芳 榮 著
㉑圖書館推廣業務概論	許 璧 珍 著

㉒線上資訊檢索——理論與應用　蔡明月著
㉓現代資訊科技與圖書館　薛理桂著
㉔知識之鑰—圖書館利用教育　蘇國榮著
㉕圖書館管理定律之研究　廖又生著
㉖外文醫學參考工具書舉要　顏澤湛編著　沈寶環校正
㉗圖書館讀者服務　沈寶環主編
㉘臺灣鄉鎮圖書館空間配置　林金枝著
㉙圖書館事業何去何從　沈寶環著